新 潮 文 庫

ルネサンスの女たち

塩 野 七 生 著

読者へ──「若書き三部作」を再び文庫の形で世に問うにあたって

作家になるなど考えもしないでイタリア生活を愉《たの》しんでいた私が、偶然に出会った人に推《すす》められるままに書いた最初の作品が、『ルネサンスの女たち』です。勉強と執筆に要した時期は、二十九歳から三十歳にかけて。それが『中央公論』誌上に掲載された後で一冊の書物にまとめられて刊行されたのは、翌年ぐらいであったかしらと思います。

二作目になる『チェーザレ・ボルジアあるいは優雅なる冷酷』は、雑誌掲載を経ずにいきなり単行本として書き下ろした作品ですが、執筆時期はその直後。なにしろ、『女たち』を書き終えるやただちに『チェーザレ』にとりかかっていたので。それでも書店に出たのは三十二歳になってからでした。

三作目がその翌年には早くも書き始めていた『神の代理人』。『女たち』と同じく雑誌掲載を経て単行本化されたのは、私が三十五歳の年になってから。つまりはこれら三作品は、二十台の終わりから三十台の前半までに書かれたことになります。

これらを、書いた本人である私が久しぶりに読み返したうえでの感想を一言で言えば、微苦笑、でしたね。なぜなら三作とも、「若書き」の特徴がはっきりと出ていたからで、そのマイナス面は肩に力が入っていること。要するに大上段に振りかぶる感じの書き方を、ときにはしているということです。ただしこれも、あらゆる現象はプラスとマイナスの両面で出来ている、という考えが正しければ、プラスに変わりうる。当時の私の胸中を満たしていた想いが一挙に噴き出した作品だった、と言えないこともないからです。

昔から私は、世間が言う「イイ子」ではなかった。それも思春期を過ぎて若者の世代に入るようになると、当時の日本社会を満たしていた微温的な雰囲気への嫌悪《けんお》がますます高まります。みんなで仲良く、なんて嘘《うそ》っぱちだと思っていたし、それで社会が進んでいると思って疑わない当時の日本のエリートたちが大嫌いだった。この想いが、西欧の、それも昔の西欧の歴史と〝対決〟したことによって噴出したのでしょう。

なにしろ、女たち、若い男、成熟した男たち、と対象は変わっても、それを書いている私の胸の中には、イイ子でいたんでは生きていけないんですよ、昔のヨーロッパにはこういうたくましい人間が生きていたんです、と日本人に突きつけたい想いでいっぱいだったのですから。まるで、私自身が、噴き出すのを待っているマグマでもあるかのように。

娘の頃に読んだのでどの作品かは忘れたけれど、アンドレ・ジイドは次のように書いています。

トルストイという山は、ふもとからでも見える。だが、そのトルストイという山に登ると、その向うにはドストエフスキーという山がそびえ立っているのが見える、と。『女たち』も『チェーザレ』も『神の代理人』も、ふもとにいても見えた山なのです。だから舞台も、当時の私が住んでいたローマとイタリアに集中している。眼をつぶっていても情景がわかる土地を、舞台に選んだからでした。

そして、この山を登り終えた私の視界に入ってきたのが、その向うに高くそびえるヴェネツィアとフィレンツェ。この山にも登った成果が、『海の都の物語』と『わが友マキアヴェッリ』に結実します。そして、またもこれに登った私の視界に入ってきたのが、はるか向うに延々とつらなる古代ローマという山脈でした。これもまた十五年かけて踏破した後、ルネサンスと古代の間にはさまれた中世が、まだ手つかずであったのに気づく。それで、一千年間にもおよぶ中世を体現していた三つの山にも登ることになってしまったのです。

第一の山は、地中海を舞台にくり広げられた海賊と海軍をめぐる一千年間のお話。『ローマ亡き後の地中海世界』と名づけた作品です。パクス・ロマーナ崩壊後の地中海は、北アフリカから襲ってくる海賊と、それへの防衛に海軍をつくって立ち向かう南ヨーロッパの激突の舞台になったからでした。

第二の山は、同じくイスラム教徒対キリスト教徒の激突でも、北ヨーロッパから中近東に攻めこんだキリスト教徒と、それを迎え撃つイスラム教徒の間でくり広げられた十字軍をめぐる物語。

第三の山は、表題はまだ未定なのでここでは書けませんが、現在準備中の作品。この三つにすでに書いている『海の都の物語』を加えた四作品で、長い中世の主要なところは〝登頂〟可能だと思っているのです。

このような具合で、「若書き三部作」で始まった私の作家キャリアも、眼の前にあらわれた山をひとつひとつ登っていくことで進んできたのでした。つまり、この「三部作」は、歴史作家としての私のスタートであったことになります。

たしかに、若書きゆえの欠点はある。しかし、それらを改めることはしませんでした。若い頃の勢いは、そのままで残すほうがよいと考えたからです。若さゆえの未熟には、それなりの良いところもある、と。

神は細部に宿る、と信じている私は、これまでにただの一度も、「一冊でわかる世界史」、とか、「早わかり西洋史」、とかを書くのを拒絶してきました。歴史という複雑な人間世界を描き出すのに、手っとり早くまとめてしまってはその真実に迫るのは不可能と思っていたし、それよりも何よりも、簡単にまとめてしまうのではあの時代でも懸命に生きた人々に対して礼を失する、と思っているからです。

そういうわけでいつも細部《ディテール》まできっちり書いてしまい、おかげで一冊が厚くなってしまい、それを買って読んでくださるあなたには常に申しわけないと思っているのですが、神は、つまり真理は細部に宿るのだ、とでも考えて許してください。申しわけないことに、この私の姿勢《スタイル》は死ぬまで直りそうもないようなので。

追伸

ついてはこの一冊『ルネサンスの女たち』ですが、ここで描かれるのは十五世紀後半から十六世紀前半にかけて生きた四人の女たちです。これまでの歴史叙述では女は男たちの犠牲者として描かれるのが常でした。しかしこの作品では、この視点は受け容れていません。もともとからして著者である私が、女は男の被害者とはかぎっていない、と思っているからかもしれません。

また、五百年も昔に生きた女たちとはいえ、私には遠く離れた存在ではまったくなかった。

イザベッラ・デステは、こんな女とは友達になりたくないと思うくらいに我の強い女で、そこが私に似ていなくもなかったからです。

ルクレツィア・ボルジアとなるとそれとは反対の女に見えますが、私には同じように共感できた。長女に生まれた私には兄という存在に憧れる気持ちが常にあり、チェーザレのような兄を持つことができるなら、政略結婚でも何でも協力しちゃうなあ、と思っていたくらいなので。

カテリーナ・スフォルツァとなると、あのじゃじゃ馬ぶりは私そのまま。不利とわかっていても突き進んでしまうところが、私の性格の重要な一部でもあるのです。

カテリーナ・コルネールの章ですが、女としては共感するところは少しもないのにとりあげたのは、この女を動かした、ヴェネツィア共和国の政治・外交に興味をもったからでした。これは後に、『海の都の物語』につながっていくことになります。

というわけで、『女たち』を書いていた頃を思えば今昔の感ですが、今年の誕生日が来ると後期高齢者になっちゃうのか、と情けない想いでいる二〇一二年春の塩野七生より。

目次

ルネサンスの女たち

ルネサンス時代のイタリア

第一章
イザベッラ・デステ

「Nec spe nec metu」
(夢もなく、怖《おそ》れもなく)

レオナルド・ダ・ヴィンチによるデッサン。ルーヴル美術館蔵

イザベッラ・デステ系図

エステ家
リッチャルダ・ダ・サルッツォ（一四二九婚姻）
パリシーナ・マラテスタ（一四一八婚姻）
ジリオラ・ダ・カラーラ（一三九七婚姻）
ニコロ三世（一三八三―一四四一）
シジスモンド
エレオノーラ・ダラゴーナ
エルコレ一世（一四三一―一五〇五）
ボルソ（一四一三―一四七一）
レオネッロ（一四〇七―一四五〇）
イッポーリト（一四七九―一五二〇）（枢機卿）
ジュリオ（一四七八―一五六一）
フェランテ（一四七七―一五四〇）
アンナ・スフォルツァ
アルフォンソ一世（一四七六―一五三四）
ルクレツィア・ボルジア
ルドヴィーコ・スフォルツァ（イル・モーロ、ミラノ公）
ベアトリーチェ（一四七五―一四九七）
フランチェスコ・ゴンザーガ（マントヴァ侯）
イザベッラ（一四七四―一五三九）
アンニーバレ・ベンティヴォーリオ
ルクレツィア
ゴンザーガ家
バルバラ・フォン・ブランデンブルグ
ルドヴィーコ（一四一四―一四七八）
マルゲリータ・ディ・バビエラ
フェデリーコ一世（一四四一―一四八四）
ジョヴァンニ・スフォルツァ（ルクレツィアの第一の夫）
マッダレーナ
ジョヴァンニ
グイドバルド・ダ・モンテフェルトロ（ウルビーノ公）
エリザベッタ（一四七一―一五二六）
シジスモンド（枢機卿）
イザベッラ・デステ
フランチェスコ二世（一四六六―一五一九）
キアラ
ジルベール・ド・モンパンシェ
シャルル・ド・ブルボン（一四八二―一五二七）
パオラ（一五〇八生）（尼に）
イッポーリタ（一五〇三生）（尼に）
リヴィア（一五〇四生、早世）
フェランテ（一五〇七生）
エルコレ（一五〇五生）（枢機卿）
マルゲリータ・パレオロゴ
フェデリーコ二世（一五〇〇―一五四〇）
マルゲリータ（一四九六生、早世）
フランチェスコ・マリーア・デッラ・ローヴェレ（ウルビーノ公）
レオノーラ（一四九三生）
フェデリーコ（枢機卿）
ルイジ（ノヴァーラ公）
エレオノーラ・ディ・アウストリア
グリエルモ一世（一五三八―一五八七）
カテリーナ・ディ・アウストリア
フランチェスコ三世（一五三三―一五五〇）
アルフォンソ・ダヴァロス
イザベッラ（一五三九生）
＝　婚姻関係
｜　嫡子
‖　庶子

政治と美

一枚のデッサンと一人の歴史家の言葉。そこから伝説が生まれた。イタリア・ルネサンス時代の多くの人物がそうであるように。また、歴史上の人間がしばしばそうであるように。イザベッラ・デステ Isabella d'Este もまた、その真実の全体像よりもその一部分の伝説によって知られてきた女性である。

イザベッラ・デステ――われわれがまず彼女を知るのは、ルーヴル美術館にあるレオナルド・ダ・ヴィンチのデッサンからである。そして次のブルクハルトの『イタリア・ルネサンスの文化』の中の言葉が、五百年後の今日も、彼女の像を決定的なものにしてしまった。

「……夫人にたいするわれわれの判断は、この美しい奥方の庇護《ひご》にゆたかに報いた芸術家や著作家に頼るまでもない。夫人自身の書簡がわれわれに、この何ごとにも動じない、おちついた、ものごとをいたずらっぽく眺めている愛想のよい女性を、十分に描き出している。この宮廷は小さくて無力であり、その金庫もよくからっぽになったのに、ベンボ、バンデロ、アリオスト、ベルナルド・タッソは、その作品をこの宮廷に送った。古いウルビーノの宮廷が解体して（一五〇八年）以来、このような洗練された社交の集まりは、どこにももう存在しない。……イザベラ夫人は、芸術にかけては特別な識者であった。夫人のささやかながら、よりぬかれた収集の目録は、芸術を愛する者ならばだれでも、感動なしに読むことはできない」（柴田治三郎訳）

日本だけでなく、ヨーロッパでもブルクハルトの権威は絶対であった。一九〇三年に出版された、そして未《いま》だに彼女に関する唯一《ゆいいつ》のまとまった伝記『イザベッラ・デステ、マントヴァ公爵《こうしやく》夫人』を書いたイギリス人のジュリア・カートライトも、イタリアの愛国者、ルネサンス芸術のパトロンというブルクハルトの見方を忠実に守っている。

そして、一九六八年の九月で五年目を迎えるイザベッラ・デステ賞も、文化、政治、科学とあらゆる分野で功績のあった、世界中から選ばれた女性に与えられることになっている。これがわれわれの知っている彼女の像であった。

しかし、今もマントヴァに残る彼女の数々の手紙、彼女にあてられた手紙や、モデナにあるフェラーラ年代記、ヴェネツィアのサヌードの日誌、ヴァティカン古文書庫の史料からでは、そしてとくに十九世紀の終りから二十世紀初頭にかけてマントヴァ古文書館の長であったルツィオの、学問的に精密な研究からも、今まで知られていた彼女とは違う像が浮びあがってくる。

イザベッラ・デステは、このようなきれいごとに満ちた完璧《かんぺき》な人生などおくっていない。いやおくることができなかった。ルネサンス時代の家の子供たちがすべてそうであるように、彼女もまた生まれたときからすでに政治の中にいた。この政治、つまり入り組んだ政略や、大きな、あるいは小さな権謀術数の中に。これが彼女たちの運命であった。今日の女たちが、およそ彼女たちの政治とは無関係に生まれ、それと関係することなく死ぬことができるのとはまったくちがう。

幸か不幸か、イザベッラはエステ家という中級の貴族の家に生まれ、マントヴァの、これも中級のゴンザーガ家に嫁いで一生を終る。ルクレツィア・ボルジアのように、法王の娘として、初めから脚光を浴びる環境に生まれたのでもない。イザベッラの誇りは、しかし、彼女を平凡な中級の貴族の女として終らせることを許さなかった。彼女はすべてを利用する。政争も芸術も彼女自身も。与えられた自分の環境をのりこえるために。

十五世紀から十六世紀にかけてのイタリアは、非常な混乱の中にあった。マキアヴエッリによれば、十五世紀のイタリアの四大勢力であったミラノ公国、ヴェネツィア共和国、フィレンツェ共和国、ナポリ王国も、一四九二年のロレンツォ・イル・マニーフィコの死を境にして、まずフィレンツェが脱落する。そして同年、法王となったアレッサンドロ六世によって勢力を増大してきた教会の本山ローマが台頭してくる。そして、数年たつかたたないうちに、外国勢力のイタリア侵入を口火として、ミラノ、ナポリと次々に脱落し、ヴェネツィア、ローマの二大勢力だけが残ったイタリアは、ドイツ、フランス、スペインの絶え間のない脅威におびやかされ始める。そしてついに、一五二七年のサッコ・ディ・ローマ（ローマ掠奪《りやくだつ》）によってイタリア・ルネサンスが終りをつげ、二年後、神聖ローマ帝国皇帝カール五世のイタリアでの戴冠《たいかん》によって、スペインの白と黒が、色彩豊かであったイタリアを塗りつぶすことになる。

　これがイザベッラ・デステが生きた時代であった。母の実家ナポリのアラゴン王国が、妹ベアトリーチェの嫁ぎ先ミラノ公国が、次々と崩壊していくのを眼《ま》のあたりに見ながら、自分の実家エステ家が治めるフェラーラと、嫁いだ先のゴンザーガ家が統治するマントヴァを守っていく。中位の君主国で、最も大国の餌食《えじき》にされやすかったこの二つの国を守り抜くのには、大胆でしかも冷徹な現実主義によるしかなかった。同じように政治の中に生まれる運命をもった他のルネサンスの女たち、ルクレツィア・ボルジアは政争の渦にまきこまれ、カテリーナ・スフォルツァは正直にも真正面から対決して敗れ去り、ヴィットリア・コロンナが宗教に逃避したのに比べて、イザベッラ・デステは、つねに冷静な現実への眼を忘れていなかった。イタリア・ルネサンスの真髄である透徹した合理精神を。

イザベッラ・デステは生まれながらにして政治家であった。なぜならば、彼女の一生をつらぬいた若々しい大胆な魂と、冷徹な現実主義の上にたった合理精神こそ、真の政治をする者の本質でなくてはならないからである。この二つのものにささえられた時、権謀術数もまた美しい。芸術的に美しい。

彼女は、芸術家を保護することによって、美の友であろうとした。そして、そう思われてもきた。しかし、若々しい大胆な魂と冷徹な現実主義的合理精神という、イタリア・ルネサンスの心情を体現したその一生によって、彼女は、芸術の保護者であるよりも、より一層美の友であったのである。イザベッラが、文字どおりルネサンスの時代の子になったのはそのためである。そして、時代を越えもしなかったが、時代に流されることもなかった彼女の一生が、今なおわれわれの心をとらえるのもそのためである。

姉と妹

イタリアの北、ポー河のゆったりと流れるこのエミーリアの平野は、フィレンツェ近くの丘陵がゆるやかに重なりあう風景と全く異なって、地平線まですっかり見わたせてしまう。ところどころに立つポプラの、冬ですっかり葉を落してしまっている木々の間を、いやに大きなオレンジ色の太陽が落ちていくのがよく見える。ポー河を渡る少し手前で、南からの道は右と左に分れる。標識には、紺地に白い字で右にフェラーラ、イザベッラの生まれたエステ家が統治していた町。そして左にマントヴァ、彼女の嫁いだゴンザーガ家が治めていた町。

私がフェラーラ年代記をみつけたのは、モデナのエステ家図書館であった。十六世紀にはフェラーラ公国の一領地だったこの町も、のちに正統のエステ家が絶えたのち、分家がこのモデナに移って統治していたので、エステ家の史料はほとんどがこのモデナにある。しかし、今ではこの町は、イタリアの誇る競走車フェラーリとマセラーティの町といってもよい。テスト・コースからたいして離れてもいない、石造りの古びた古文書館で、十五世紀のフェラーラ方言で書かれた年代記や、インクの変色した手紙などをたどっている間も、モンツァ、モンテカルロとグランプリをひかえてテストをくり返す、競走車の虎《とら》の咆哮《ほうこう》に似たエンジンの響音が窓ガラスをふるわせていた。

無名の筆者たちによる、と書かれたこのフェラーラ年代記によれば、イザベッラ・デステは、一四七四年五月十八日、フェラーラ公爵《こうしゃく》エルコレ・デステと、アラゴン家の王女エレオノーラの間に第一公女として生まれた。翌年、妹ベアトリーチェが生まれ、そのあとに三人の男子の誕生が続く。

父エルコレ公は政治家としてなかなか才能があり、マキアヴェッリも認めているように、当時のイタリア諸国の中では、そのルネサンス的な政治によってきこえていた。大国にかこまれた中位の国というむずかしい政治的条件の中にありながら、エステ家には、昔から文芸趣味を尊重する家風があった。宮殿はピサネッロやピエロ・デッラ・フランチェスカの壁画で飾られ、旧宮殿のバルコニーの壁には、ヤコポ・ベッリーニによって、シバの女王のソロモン王訪問が描かれていた。その上、フェラーラには、当時のイタリアで最も完備した大学があり、イタリア中にも名を知られたそこの教授たちは、よく宮廷の会話の中心になっていた。時折開かれる宮廷の音楽会には、母がハープを、伯父のレオネッロがギターを、弟アルフォンソがヴァイオリン、イザ

フランチェスコ・ゴンザーガ

ベッラとベアトリーチェはリュートを弾くのだった。イザベッラはこういう雰囲気の中で、母の注意のもとに育っていった。金髪の可愛らしい快活な少女は、その才気を早くから示し、いつも宮廷の小さな花形だった。一つ年下のベアトリーチェの、黒髪に重い光をはなつ黒い眼がおずおずと見守る中で。ベアトリーチェには、アラブの血も混じっているといわれた母方のナポリのアラゴン家の血が強く感じられた。

一四九〇年二月、イザベッラは十六歳で、隣国マントヴァの当主フランチェスコ・ゴンザーガ侯爵と結婚する。二十六歳の若い侯爵は、イタリア貴族の中では不美男の方であったが、また最も魅力的な男でもあった。がっしりした背の高い、髭《ひげ》でいっぱいの顔に、祖母の血ブランデンブルグ公家特有のひしゃげた鼻をのっけていた。彼は何よりも武人だった。馬と馬上槍試合《ラ・ジオストラ》。これが彼の情熱であった。武人として、彼は、当時のイタリアでも最も優れた武人の一人であった。一方、紳士《ジエンティルウオーモ》としても一級だった。快活な北イタリア風のおしゃべりで、女に対してはやさしく慇懃《いんぎん》だった。彼自身、女好きであった。そして女好きは、ゴンザーガ家の伝統でもあったが。ヴェルディの歌劇『リゴレット』の舞台がマントヴァであることからでないにしても。しかし、彼は妻を愛した。ごく普通に、男が若い妻を愛するように。

結婚の第一夜がどのように過ぎたかは、そして誰と誰が列席していたかも、当時の一般の貴族の例に反して記録が残っていない。しかし、イザベッラが親しい女官に語ったとされていることによれば、フランチェスコは、信頼できる男らしい夫としての役目を十分にはたし、イザベッラも妻としてあるべき態度でもってこたえたとある。彼女はこれを語るとき得意気だったという。こうあるべきと考えての態度でもってこたえる、これは一生変らなかった。イザベッラは、男によって女としての根源を変えられるというタイプの女ではなかったのである。

イザベッラがマントヴァへ嫁いだその翌年、妹のベアトリーチェも結婚した。相手は、「イル・モーロ」(肌の色の黒い、意訳ならば腹黒い男を意味する）の綽名《あだな》で呼ばれ、摂政でありながら甥《おい》の正公爵を無視し去り、事実上の支配者としてミラノ公国に君臨していたルドヴィーコ・スフォルツァだった。イル・モーロは十年前、イザベッラとの結婚を申しこんだのだが、その一ヵ月前にイザベッラとマントヴァ侯との婚約が成立してしまっていたので、妹のベアトリーチェが代って婚約した。ミラノの宿敵ヴェネツィア共和国に対する、フェラーラとの友好関係を保つための政略結婚であったから、イル・モーロは、この入れかえにたいした興味も示さず承諾した。

一四九一年の冬、結婚する妹に付きそってミラノへ行ったイザベッラは、初めて大都会の生活を知る。当時のヨーロッパで最も華やかな宮廷と言われていたこのミラノの城は、事実上の支配者イル・モーロの結婚でわきかえっていた。祝祭の監督は、レオナルド・ダ・ヴィンチとブラマンテが担当していた。マントヴァに残してきた夫にあてたイザベッラの手紙が、その有様を驚きをもって表わしている。ミラノの町全体、マントヴァやフェラーラなどとは比べようもない大都会であること。ひっきりなしに開かれる舞踏会、華やかで洗練された宮廷人たち、その大規模な豪華さは、イル・モーロの権力を誰にも疑わせないほどだと。

主役は花嫁だった。ついこの間までまったく姉の陰にかくれ、影の薄い存在だったベアトリーチェは、今、舞台の正面におしだされる。彼女は、この豪華な宮廷の中心にいる二十歳も年長の夫に夢中になってしまった。イル・モーロも、この若い花嫁を可愛がるようすを皆の眼の前で示すのだった。ベアトリーチェは突然変った。まったたくその数日の間に。あいかわらず美しいとはいえなかったが、その子供っぽい顔は魅力に満ち、暗い光に沈んでいた黒い瞳《ひとみ》は、今や幸福を一身に集めた自信でもって輝き始めた。イザベッラははじめて、十年前、たった一ヵ月の差で失った幸運を見た。

今やとき放たれたベアトリーチェは、とどまるところを知らないかのようだった。イル・モーロも、この情熱的な気まぐれな妻の魅力にひかれていた。

自信に満ちたベアトリーチェは、夫から、その十年来の愛人、ミラノ公国の陰の女王と言われ、レオナルドも肖像画を描いた美しいチェチリア・ガッレラーニを引き離すことに着手する。はじめは、少なくとも公式の席から追い出すことに成功した。そしてその年の末、この愛人はイル・モーロからの豪勢な持参金をもって、ベルガミーニ伯爵に嫁いでいった。イル・モーロの子供を産む少し前だった。

次にベアトリーチェのしたことは、姉のイザベッラに自分の幸運を見せびらかすことであった。八十着の最新型の、黄金や真珠で豪華にふちどられたドレスや、数々の宝石はとても小国マントヴァ侯夫人には手のとどかないものだった。

イザベッラはそれに、優雅な着こなしを個性的に考え出すことで対抗する。あっさりした装飾の、ビロードの厚地の量感を生かしたドレスは、イザベッラの色白の豊かな肉体によく合うのだった。彼女は生涯を通じておしゃれだった。後にパリのルイ十

ベアトリーチェ・デステ

二世の宮廷の女官たちが、イザベッラのつくり出す流行を追うのに、彼女のと同じスタイルのドレスを着せた人形を送ってくれるようにと頼んでくるほどだった。イザベッラは、それほど美しく生まれついたわけでもないのに、人々から美人と思われる。彼女は、ドレスを選ぶのを、ほとんど政治をするのと同じ熱心さでやったものである。

しかし、なによりもイザベッラを刺激したのは、ブラマンテやレオナルドのような大芸術家を手許《てもと》においていることだった。彼女は妹の招待を、しだいになにかと理由をつけては断わるようになった。妹に対抗する方法はたった一つしかなかった。富でも権力でも、マントヴァはとてもミラノの敵ではない。残るのはイザベッラ自身、その教養の高さで少しは知られていた彼女自身の名をより高めることだった。後年、イタリアだけでなく、ヨーロッパ中に知られるようになる「教養の高いマントヴァ侯爵夫人」はこの頃から下地がつくられていく。

結婚後中絶していた学問が始められた。フェラーラ大学の旧師グアリーノがマントヴァへ呼ばれる。ギリシア、ラテンの古典文学や歴史に中世フランスのロマン。彼女の周囲に集まる学者や文芸愛好家の間では、その会話に特殊な言葉が使われた。閉鎖的な会話、彼女のサロンの一員でなければわからないような言葉が。

女子ばかりの誕生が続いて気をくさらせていたイザベッラに比べて、二人とも男の子を得ていたベアトリーチェには、すべてが許されているかのようであった。しかし、彼女にもままにならないことがあった。それは、彼女の夫イル・モーロがいかに事実上のミラノの支配者であっても、正統なミラノ公爵は、甥のジャンガレアッツォ・スフォルツァであり、ミラノ公国のファースト・レディは、ベアトリーチェにはいとこにもあたるアラゴン家の王女、ジャンガレアッツォの妻であったから。このために、公式の席ではつねにいとこに一歩をゆずらねばならないという立場にあった。ベアトリーチェにはこれが我慢ならなかった。

ルドヴィーコ・スフォルツァ(イル・モーロ)

ベアトリーチェのこの思いは、夫イル・

モーロの長年の野心と完全に一致する。イル・モーロは、その長い摂政時代を通じて、ゆっくりと公国乗っ取りの下地をつくりあげていた。ミラノの民心はもうすっかりジャンガレアッツォ公から離れていた。スフォルツァ家とヴィスコンティ家の欠陥を一身に集めたような性格をもったこの公爵は、馬と猟犬と女以外には関心をもたなかった。ローマの法王庁も、イル・モーロの手の内にあった。一四九二年には、イル・モーロとその弟のアスカーニオ枢機卿《すうきけい》の支持によって、ロドリーゴ・ボルジアがアレッサンドロ六世として法王の位についたのである。

いまや障害になるのは、公爵夫人の実家ナポリのアラゴン王家の反対だけになった。これをつぶすこと。これがイル・モーロの目標になる。ベアトリーチェにとっては、母の実家でもあり、幼い頃の八年間をナポリの宮廷で過ごした想《おも》い出もあったが、そのようなことは今の彼女には問題にならないことだった。

当時、フランス王シャルル八世はナポリ王国に対して、遠い昔にさかのぼってのアンジュー家の相続権を主張していた。イル・モーロは、ナポリのアラゴン王家をつぶすためにそれを利用する。フランス軍を無事ミラノ公国領内を通過させる約束がとりかわされた。これこそ、その後数世紀にわたったイタリアの悲劇のもと、外国軍侵入の口火を切るものであった。

一四九五年、ナポリがフランス軍によって征服されると同時に、イル・モーロは正統のミラノ公爵になる。しかし、ミラノ公爵夫人と呼ばれるようになって得意の絶頂にあったベアトリーチェも、その終りは意外に早かった。夫イル・モーロの新たな愛人の出現が、彼女を狂わせる。ある夜、城ではいつものように舞踏会が開かれていた。ベアトリーチェはその中心ではしゃぎまわっていたが、突然、激痛に襲われた。人々によって部屋にかつぎこまれた彼女は、夜ふけ、死んだ子を産んだ。そしてその一時間後、彼女も死んだ。二十二歳になる少し前だった。

力との出会い

フランス軍によって、初めて大国の権威を見せつけられたイタリアの諸国が、外国軍のイタリア侵入が自分たちにとって非常に危険であることに気づくのに時を必要としなかった。とくに正統のミラノ公になったばかりのイル・モーロは、自らがひきおこしたことが今、自分にはねかえってくるのを知った。フランス王が、オルレアン公と結婚したヴァレンティーナ・ヴィスコンティの線から、ミラノ公国への権利を主張してきたからである。

急ぎ、イタリアは団結した。一四九五年三月、法王、ヴェネツィア、ミラノ、マントヴァにその他の都市も含めて、対フランス同盟が成立する。イザベッラの夫フランチェスコは、同盟側の総司令官としてマントヴァを発《た》っていった。後を妻に託して。

イザベッラにとって、これは自らの政治への関心を自覚する最初の機会になった。それは、軍人的伝統のゴンザーガ家に対して、政治家であったエステ家の血を感じることでもあった。若い公爵《こうしゃく》夫人は、それを慎重な心くばりと、冷静な判断でもって処理していった。夫の助言者たちはすべて彼女から意見をきかれた。マントヴァ領内はどこも夫人の監視の目をのがれられなかったし、市民たちは誰でもどんな時刻でも、夫人に会うことができた。彼女は進んで彼らの話をきこうとした。このようにしてイザベッラは、国を治めるすべを学んでいく。

一方、夫のフランチェスコは、彼の生涯で最高の、そして唯一《ゆいいつ》の栄誉を得つつあった。七月、タローの戦いで大勝利を収めたのである。フランス軍は敗れ、シャルル八世はやっとの思いでフランスへ逃げ帰った。イタリア中はこの勝利の報にわきかえった。フランチェスコ・ゴンザーガは今や、「イタリアの自由」の英雄であった。マントヴァの喜びと自慢は限りなく、宮廷画家のマンテーニャは、この勝利の記念に建てられたサンタ・マリア・デッラ・ヴィットーリアの寺院に、現在はルーヴルにある

『勝利のマドンナ』を描いた。フランチェスコには二千ドゥカートの特別手当が贈られ、またイザベッラにも一千ドゥカートが贈られることになった。この思ってもみなかった〝ボーナス〟に大喜びしたイザベッラは、まだそれが手許《てもと》にとどかない前に、ヴェネツィアへドレスとアクセサリーを注文してしまった。

しかし、これくらいの成功に気をよくしていたイザベッラの前に、それをふきとばすかのごとく二人の男が現われる。いずれも、イタリア・ルネサンスの歴史では第一級の人物であった。妹の夫であったイル・モーロ、そして、チェーザレ・ボルジア。この二人によってイザベッラは、真実の政治の世界を知っていくことになる。

イル・モーロと呼ばれ、その権勢の衰えるところを知らなかったルドヴィーコ・スフォルツァも、一四九七年の妻ベアトリーチェの死を境にするかのように、その運がかたむき始めていた。フランスが、今度はルイ十二世をおしたててミラノにせまりつつあった。

それでもイザベッラは、まだイル・モーロの力を信じていた。彼女の頭の中には、あの豪勢なミラノの宮廷、当主イル・モーロの輝かしい自信あふれるようすが消えなかった。とくに自分があの女主人公になれたのに、それを一ヵ月の差で失い、妹にとられてしまったという意識がつねにあったこともある。妹の死後、とくに親しくなった二人の間の手紙の往復も、イザベッラにはイル・モーロへの親愛と信頼を増すものでしかなかった。一度ミラノを明け渡し、再び回復をねらっていた頃のイル・モーロに、イザベッラは「もし私が男なら軍をひきいて助けにいくことができましょうに」と書いている。

しかし、イザベッラのこの感傷的な見通しは、はじめからまちがっていた。法王アレッサンドロ六世は、その息子チェーザレ・ボルジアとルイ十二世のいとことの結婚によって、もうミラノの味方ではなかった。まして、ミラノの仇敵《きゅうてき》ヴェネツィアは知らん顔どころかフランスを助ける。ナポリは五年前、イル・モーロ自ら追い出しに一役買ってしまっていた。彼は完全に孤立した。一五〇〇年、彼はミラノをフランスの前に明け渡し、捕虜となって、後年、フランス領内のロシェの城で死んだ。

イル・モーロの没落は、イザベッラに甘い考えを捨てさせた。その前年、イル・モーロの陰謀によって、夫のフランチェスコが長年務めたヴェネツィア共和国陸軍総指揮官の職を解かれた時でさえも、イル・モーロへの信頼がゆるぎもしなかった彼女に、政治というものに信頼や親愛の情などが何の役にもたたないことを知らせた。そして、ミラノ没落後、マントヴァは北からのフランスの脅威と、南からのチェーザレ・ボルジアのおどしにおびやかされることになる。中程度の国ながらイタリア半島の要所にあたるマントヴァは、そこを通らないと南からも北からも半島を縦断することができないという点で、諸国から狙《ねら》われる運命にあった。ドイツの神聖ローマ帝国もヴェネツィアも、注意を怠ってはならない相手だった。

ミラノが没落しつつあった頃、イル・モーロの二人の愛人チェチリア・ガッレラーニとルクレツィア・クリヴェッリが、マントヴァのイザベッラの許に逃げてきた。この二人の美しい高名な〝愛の技能者〟たちを、彼女は親切に迎えた。チェチリアの方は彼女自ら推薦状をつけて、フランス王の宮廷に送ってやった。ルクレツィアは、すでにイル・モーロの次のような推薦状をもってきていた。ラテン語で書かれた格式張った推薦状を直訳すると、「私はつねに彼女の愛の技能を大きな喜びとともにうけ入れたものです」となる。ルクレツィア・クリヴェッリはこの証明書をもってまわっていた。

ミラノ宮廷の没落後、マントヴァに逃げてきたのは何もイル・モーロの愛人たちだけではなかった。詩人のニコロ・ダ・コレッジオ、彫金家のクリストフォロ・ロマーノも。一四九九年の終り頃には、レオナルド・ダ・ヴィンチも、ミラノからヴェネツイアへの道、マントヴァへ寄った。一年前、チェチリア・ガッレラーニから、レオナルドの描いた彼女の肖像画を見せられて以来、イザベッラはそれをとてもうらやましく思っていたので、レオナルドの訪問を狂喜して迎えた。

マントヴァ宮廷滞在中、レオナルドは自分からチョークを手にとった。描いたのは、イザベッラの、普段着に髪の毛もとかしてさげたまま、宝石も何も身につけていない姿だった。これが現在、ルーヴル美術館に残っている。イザベッラはこのような素描でなく、本格的な肖像画を描いてもらおうと努力したが、ついにだめだった。レオナルドは、イザベッラの集めた数々の芸術品を見せられても少しの関心も示さなかった。Sala degli sposi（新婚の部屋）として知られる一室に描かれたマンテーニャの有名な壁画にも無関心だった。レオナルドが、マントヴァでただ一つ興味を示したのは、イタリアでも最高といわれるマントヴァ産の馬だった。

イザベッラは、その後も何度となくレオナルドに手紙を出し、肖像画を描いてくれるよう、フィレンツェ駐在のマントヴァ大使も動員して頼んだが、彼からはよい返事ひとつもらえなかった。一五〇六年、イザベッラの最初で最後のフィレンツェ訪問の時も、ラファエッロはウルビーノへ行って不在だったにしろ、ペルジーノやロレンツォ・ディ・クレディには会えたのに、アンギアリの戦いの壁画の失敗にうんざりして、

新婚の部屋

フィエゾレで水力学の研究に熱中していたレオナルドは、彼女に会おうともしなかった。

無視されたのはレオナルドからだけではない。同じ頃、ジョヴァンニ・ベッリーニに絵を依頼し、もう何回か前払いをしているのに、ヴェネツィアのジョヴァンニからは何の音沙汰《おとさた》もなかった。一五〇四年、二年ごしのこの有様にかんかんになったイザベッラは、金を返すかそれとも絵を描くかしなければ、全《すべ》てをヴェネツィアの元首《ドージェ》に言いつけてしまう、と書き送った。さすがにベッリーニもこれには返事を書いた。「侯爵夫人様、私は注文のわりにはどうも仕事が遅いたちで、ほんとうは努力しているのですが。絵はなるべく早く送ります」。数ヵ月後、絵はマントヴァにとどいた。イザベッラは喜んでそれをずっと大切にしていた。この絵は一六二七年以後、消息がわからない。

歴史上、イザベッラ・デステは、メディチ家のロレンツォ・イル・マニーフィコや、ルドヴィーコ・イル・モーロについで、芸術のパトロンとして知られている。しかし、前二者に比べてイザベッラは、あまりにも少ない資力しかもっていなかった。マントヴァの国庫はしばしば空っぽになった。何か事あるたびに、彼女は自分自身の宝石まで売りに出さねばならなかった。しかし、何よりも、芸術のパトロンとしては当時もてはやされた自らの教養と趣味に自信をもちすぎていた。この傾向がおひざもとのフェラーラの宮廷に出た詩人アリオストにも、初めのうちたいした関心を示させなかった。十六世紀イタリア・ルネサンス最高の詩人、古典『オルランド・フリオーゾ』(怒れるオルランド)の作者も、イザベッラのサロンの、今からみれば三流の枢機卿詩人たちの間ではほとんど無視されていた。アリオストはその詩の中でイザベッラを褒めたたえ、詩集を彼女に捧《ささ》げているが、フェラーラの宮廷に生活の資をあおがねばならなかったこの詩人にとっては、無理のないことと言わねばならないだろう。

イザベッラから重視されなかった芸術家の中にはマンテーニャもいた。マンテーニャは北イタリア一流の画家として知られているが、当時、彼はマントヴァの宮廷画家の地位にあったのである。当然、イザベッラの肖像画を彼が描いていても不思議ではない。それなのに一枚も残っていない。なぜならば、イザベッラは彼の画風、冷酷なまでのリアリズムの画風が気に入らなかった。彼女から義妹のウルビーノ公夫人エリザベッタにあてた手紙が残っている。それには、マンテーニャに肖像画を描かせる気はないので、ウルビーノ宮廷の画家を一人、マントヴァに来させてほしいとある。この依頼によってマントヴァへ来た画家が、ジョヴァンニ・サンツィであった。有名なラファエッロの父親である。彼は優美な画風の画家であった。イザベッラはこれで満足したらしい。

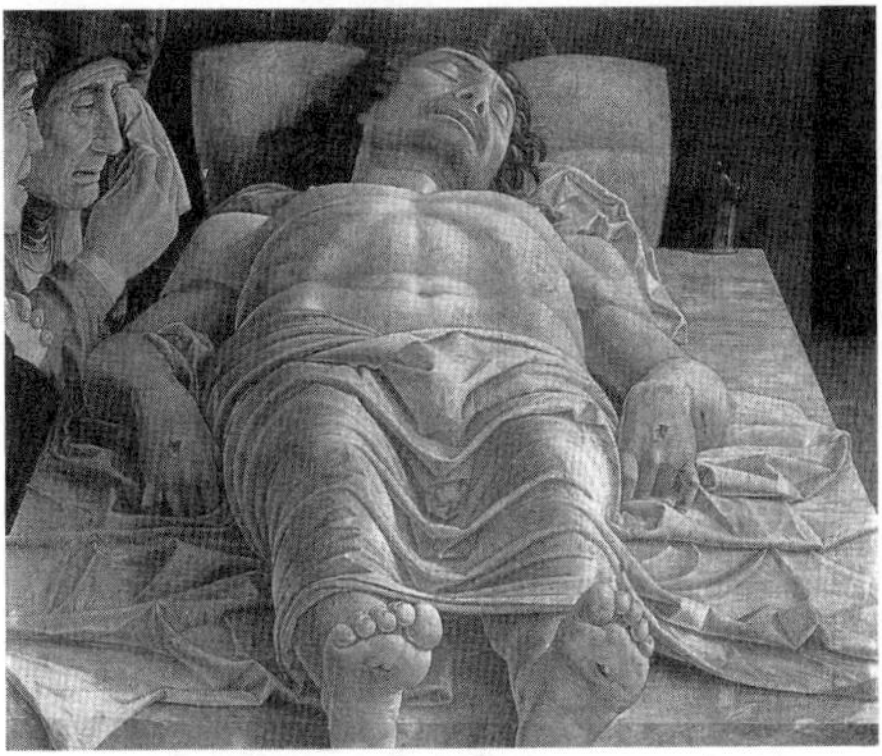

マンテーニャ画「死せるキリスト」

それでもマンテーニャは、当時ローマへ招《よ》ばれるほどの名声を得ていたので、イザベッラは彼を厚遇した。彼が死んだ時、生前に残した借金などはみな、イザベッラが個人的に払ってやったという。ただ、マンテーニャの冷酷なリアリズムの筆で、自分の顔が肖像画として残ることだけは我慢できなかったのである。瘦《や》せおとろえた老醜をラファエッロの画筆にさらして平然としていた、後年の法王ジュリオ二世との差がここにある。

イザベッラ・デステにとっては、芸術を育てるということよりも、「マントヴァ侯爵夫人の芸術的サロン」が世間に有名になることが重要であった。これによってこそ、小国の侯爵夫人としてだけの地位を越えることができたからである。芸術家は集まった。貴族の保護を必要とする芸術家だけが。レオナルドのような、当時引く手あまたの芸術家には見むきもされなかったが。芸術品を集める努力もおしまなかった。しかし、それも自分の書斎のために。規模の小さいコレクターのわくを、彼女はついに越えることがなかった。

一五〇〇年。この年はイル・モーロにとっては破滅の年であったが、チェーザレ・ボルジアには、その運が急上昇した年になった。そしてイザベッラ・デステにとっても、私的・公的な意味で忙しい年になる。

まず五月、待望の男の子が生まれた。フェデリーコと名づけられた。その洗礼の教父選びは、時の政治情勢をよく映しだしている。まず神聖ローマ帝国皇帝マクシミリアン。皇帝はフランチェスコとは長い親交があった。この選択に皇帝の政敵フランスのルイ十二世の機嫌をそこなわないためには、少し前の皇帝の孫の誕生の喜びをともにするため、という理由がつけられた。皇帝の孫というのは後のカルロスである。イザベッラは、もちろんこの生まれたばかりの皇帝の孫が、後にイタリアに、そして彼女自身の息子にいかに大きな影響をもつかということなど想像もしなかったであろう。第二の教父は、枢機卿サンセヴェリーノ。彼はミラノのスフォルツァ家に近い関係にあったが、未《いま》だに隠然たる勢力をもっていた。最後の一人は、時の法王の息子、当時、そのたぐいまれな力と知性によって最も怖《おそ》れられていたチェーザレ・ボルジアだった。チェーザレは心のこもった喜びの手紙とともに、この申し出を受諾してきた。しかし、フランチェスコもイザベッラも、この手紙に有頂天になるほど単純ではなかった。マントヴァはこの男の危険なことを十分に知っていた。その頃、ローマのフェラーラ大使がイザベッラに次のように書き送っている。「ヴァレンティーノ公爵《こうしやく》（チェーザレ）は、法王に対して強い影響力をもっています。公自身、強い精神と名声に対する欲望を非常に強く自覚されているようです。しかし、征服するのは巧みだが、治め守る力はあまりないというのがこちらでの評判です。先日も法王が私に話されました。『公爵は非常に良い素質をもった男だが、侮辱されると決して忘れない。いつかも公にいってやったのだ。ローマは自由な都だと。すると公はこう答えたものだ。それはローマには良いことでしょう。しかし私は、ローマ市民にその自由をあまり使わない方が得だということをおしえてやるでしょう、と』」。マキアヴェッリのいう「このめったに話さない、しかしつねに行動している男」はマントヴァにとってもきわめて不気味な存在であった。

一五〇〇年七月、チェーザレの野心は着々と実行に移されていた。まず妹ルクレツィアの第二の夫、ナポリのアラゴン家の庶子アルフォンソがヴァティカンの中で殺された。直ちに、ナポリはボルジアと組んだフランスによって征服され、チェーザレはロマーニャ地方を手に入れた。その数週間後、未亡人になったばかりのルクレツィア・ボルジアと、アンナ・スフォルツァの死後、ひとり身を通してきたエステ家の跡継ぎアルフォンソ・デステとの結婚の話がボルジア家からもちこまれた。これには公爵エルコレもアルフォンソも全く乗り気でなかった。これを知ったチェーザレは、妻のフランス公女シャルロット・ダルブレの親族、そしてエステ家にとっては保護者でもあるフランスのルイ十二世の方から強請させた。もうこれ以上返事をのばすことはエステ家にはできなかった。一五〇一年八月、結婚の話は成立した。

ルクレツィアの結婚式が終って少したった頃、一通の手紙がマントヴァ中をひやりとさせた。チェーザレ・ボルジアからで、ゴンザーガ家の跡継ぎ、二歳のフェデリーコと彼の娘との婚約を申し込んできたものだった。チェーザレの下心を疑わないものは一人もいなかった。マントヴァは慎重だった。何よりも法王の近親というのは、今は非常な勢力であっても将来の保証はないことは過去の例からも明らかである。しかし、チェーザレの勢力はあまりにも強く、法王アレッサンドロ六世は、その死を待つにはまだ壮健すぎた。イザベッラとフランチェスコは、確約をできる限り先にのばすことに決める。チェーザレの機嫌をそこなわないように細心の注意を払いながら。チェーザレは、婚約の確定をしきりに要求してきた。それに対してマントヴァ侯は、弟シジスモンドの枢機卿昇格の条件をだした。これは枢機卿任命の権利をもつ法王、すなわちボルジア側には最後の切り札を意味した。ローマからは答えは返って来なかった。

このマントヴァの要求のほこ先をかわそうとして、チェーザレは今度は莫大《ばくだい》な契約金を、結婚の時に返すという条件で要求してきた。イザベッラはこれに次のような返事を、ローマのチェーザレにおくる。「マントヴァの国庫の中には今、このような大金は入っていません。あるのは私の宝石だけです。しかし、まだ年も若く、宝石を身につけて楽しむことのできる女からそれをとり上げ、十五年後の息子の結婚の時返していただいても、もう年をとり、宝石を楽しむ年齢は過ぎてしまっていることでしょう。真の紳士ならどうしてこのようなことができるでしょうか」。チェーザレは二度と要求してこなかった。

その間にも、マントヴァのまわりは次々とチェーザレに征服されていった。レオナルド・ダ・ヴィンチが技術総監督をしていたチェーザレの軍隊は、一五〇三年六月、スポレートを征服しウルビーノ領内に入った。ウルビーノ公爵と夫人エリザベッタはマントヴァに逃げてきた。同じ月の二十一日、チェーザレはウルビーノに入城する。宮廷の全ては芸術品とともに強奪された。続いてペルージア、シエナ、ピサ、ルッカもチェーザレの征服下に入った。

ウルビーノ公爵一家がマントヴァに避難してきた三日後、イザベッラは以前義兄のコレクションの中に見た、ミケランジェロ作のヴィーナスとキューピッドの像が、チェーザレによって他の芸術品とともにローマへもち去られたことを知った。それは前からうらやましい思いで眺めていたものなので、彼女はどうしてもそれをほしくなった。ちょうどその頃、自分のコレクションを置くために一室をつくったところだった。そう思いだすと矢もたてもたまらなくなって、ローマにいる弟の枢機卿イッポーリト・デステに、チェーザレに頼んでくれるよう手紙をだした。数週間後、チェーザレの家臣が彫像をもってマントヴァに着いた。イザベッラは有頂天だった。同じ城内に、今は国を追われて身を寄せているウルビーノ公の思いなど気にもとめないかのようだった。イザベッラはこの礼と戦勝の祝いをかねて、ローマのチェーザレへ謝肉祭用にと百の仮面を贈った。親しみのこもった女らしい手紙とともに。チェーザレからはすぐ返事がきた。これも親愛の情にあふれる手紙で、終りにロマーニャ公爵と署名する代わりにいたずらっぽく「あなたの若い弟、チェーザレより」とあった。二十九歳のイザベッラより、彼は一つ年下だった。

一五〇三年八月、法王アレッサンドロ六世が死んだ。ヴァティカンの中で、短い病気の後の突然の死だった。チェーザレもほとんど同じ時期に床についた。多くの歴史家によれば毒を盛られたことになっているが、マラリアにかかったのだ。チェーザレにおびえていたイタリアの国々は、法王の死の報に小躍りした。

チェーザレは父の死後、ロマーニャ地方を新法王ジュリオ二世に捧げ、自分はナポリに行こうとした途中捕えられ、スペインへおくられた。フランスもナポリもそっぽを向いて、彼をかえりみようともしなかった。ローマも半年もたたないうちに彼を忘れた。

しかし、チェーザレ・ボルジアを忘れなかった人々もいた。イザベッラもその一人だった。十八歳で父の法王即位とともに政治権力の中心になり、二十八歳で父の死とともに没落するまで、イタリア中を、ヨーロッパ中をかきまわしたこの見事な個性をもった男。ボルジア・シンパだったマキアヴェッリはともかく、反ボルジア派と言ってよかったグイッチャルディーニさえ認めずにはいられなかったチェーザレの行動力とその人間的魅力。一度も直接に会う機会をもたなかったにせよ、イザベッラは強い印象を受けずにはいられなかったのである。

悲劇的間奏

現実主義者であろうとなかろうと、不条理な恋のいざこざには勝てないことがある。ましてそれが他人のひきおこす恋のいざこざである場合には。陰謀や身内同士の争いが日常茶飯の時代であったから、それは当然悲劇的な形で終ることが宿命づけられていた。

まず、ルクレツィア・ボルジアと夫フランチェスコの恋。チェーザレ・ボルジアが一五〇七年、スペインで死ぬまで、彼を心の底から心配したのは妹のルクレツィアだけであった。彼女はあちこちに歎願《たんがん》の手紙を出したが、全て無駄に終った。その時絶望している彼女をなぐさめ、親しく相談にのったのが、イザベッラの夫フランチェスコだった。彼らは二人ともお互いに、固い結束をもつエステ家の姉弟たちの外側にいたし、エステ家の教養高い雰囲気にひたるには、二人ともそれに対してあまり深い理解をもたない方だった。

イザベッラは、それまで、フランチェスコの過去の女遍歴には気づかない風を装《よそお》っていた。十年前、ある女が夫の子供を産んだことが公になったときも、子供が二人とも女の子だったので、当時の慣習からは無視することができた。しかし、今度の相手は彼女の弟アルフォンソの妻であった。彼女はこの弟をとても愛していた。そして弟が妻を愛していることもよく知っていた。夫がポー河のほとりでルクレツィアと会い、そこから遠くないマントヴァの城までつれて帰ってきた時、イザベッラは嫉妬《しっと》も怒りも感じなかった。ただこの二人を軽蔑《けいべつ》しただけだった。

フランチェスコとルクレツィアの仲が単に親愛の間であったのか、それとも、もっと深いものであったのかということは、当時の記録のどこにも記されていない。しかし、しばらくして二人は手紙をとりかわすこともできなくなった。二人の間で手紙をとりついでいた男が、何者かによって殺されたのだった。アルフォンソが殺させたという疑いは間もなく消えたが、イザベッラがやらせたという証拠も出ていない。

もう一つの恋の悲劇は、一五〇五年、フェラーラのエステ家に起った。そして、この文字どおりの悲劇は、その後半世紀にわたってエステ家に暗い影を落す。

ルクレツィア・ボルジアがエステ家に嫁いできた時、つれてきた女官の一人だったアンジェラ・ボルジアと、イザベッラの腹ちがいの弟、若く美男のジュリオは恋仲であった。美しいアンジェラに恋したのはジュリオだけではなく、もう一人の弟の枢機《すうき》卿《けい》イッポーリト・デステもだった。しかし、枢機卿の恋をアンジェラは、あなた全《すべ》てよりもドン・ジュリオの美しい眼を選ぶといって断わった。これに腹をたて、嫉妬に狂ったイッポーリトは、その数日後、フェラーラの城外に一人帰りを急いでいたジュリオを何人かの家臣と襲い、その両眼をしかも手の指でえぐりとってしまった。

傷ついたジュリオはこのことを兄アルフォンソに訴えた。しかし、キリスト教界に属す枢機卿ではどうにもできなかった。それよりもアルフォンソの何よりの心配は、枢機卿への処置如何《いかん》では、フランスに近い関係を隠さないフェラーラを始終目のかたきにしている法王ジュリオ二世にどんな難くせをつけられるかということだった。フェラーラは法王から封土された公国であった。ちょうどマントヴァが神聖ローマ帝国の皇帝によって封土されていたように。アルフォンソはジュリオに、耐えることと枢機卿イッポーリトとの間をもとにもどすことを命じた。

うらみに思ったジュリオは、その思いをもう一人の兄フェランテに訴えた。同情したフェランテとジュリオの間で、アルフォンソの殺害が計画された。しかし、彼らはなかなか実行に移す勇気がなく、のばしのばししていた。その間にこの計画は枢機卿イッポーリトの知るところとなり、その頃、南伊に行っていてフェラーラを外にしていたアルフォンソに急報された。アルフォンソは急ぎ、フェラーラに帰ってきた。兄アルフォンソの前でひざまずいて許しをこうたフェランテはそのまま捕われ、ジュリオはイザベッラの許《もと》に逃げた。イザベッラは自分の弟たちの間に起きたこの事件にひどく心を傷《いた》めた。ジュリオを一時、アルフォンソの追手からかくまってやりはしたが、どうしようもない結末を十分に知っていた。死刑を少しでも軽く、少なくとも終身の刑にと努力することしか彼女にはできなかった。そしてそれをしたのはイザベッラ一人だった。

フェラーラの城の前の広場で処刑の日がきた。フェランテとジュリオのエステ家の兄弟に、それに同調した二人の家臣がひき出された。人々の見ている前で、まず二人の家臣が馬で四つ裂きの刑に処せられた。いよいよエステ家の兄弟の番になった時、当主のアルフォンソ公の情《なさけ》によって二人の死刑は免ぜられ、終身刑にするという宣告が下った。人々の間からほっとしたような歓声が起った。

フェランテとジュリオの二人は、城の一隅、白く塗られた塔の中の、上と下の部屋に別々に幽閉された。その部屋に通ずる入口は壁土で塗り固められた。誰一人、会うことは許されなかった。まれに事務的なことを伝えにくるだけだった。部屋の上方に一つだけ穴があけられ、そこから食事がさし入れられた。少し後になって、城の内部でなく外部に向いた窓から、遠く人々の往《ゆ》き来《き》するさまを眺められるようになった。その後しばらくたつと、上の部屋と下の部屋とが互いに連絡できるようにされ、空気の通う大部屋が与えられた。二十六歳だったフェランテは三十七年後、この中で死んだ。二十五歳だったジュリオは、フェランテの死後さらに十九年、五十六年間をこの塔の中に幽閉されて、死ぬ二年前、ようやく釈放された。実に半世紀の執念。この間にアルフォンソは死に、その子のエルコレ二世も死に、孫のアルフォンソ二世の代が来ていた。フェラーラ年代記は次のように終っている。「この老人が塔から出てきた時、彼が身につけていた衣服は、ちょうど半世紀前の最新流行のものだった」と。

イザベッラは、この悲劇のあとしばらくの間フェラーラから足が遠のいたほど痛手をうけた。しかし、彼女の実家への強い愛着は、その後、アルフォンソと法王たちとの相次ぐ対立の中にも、つねに弟を助け、エステ家を助けた。アルフォンソはこの姉に、他の誰よりも真の友を見出《みいだ》す。

マントヴァ防衛

一五〇九年夏、イザベッラ・デステは三十五歳の女盛り。しかし、この夏に起った一つの事件が、彼女の人生を一変させる。それは彼女を生涯の中での最大の試練に晒《さら》し、彼女を、それまでの宮廷生活から真実の政治闘争の真っただ中に投げこんだ。しかし、この試練に耐えぬくことによって、イザベッラは人間として成長し、イタリア・ルネサンスの歴史にその正当な地位を獲得する。

さまざまな史料から、その長い、錯綜《さくそう》した一年間を組み立てると、事件はおよそ次のような経過をたどる。

前年の一五〇八年十月、ヴェネツィア共和国がその強力な力を背景に、ロマーニャとロンバルディア地方への野心をあからさまにし始めたことを知った法王ジュリオ二世は、フランス王ルイ十二世、神聖ローマ帝国皇帝マクシミリアン、フェラーラのアルフォンソ公爵《こうしゃく》、マントヴァのフランチェスコ侯爵らとの間でカンブレー同盟を結成し、ヴェネツィアに対し、宣戦を布告した。この時、フランチェスコは長年ヴェネツィア共和国軍傭兵《ようへい》隊長であった従来の彼の立場に反して、初めて、反ヴェネツィアの立場をとることになった。

一五〇九年四月、フランス軍はアルプスを越え、同時に法王の軍勢は、ウルビーノ公爵フランチェスコ・マリーアの指揮下、ロマーニャへ進軍、五月、ヴェネツィア軍は各地の戦いで徹底的な敗北を喫する。ヴェネツィア支配下の都市、ヴェローナ、ヴィチェンツァ、パドヴァはことごとく同盟側に占領されてしまった。「ヴェネツィアはこの八百年間に得たものを全《すべ》て失った」（マキアヴェッリ）といわれたほどの打撃であった。しかし、ヴェネツィアの力はそう簡単におしつぶされるものではない。七月、ヴェネツィア軍は反撃に出た。まず、パドヴァを取り返した。


八月八日の夜、事件はこの時に起った。パドヴァ包囲軍を指揮していた、イザベッラの夫フランチェスコは、軽率にも、無防備で寝ているところを敵に奇襲され、史家グイッチャルディーニによれば、「ほとんど裸のままで窓から逃げ出し、助けるふりをした百姓に捕えられた。侯爵は高額の身代金《みのしろきん》を払うからと百姓に頼んだが、それは相手にされずヴェネツィア側に引き渡された」。フランチェスコの豪勢な身のまわりのものとともに、三千頭の見事なマントヴァの馬も敵の手にわたってしまった。

この急報は、同じ日の夜半すぎマントヴァに着いた。イザベッラは気も転倒するばかりであった。直ちに、その時法王の命でマチェラータにいた義弟の枢機卿シジスモンドのもとに急使が走った。すぐにマントヴァへ帰るように、そしてこの不幸に見舞われた私と国を助けてくれるようにと。この知らせは、ローマへもほとんど時を同じくしてもたらされた。ただでさえ怒りっぽい法王ジュリオ二世は、それこそ烈火のごとく腹をたて、「かぶっていたベレー帽を床にたたきつけ、怖《おそ》ろしい不敬な言葉で聖人をののしりながら、このサン・ピエトロの豚野郎！　と怒鳴った」（サヌード）

イザベッラは、女官たちとの間で弟の嫁の悪口をいったりの宮廷生活を続けるどころではなかった。教会で神に祈ったり、占星術に頼ったりするよりも、この不幸を現実的に打開していく方策を見つけるために、夜と昼が過ぎていった。彼女はまず次の目標を決めた。㈠マントヴァを敵の手から、そして敵以上にやっかいな味方の手から守りぬくこと。㈡夫フランチェスコの釈放を得ること。ただし、ひどく高価な代償なしに。㈢力か、悪がしこい知恵かによって復讐《ふくしゅう》すること。

マントヴァは小国であった。そして今は当主を敵にとられていた。ヴェネツィアがこの機会にマントヴァを狙《ねら》うことは、誰の眼にも明らかである。そのうえ、味方であるべきマクシミリアン皇帝、ルイ十二世、法王もまた信用できなかった。いや敵以上にやっかいな存在だった。誰も信用できなかった。

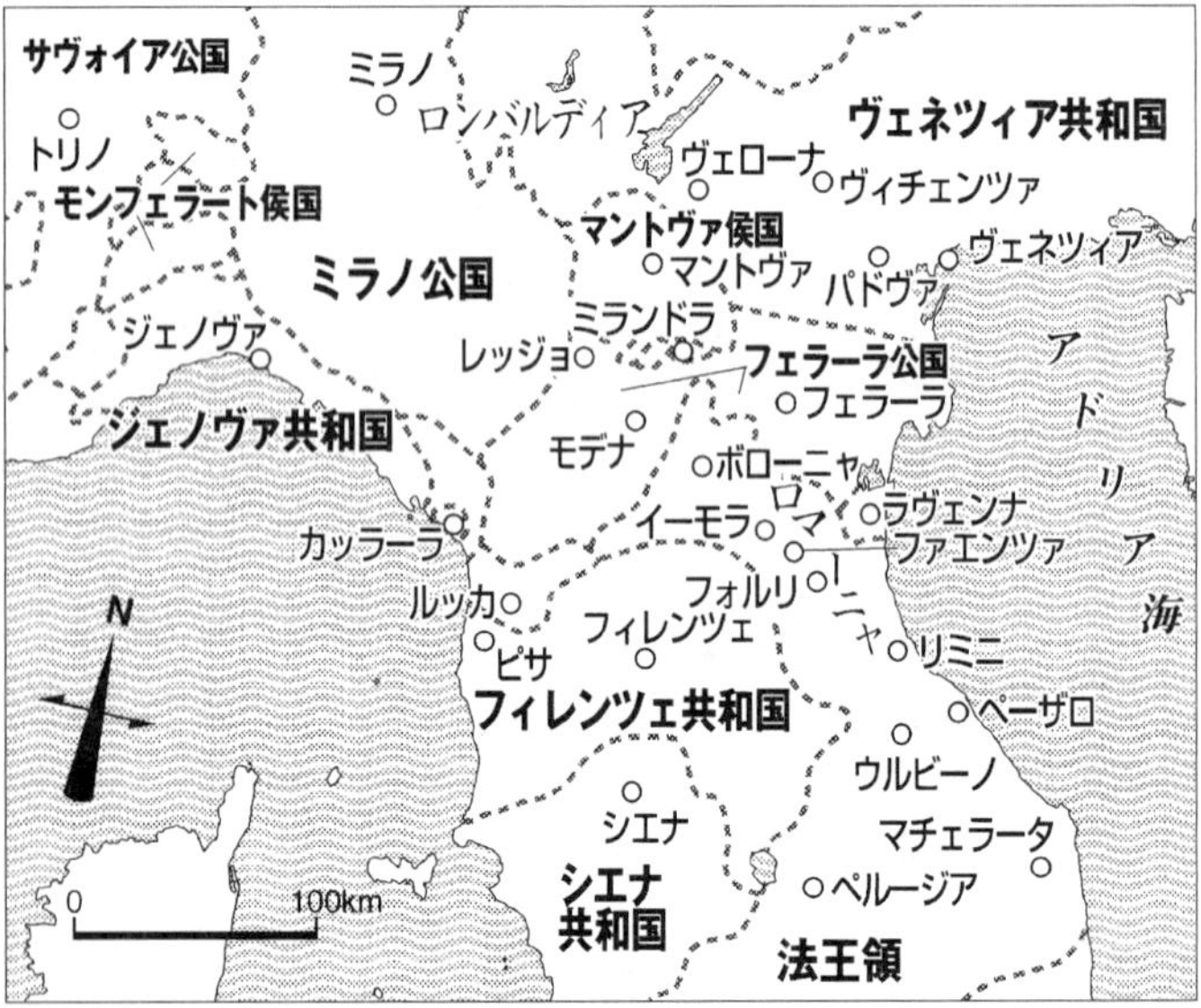

ルネサンス時代の北イタリア

マントヴァ市民たちは、今までの摂政としての実績から、侯爵夫人の思慮の深さと、不動の実行への意志をよく知っていた。全員が彼女につづくことを承知した。あの時代、ほとんど打ち勝つ見込みのない、この大きな困難に直面している彼女に。まずマントヴァ全軍が召集された。すぐ続いて全市民に布告がなされた。「全市の催物は中止する。男も女も地味な服装をすること。国中が節約に努めること。これらは宮廷がまっさきに実行するであろう。農民もいつでも武器をとれるようにしておくこと。国中を、侯爵が帰国の折に以前と同じマントヴァを見出《みいだ》すことができるようにしておくこと」。税金は従来のままに据え置かれた。そして、この不幸の一年間、税金を上げられたのは、武器をとる義務のないユダヤ人だけであった。

一方、イザベッラは、夫の釈放に力を貸してくれるよう手紙を書きつづけた。フランスの王ルイ十二世と王妃、神聖ローマ帝国皇帝マクシミリアン、ブルボン公爵、サヴォイア公爵、モンフェラート侯爵、フィレンツェ長官、シエナ、ルッカなどの支配者、バヴィエラ、ブランデンブルグの公爵たち、メディチ枢機卿、アラゴンとサンセヴェリーノ枢機卿、ハンガリー王、そのうえ、トルコのスルタンにまで。

しかしイザベッラは、この中の誰よりも法王に頼るのが一番の方策だということを知っていた。事件後一ヵ月もたたないうちに、ローマへ特別使節としてルドヴィーコ・ブロニョーロが派遣された。彼女のこの行為にジュリオ二世は満足し「侯爵夫人が自分を頼ってくるのは正しい。自分も夫人を娘のように思っているのだから」とブロニョーロに伝えていたが、夫フランチェスコに対して好意をもっていないことは隠さなかった。フランチェスコの以前からの外国勢力接近策が気にくわなかったのである。法王の本心は、イタリアから外国人を締め出すことであって、そのためにはイタリア随一の強国ヴェネツィアを、つぶしてしまう意図など初めからなかったのだ。ヴェネツィアをうまい具合にこの自分の考えに引き入れることが重要であって、フランチェスコ一人の身柄などその前には問題ではなかった。

イザベッラも、この法王の考えをよく知っていた。よく理解していたからこそ、かえってそこに解決の道を見出す希望をもっていた。この法王の、フランスやドイツ皇帝のただマントヴァを狙う考えよりもずっと大きいうちに、かえって夫の問題を入りこませることができるだろうと。

イザベッラの判断は正しかった。ルイ十二世はフランチェスコの不幸など同情もしなかった。「もし自分のところのヴェネツィアの捕虜とフランチェスコを交換するとしても、捕虜の一番重要でないのとも交換する気もない」とフェラーラの大使に語った。そして事件直後、次の手紙をイザベッラに送ってきた。「私の忠告を聴いていたら、こんなことにはならなかったろうに。マントヴァを守るために百人のフランス兵を送ることにした」

イザベッラは、このフランスの派兵がマントヴァ征服の足がかりになることを怖れたが、また一方、これによってヴェネツィアのマントヴァ攻撃に口実を与えることを一層怖れた。なにしろ、マントヴァとヴェネツィアとは国境を接していたのだから。

急ぎの飛脚がパリに飛んだ。「王様、私はあなたのご親切を心から感謝いたします。しかし、この不幸な出来事に対して、今、国民や家臣たちは私に忠実でよく助けてくれています。もし王様のお考えになっておられることを私が承知しましたら、今、このように忠節を誓っている国民に対して、私が不信をもっているという証明になってしまうことでしょう。マントヴァは、マントヴァ国民が守っております」。しかし、この時期に誰も敵にまわすことは許されなかった。フランス王妃には同時に、がらりと調子を変えた、女の同情に訴える手紙を送っている。「フランスの助けなくしては、私は死ぬよりほかに道はありません。夫のいないこんな生活を続けるのは、女の身にとって死よりもつらいことだということをおわかり下さいますように」

ルイ十二世がマントヴァ派兵を要求したのを知った、神聖ローマ帝国皇帝のマクシミリアンも、だまってはいなかった。直ちにイザベッラの許《もと》に、ドイツ軍のマントヴァ駐屯を伝えてきた。彼女は皇帝にも同じ主旨の手紙を送って、その派兵を断わった。

一方、ヴェネツィアに捕われていたフランチェスコの方は、初めのうちは誇り高くその境遇に耐えていた。彼がヴェネツィアの町へ捕われの身として入城した時、待ちかまえていた市民たちが皮肉な調子で呼びかけた。「ようこそ、マントヴァ侯爵」。それに対して彼はこう答えた。「ここにいるのはフランチェスコ・ゴンザーガであって、マントヴァ侯爵ではない。マントヴァ侯爵はマントヴァにいる息子のフェデリーコだ」。しかし一ヵ月たっても、二ヵ月過ぎても一向に釈放の気配も見えなかった。フランチェスコは苛《いら》だち始めた。妻に「自分の代わりに神に祈ってくれるように」という弱い調子の手紙を書き始める。

イザベッラの方も、夫の身が心配でならなかった。ヴェネツィアへ、夫のために召使と医者を、また気分をまぎらせるようにと楽人や道化師も送った。しかし、これらはヴェネツィア側によってつき返されてしまった。衣服をとどける時には、夫の待遇を良くしてもらうようにと、「私たち夫婦は、以前からヴェネツィアに対して尊敬と好意をもっていました」などと大嘘《おおうそ》をついたりもしたが、ヴェネツィア側は全く無視した。この無視がしゃくにさわったイザベッラは、ローマの大使に手紙を送り、あまりにも失礼だから一部始終を法王にいいつけてくれ、と書いている。

それにもましてマントヴァの国庫は空っぽになりつつあった。イザベッラは、ヴェネツィアの要求どおり、夫と、夫とともに捕虜になった家臣たちの滞在費用を支払わねばならなかった。そのうえ、ヴェネツィアは、捕虜たちの警備の任に当っているヴェネツィア人たちへの給料の支払いまで要求してきた。さらに彼女を困らせたのは、マクシミリアン皇帝が、ヴェネツィアとの戦いのためと理由をつけては金を要求してくることだった。皇帝はこの方面では有名で、法王ジュリオ二世に「あの百の悪魔から生まれた奴《やつ》は世界中を貧乏にする」といわせたくらいである。皇帝のせびりに困りぬいたイザベッラは、法王に「マントヴァにはもう払う金がないと皇帝に伝えて下さるよう」と頼んだが、法王はマントヴァ大使に、「もし私が伝えたとしても、たいした役にはたたないだろうし、かえってそれをいいことにして、今度は私の方に要求してくるだろう」というだけだった。イザベッラは自分の宝石を売った。国税を上げるよりも。

しかし、何よりも彼女を悲しませたのは、夫のフランチェスコが彼女を疑い始めたことだった。やつれ、病気がちになったフランチェスコは弱気になり、会いにきたヴェネツィア元首《ドージェ》の前で、泣いて釈放を歎願《たんがん》するほどになっていた。そして、ヴェネツィア側にふきこまれて、イザベッラが実家のエステ家と結んで、フランスに完全についてしまって、夫の釈放など望んでもいないという噂《うわさ》を信じたのだった。

これを知ったイザベッラは、ローマの法王に訴えた。法王からヴェネツィアのフランチェスコに説明してくれるようにと。イザベッラのこれまでの、ドイツ皇帝やフランス王に対する態度を認めていた法王は、ヴェネツィアへ使節を送って、フランチェスコにイザベッラの立場を釈明させた。しかし、フランチェスコの疑いはまだ残っていた。

その間にもローマでは、徐々にフランチェスコ釈放の運動が起り始めていた。枢機卿たちは法王に歎願書を出し、ローマのヴェネツィア大使を捕えて、これと交換にフランチェスコの釈放を要求するようにと申し出た。しかしこれは、大使は安全を保証さるべき、という当然の法王の拒否でだめになった。イザベッラの方から出された案、皇帝、ルイ十二世、法王が、同時にヴェネツィアへ使節を派遣して釈放を要求する、というのも、ルイ十二世の、せめてパドヴァでも占領した後でなければ話にならないという返事でだめになった。

イザベッラは、いよいよ頼るはローマのみという想《おも》いを強くせざるをえなくなった。戦いの初めに法王によって破門されていたヴェネツィアに、破門を解いてもらおうという動きがあることを察知した彼女は、法王に、その時にはぜひ夫の釈放を条件にしてくれ、と頼むことを忘れなかった。それと並行して、婚約していた娘のレオノーラとウルビーノ公爵フランチェスコ・マリーアとの結婚を急ぐことにした。ウルビーノ公爵家には子供がいなかったので、甥《おい》にあたるフランチェスコ・マリーア・デッラ・ローヴェレを養子にしていたのである。彼は、ウルビーノ公グイドバルドの甥であると同時に、法王ジュリオ二世の甥でもあった。イザベッラは、この縁結びによって法王との関係を少しでも強くすることを考えたのである。

十二月、父の不幸に泣きながら、レオノーラはウルビーノに嫁いでいった。結婚後、ローマに滞在していたレオノーラとウルビーノ公は、機会あるごとに法王にフランチェスコの釈放を頼みこむのだったが、法王はそのたびにかんしゃく玉を破裂させては甥のウルビーノ公に、「お前はあのヴァレンティーノ公爵（チェーザレ）のまねがしたいのか」と怒鳴るのだった。ジュリオ二世は、息子チェーザレ・ボルジアに思うままにされたアレッサンドロ六世のやり方をひどく嫌っていた。

このむずかしいジュリオ二世に、それもいいかげんにフランチェスコ、フランチェスコで嫌気がさしてきているのを頼みこむのはなかなか気を遣うことだった。ある時、法王列席のうえローマで競馬が催された。例のごとく優秀なマントヴァ馬が勝った時、民衆は歓呼してマントヴァ、マントヴァとはやしたてた。法王も上機嫌だった。この機会をのがしてはと思ったエリザベッタとレオノーラは、互いに兄であり父であるフランチェスコの釈放を訴えた。法王も上機嫌に、約束するからあせらないようにといった。

一五〇九年も終ろうとする頃、ヴェネツィア軍はポー河ぞいに陣取っていたフェラーラのアルフォンソ公に対して、ヴェネツィアの総力を結集した総攻撃をしかけてきた。これを知ったイザベッラは、直ちにルイ十二世に急使を送り、自分が依頼するまではフランス兵もその他のいかなる外国兵も、マントヴァに派兵の必要はないことを伝え、すぐ国中に緊急動員令を敷いた。農民や商人までが武器を取った。城壁に陣取った全軍は、マントヴァ侯爵夫人イザベッラから次のような指令を受けとった。「たとえヴェネツィア軍が侯爵を城壁の下にひきすえ、城門を開けなければ殺すといったとしても、城門を決して開けてはならない。マントヴァは、一人の侯爵、たとえそれが当主であろうとも、その身よりも守られねばならない」

ヴェネツィア軍は、そのマントヴァ侵入の一歩手前で敗退した。枢機卿イッポーリト・デステにひきいられた、アルフォンソ得意の近代兵器をそなえたフェラーラ軍によって撃破され、ポー河に沈められたのだった。

ローマでは、法王がようやく動き始めていた。一五一〇年と年が改まった二月、法王とヴェネツィアの間で交渉が始まった。まず法王の側から、フランチェスコをヴェネツィア共和国軍の総指揮官にした上で釈放する、という案が出された。この裏には、法王、ヴェネツィア共同で、フランスをイタリアから追い出すという暗然の了解があったことはもちろんである。ヴェネツィアは承諾した。しかし、反対したのはイザベッラだった。そんなことにでもなれば、マントヴァはドイツとフランスにふみにじられてしまう。マントヴァ侵略の口実をどちらの側にも与えないこと、このイザベッラの心配からすれば、当然の反対であった。この時、初めて彼女は法王と対立しなければならなくなった。

そして、この心配は早くも的中した。フランチェスコをヴェネツィア軍総指揮官にする動きが、法王とヴェネツィアの間にあることを知ったマクシミリアン皇帝が、マントヴァの後嗣フェデリーコを、人質としてドイツへ送らせることをちらつかせ始めたのである。母としてイザベッラの心痛は大きかった。彼女にとって、十歳のフェデリーコは最愛の息子だった。また、フェデリーコのドイツへの人質は、政治的にも決して最良の策とは思われなかった。イザベッラは直ちに、ドイツにいるマントヴァ大使に指令を送った。「もし皇帝がこのことを口に出したならば、この人質の件は、マントヴァ全体が今の困難に耐え、努力してきたことを全《すべ》て無駄にすることになるから、われわれとしては絶対に承諾することはできないと伝えるよう。そして、これは最後の言葉であって、絶対に変わらないことを強調すること」

イザベッラにおそいかかる難題は後を断たなかった。ヴェネツィアもまた、フランチェスコを総指揮官にするとしても彼を信用していなかった。寝返りの可能性は十分にあった。そして、イザベッラに対して、息子フェデリーコの人質を要求してきたのである。フェデリーコがヴェネツィアに送られてきて初めて、フランチェスコをヴェネツィア軍総指揮官にしたうえで釈放する、ということだった。イザベッラにとって、この要求は屈辱である。もちろん彼女は拒否した。そんな時、ヴェネツィアではフランチェスコが、フェデリーコの代りに妻のイザベッラを人質にと申し入れていた。「妻をヴェネツィアでも、フランスでも、世界の果てでも、どこでも好きなところへつれていってけっこうです」。しかし、これはヴェネツィア側に相手にされなかった。彼らは、このフランチェスコの申し出は、きっと女好きの彼が古女房を追い出したがっているからだろうと考えていた。

五月、ヴェネツィアは示威行動に出た。サン・マルコ広場に市民たちが集められ、その中に立たされたフランチェスコに、人々からヴェネツィア陸軍の総指揮官に、共和国陸軍の総指揮官に、と口々に歓声があびせられた。

直ちにこの情報は、フランス宮廷にもたらされた。ルイ十二世は、すぐ特使ガレアッツォ・ヴィスコンティをマントヴァに送り、フェデリーコをフランスへの人質として要求してきた。イザベッラはまずそれに逃げを打った。「息子はまだほんの小さな子供で、パリまでの長い旅はこの子供にとって重荷すぎます」。これが受け入れられないと知った彼女は、次に強い態度でのぞんだ。「フェデリーコは、今ではただの息子ではありません。マントヴァ国民にとっては、彼こそが今の当主であって、彼の下、マントヴァは団結しているのです。皇帝からの同じ要求にも応じなかった以上、フランスからの要求にもこたえることはできません」。この危機は、フランス特使ヴィスコンティの、個人的なイザベッラに対する尊敬の情によって、ルイ十二世の気をひどくそこなうことなしに回避された。

しかし、同じ要求が、今度はヴェネツィアのフランチェスコから来た。イザベッラは次の手紙を夫に送った。「あなたの要求は私にとって、何よりも耳にしたくないことでした。もしフェデリーコをヴェネツィアへ送ったとしても、どれほどあなたの自由の保証が確かでしょう。かえってつけこまれて釈放を遅らせられてしまうかもしれません。そのようなことにでもなれば、マントヴァにフランス軍侵入の絶好の口実を与えてしまうことになるでしょう。皇帝もフランス王も、フェデリーコの人質の件をあきらめてくれましたのに。フランス特使がマントヴァへ入城した時も、武器をはずしてもらったほど、私は気を遣っています。少しの間お待ち下さいますよう。私とあなたの弟枢機卿シジスモンドの二人は、全力をつくしてマントヴァとあなたの身に良かれと努力しております」。この手紙は、フランチェスコの今までの疑いに火をつけた。彼は泣きながら「あのプッターナ（淫売《いんばい》）め、弟は何も知らないんだ」と叫んだ。

しかし、イザベッラは夫の怒りを無視した。

彼女の考えは明白だった。まず夫がヴェネツィア陸軍の総指揮官として自由を得ることには反対であった。マントヴァに、あらゆる敵の侵入の口実を与える危険性からして。第二に、夫の自由をなるべく少ない代償で得ること。この一見打算的な彼女の考えは、法王、ヴェネツィア、今ではマントヴァの家臣の間でも一様に評判が悪かった。イザベッラは完全に孤立した。法王は遠慮なく彼女に怒りをたたきつけた。「あのプッターナの侯爵夫人の奴、自分が統治するのが面白くて、夫の釈放など望んでもいないんだ」

しかし、事態は徐々にイザベッラに有利に動きつつあった。ひも付きでないフランチェスコの釈放の保証なしには、いかなる交渉も無駄であるという彼女の考えに、まず法王ジュリオ二世が譲歩した。彼はフランチェスコを、ヴェネツィアの総指揮官よりも、法王軍の総指揮官にした方が自分にとっては有利であろうという考えをもち始めていた。フェデリーコを人質としてまずボローニャのウルビーノ公の許《もと》へ送り、後、フランチェスコが釈放された時ヴェネツィアへ送ること。これはもう命令であった。しかし、イザベッラはこれも拒否した。法王はまた、例のごとくかんしゃく玉を破裂させた。「侯爵の釈放後、今、妻に腹を立てている彼がイザベッラに何かしても、自分はもう彼女を助けないでほっとくだろう。いつかはヴェネツィアへ使節まで送って、彼女の釈明をしてやったりして全く損をした」とののしりながら。
しかし、ジュリオ二世も、まもなくその怒りをひっこめざるをえなくなった。皇帝マクシミリアンからイザベッラあてに、もしフェデリーコをヴェネツィアへ渡すようなことにでもなったら、ドイツ軍は直ちに南下するであろうという手紙がとどいたからである。法王はまたまた譲歩した。フェデリーコをローマの法王の許へ送ること、そしてヴェネツィアの望む限り、ローマにとどめるという条件で。イザベッラはようやく受諾する。フェデリーコを絶対にヴェネツィアの手に渡さないという約束と、フランチェスコを何のひも付きもない状態で釈放することの二つの約束をとりつけたうえでの受諾だった。

イザベッラは勝った。この一年、法王や夫にまでプッターナとののしられながらも、マントヴァが原因の戦争は起らなかった。ドイツもフランスも、イタリア侵入の口実さえつかむこともできなかった。マントヴァの国境は守られた。ヴェネツィアからも、他のどの国からも。息子のローマへの人質、これは我慢しなければならなかった。人質といっても、味方の許なのだから。全ヨーロッパから称讃《しょうさん》と共感が、彼女に集中した。法王ジュリオ二世も認めた。皇帝マクシミリアンは「ほとんど彼女に惚《ほ》れるばかりだ」と言い、フランスのルイ十二世も彼女の勇気に称讃を惜しまなかった。ヴェネツィア人までが「侯爵夫人はああするより仕方なかったのだ」といったという。

七月十六日、フランチェスコは、約一年間の捕囚の身から自由になった。その頃ボローニャにいた法王に会うため、その途中のリミエに着いた時、イザベッラからの使者が彼を待っていた。使者は彼に、この一年間のイザベッラの苦労を説明した。全てを聞き終ったフランチェスコは、妻への感謝にといって、自分のはめていた腕輪をはずして使者に託した。

マントヴァでは、全てを終ってほっとしたイザベッラは、今はもう母親としての心配だけでいっぱいだった。息子を初めて手許から離す。十歳のフェデリーコはローマへ、そう悲しむ風もなく発《た》っていった。ボローニャへ寄って父に会ったりしながら。母親は毎日手紙をローマの息子に書き続けた。

ローマへ送られたフェデリーコは、法王からローマの郊外を見わたす美しいヴィラ・ベルヴェデーレを宿舎として与えられ、人質らしくもない厚遇を受けた。よくローマの街をアレティーノの案内で見て歩いた。ピエトロ・アレティーノ。この、後年ヴェネツィアの娼婦《しょうふ》たちの親玉になる、ルネサンスの自由な言論人の一人になるこの男は、十歳の少年の相手としては少し危険な先生だったかもしれないが。ジュリオ二世もこの少年がひどく気に入った。法王は、ラファエッロに少年の肖像画を描かせたりしている。ヴァティカンの芸術品を惜しげもなく見せてくれたりした。フェデリーコは、とくにラオコーンの群像が素晴らしいと無邪気に母に書き送っている。

成熟

イザベッラ・デステはいまや、イタリア・ルネサンス風の完全な調和の中にいる。イタリア・ルネサンス風の調和——すなわち精神と肉体との、善と悪との明快で、しかも感覚的、官能的な共存の中に。

イタリア・ルネサンスには、プロテスタント的な見解、つまり精神的なものと肉体的なものとの葛藤などは存在しない。精神と肉体との間に、葛藤などという混濁した甘い関係はなかった。それはあくまでも、この両者を分けて考えたがる人文主義の伝統をもたなかった北方プロテスタント的な見方であって、サヴォナローラが誇張して評価されたり、当時の法王たちが堕落の一言で片づけられる一つの理由もここにある。イタリアではこの二つのものが、人間の中に調和を保って共存していた。言いかえれば、イタリア・ルネサンスの真髄は、狭い精神主義の殻に閉じこもることのない大胆不敵な魂と冷徹な合理精神にある。この上に立った二つのものの感覚的で官能的な調和。これを感じとらない限り、イタリア・ルネサンスの心情を理解することはできないであろう。三十代の後半から、四十代にかけて、イザベッラ・デステもまた、このイタリア・ルネサンスの心情を、より一層大胆に生きていくのである。

夫の自由とマントヴァの安全を確保したのち、しかし平和の日々は長くは続かなかった。法王ジュリオ二世は敵を変えた。ヴェネツィアからフランスに。そして彼がまず狙《ねら》ったのは、フランスと近い関係を結ぶフェラーラ、イザベッラの弟アルフォンソ・デステが治めるフェラーラだった。彼女は文字どおり、身内同士の闘いに立ち向わなければならないことになる。

一五一一年、法王の軍勢はボローニャからフェラーラに向けて進軍した。軍勢はウルビーノ公とフランチェスコ・ゴンザーガによってひきいられていた。フランチェスコは釈放後、法王によって教会軍の指揮官に任命されていたのである。イザベッラの苦しみは深かった。いまや夫と娘婿《むすめむこ》が、弟のアルフォンソを攻めているのだから。法王軍は簡単にフェラーラ領のモデナとミランドラを手に入れた。しかし、アルフォンソソは必死にフェラーラをもちこたえていた。

イザベッラは、またも自分の宝石を売る。医者を買収するためである。医者は、教会軍の指揮官としてフェラーラ攻撃戦に加わっているマントヴァ侯爵《こうしゃく》フランチェスコ・ゴンザーガの健康が、捕虜生活当時の疲労のつみ重なりからくる病気のために、軍務続行が不可能な状態にあるという診断書を書いた。イザベッラのもくろみは成功した。夫は、何も知らずに戦線をはずされた。そのためもあってか、フェラーラを助けにきたフランス軍が、教会軍をボローニャまで押しかえすことに成功した。時期もよしと見たイザベッラは休戦を提案する。マントヴァでイギリス、フランス、ドイツ、スペインの大使たちで、この件について会談をもつことを条件に。法王ジュリオ二世はその野望を断たれて、打ちひしがれてローマに帰っていった。

八月、マントヴァでは、イザベッラ演出の会議が開かれた。ヨーロッパ各国の大使たちにイタリア各国の代表を集めて。三十七歳になっていたイザベッラはまだ十分に魅力的だった。ヨーロッパ中の語り草になっていた彼女の教養と知性に加えて、本来の快活な機智《きち》に富んだ性格を、中年を迎えた成熟と洗練が優雅に侯爵夫人をつつんでいた。スペイン代表のナポリ総督はすっかりイザベッラの魅力にまいってしまったほどである。しかし、彼女の思慮はもっと深くにあった。マントヴァ宮廷えりぬきの美女が総動員された。会議の合い間や夜に、ひっきりなしに開かれる舞踏会や音楽会は、彼女たちによって華やかに彩《いろど》られた。

会議は、イザベッラの意図どおりに進んだ。フェラーラは、確たる保証こそなかったが現状のままにすえ置かれ、さらにミラノが一四九九年以来、十一年ぶりでスフォルツァ家にもどった。ベアトリーチェとイル・モーロの息子マッシミリアーノに。このミラノの一件は全くの拾いものだった。神聖ローマ帝国皇帝マクシミリアンとスペイン王フェルディナンドは、二人ともミラノ公国を孫のカルロスに与えたがっていた。これは法王の強い反対に会った。ヴェネツィアも他のイタリア諸国も法王と行動を共にした。この対立を利用してマッシミリアーノがミラノへ入城したのである。伯母であるイザベッラの巧妙な助力があったことはもちろんである。

ローマでは、法王ジュリオ二世が死にかけていた。一五一三年二月二十日、この自分の感情に正直な、時々怒り狂うあまり、下品な言葉を使ってしまう人間的なローマ法王。教会を強力にし、イタリアを外国人の手から守ろうとした唯一《ゆいいつ》の法王ジュリオ二世は死んだ。法王はイザベッラを、理解と共感をもって認めていた。時々、プッターナとののしってしまうことはあったけれど。しかし、イザベッラの方は、ジュリオ二世の高い望みを理解していなかった。彼女にとっては、イタリア統一などということは、全く関係のないことだった。イザベッラには、マントヴァがフェラーラが大切であった。だから、この死の知らせに喜んだアルフォンソ・デステと同じく、彼女もほっとした。息子フェデリーコがマントヴァにもどってこられることもあって。

その頃、イザベッラはミラノの宮廷にいた。甥《おい》のマッシミリアーノのミラノ公即位を助けるためと、フェラーラの安全の保障をドイツやスペインからはっきりととりつけるためだった。例のごとく美人の女官が動員されていた。

ミラノ公になったマッシミリアーノは十九歳になっていたが、長い間のスイスでの亡命生活が、この青年に痛ましい影を与えていた。彼は決して笑わなかった。小人や道化師にだけ、全く子供じみた関心を示し、彼らとだけ笑った。ミラノ公国支配など、全く興味がなかった。風変わりな、とっぴな行動をしては人を驚かせるよりも怖《おそ》れさせた。イザベッラはこの甥に、少しの期待もいだけなかった。いつか近いうちにだめになるだろう、後を考えておく必要がある、と。

しかし、その時の彼女を困らせていたのは、自分の女官たちとミラノ滞在の各国大使たちの間のスキャンダルだった。前のマントヴァで成功したこの手も、ここミラノでは度がすぎた。イザベッラは、一人の、スペインのナポリ総督との間をひどく噂《うわさ》された女官を、解雇しなければならなかった。この女官はゴイトの近くの尼僧院《にそういん》へ送られ、そこに総督の愛人として住むことになった。

これを噂に聞いたフランチェスコは、ひどく怒った。彼からの手紙がイザベッラの許《もと》にとどいた。「私は、このように何でも自分の考えでやろうとする妻をもつことを恥と思うであろう」。フランチェスコは、妻の謀略によってフェラーラ戦線からはずされてからは、病気がちの身を無気力に日々をおくっていた。そして、妻が政治的に派手に動くのを、苦々しい思いで見つめていた。それよりも、彼の捕虜時代のイザベッラのやり方を忘れることができなかったのである。国家の当主としてはともかく、私的感情からみれば我慢できなかったのだ。それがこの時爆発した。イザベッラはすぐ返事を書いた。「ミラノでの不祥事はたしかに私の責任でもあります。しかし、私はこれを、マントヴァのため、フェラーラのためを考えてやったのです。私はつねにこのように考えてやってきました。あなたは、どんな夫が妻にするより以上に、私に感謝なさるべきです。私を愛し尊敬して下さったとしても、今までの私のやったことに対して、報いて下さることは不可能でしょう」（一五一三年三月十一日）。いつものように「あなたの妻、イザベッラ」と書く代わりに、この手紙には、「マントヴァ侯爵夫人」と署名された。

イザベッラは、夫の愛を失った。失ったと同時に、イザベッラの方も自分から断ち切った。もうマントヴァですることは何もなかった。フランチェスコはイザベッラを、国政から遠ざけようとしていたから。四十歳になった彼女は、政治に少し疲れを感じてもいた。旅に出る決心をする。長い間の憧《あこが》れの地へ。ローマへ。

ローマは大都会である。この古く豊かな、しかも華やかなローマの魅力は、イザベッラをたちまち虜《とりこ》にしてしまった。新法王レオーネ十世も、以前から彼女を招待していただけに、全ヴァティカンをあげて彼女を歓待した。イザベッラは、ここローマにあらゆる友人を見出《みいだ》した。マントヴァの宮廷に出入りしていたビッビエンナは枢機卿《すうきけい》になっていた。詩人のベンボもいた。ローマ到着後の六週間は、古いローマの遺跡やヴァティカンを見てまわるのにあけくれた。

イザベッラはこの時初めて、今までクリストフォロ・ロマーノやベンボの口から聞き、息子フェデリーコの若い感激の言葉からただ想像していたローマを、自分自身の眼で見た。『宮　廷　人《イル・コルティジャーノ》』の著者カスティリオーネやビッビエンナの称讃《しょうさん》していたミケランジェロの『天地創造』も、優雅で完璧《かんぺき》なラファエッロの壁画も。案内はベンボやビッビエンナ枢機卿、サドレート、カスティリオーネがした。ラファエッロ自身も、当時自ら発掘の指揮をしていた「ティトゥスの浴場」やネロの「黄金宮殿」の跡に彼女を案内するのを喜んだ。その間にも夜昼となく、彼女のために舞踏会や音楽会が催された。ヴァティカンの中で、彼女を主賓として催された、ビッビエンナ枢機卿作の喜劇『カランドリア』の上演には法王も列席した。

一五一五年の謝肉祭が近づいてきた。だが、華やかさで当時比類のないローマの謝肉祭を見たいというイザベッラの願いも、夫の命令で帰国しなければならなくなった。法王の、ローマに居残るようにという心づかいも無駄だった。彼女は後髪をひかれる思いでローマを発《た》っていった。マントヴァに着いたその夜すぐ、枢機卿ビッビエンナに手紙を書いている。「今、私はマントヴァにいます。夫への義務のために。しかし、この小さな部屋、退屈な生活、ローマに残してきたヴァティカンの大ホールとあの素晴らしい日々を忘れることができません。私の身体《からだ》はここにあっても、心はあの地に、ローマに残してきました」

しかし、イザベッラのこの感傷はたちどころに冷水を浴びせられた。ロレンツォ・イル・マニーフィコの次男であるレオーネ十世が、メディチ家出身の法王であることを示し始めたのだ。突然、ウルビーノ公国から、当主で前の法王ジュリオ二世の甥であったフランチェスコ・マリーアが追い出され、ウルビーノは、法王の弟のジュリアーノ・デ・メディチに与えられた。病気療養中だったジュリアーノは、以前からウルビーノ公一家やマントヴァのゴンザーガ家と親しかったので、それを望みもしなかったのだが。二ヵ月後、ジュリアーノは死んだ。法王はすぐ、その甥のロレンツォ・デ・メディチに継がせた。こういう時になると法王は、イザベッラへの親愛の情などは忘れた。ウルビーノ公夫人であるイザベッラの娘を追放の身に置くことに、少しのためらいも感じなかった。

一五一九年、神聖ローマ帝国皇帝マクシミリアンが死んだ。直ちに孫のカール五世（スペイン王としてならばカルロス一世）が即位し、ドイツ、スペイン、オランダ、ナポリを全《すべ》て統治することになった。フランスは若いフランソワ一世の時代になっていた。

三月、マントヴァ侯爵フランチェスコも死の床にあった。二十九日の朝、公証人が呼ばれた。マントヴァ侯国の相続権はフェデリーコに。他の二人の息子エルコレとフェランテにはそれぞれ年収八千ドゥカートを。持参金三千ドゥカートを尼僧院に入った二人の娘に。四百ドゥカートずつを二人の庶出の娘に。妻イザベッラには、年収一万二千ドゥカートを産む彼女自身の所有資産の保証を。弟の枢機卿シジスモンドとジョヴァンニ・ゴンザーガには、遺言実行の責任を託し、フェデリーコが三十三歳になるまでの国政の助言者となるよう。娘レオノーラの嫁いだウルビーノ公一家には、その亡命の間中、年六千ドゥカートが支給されること。言い終ったフランチェスコは、妻と子供たちを呼びにやり、床のまわりに立った彼らにいとまごいをした。フェデリーコには自分の髪の毛を与え、国をよく治めるようにといい残し、最後にイザベッラを見て、子供たちを彼女に託すこと、彼女の知性と才能を信頼しているから安心してまかせられると言い、僧に聖書を読ませながら静かに死んでいった。

イザベッラの悲しみは深かった。彼女の人生の全ての想《おも》い出は、良きにつけ悪《あ》しきにつけ、フランチェスコという一人の男につながっていた。最後の数年、この夫婦の仲は男と女の愛情こそ失われていたが、お互いに思いやりのある、深い親愛の情によって結ばれていた。彼女は夫の墓のデザインを、ローマのラファエッロに依頼した。これはラファエッロの急死によって、実現されなかったが。

ヨーロッパ中からイザベッラに対して、同情と慰めが集まった。法王レオーネ十世は、好意に満ちたやさしい手紙と共に、イザベッラの友人でもある秘書官のピエトロ・ベンボをマントヴァによこした。各国からの弔問が続いた。フェラーラのルクレツィア・ボルジアからは、許しを乞《こ》うような悲しみに満ちた手紙がとどいた。彼女自身も病いの床にあった。フランチェスコの死後三ヵ月して、ルクレツィアも死んだ。

イザベッラは今こそ完全に実権をにぎる。フェデリーコはまだ若すぎたし、義弟は二人とも人が良く、しかもイザベッラに心酔していた。外国からの情報は、彼女の友人で法王特使のフランチェスコ・キエリカーティから送られてきた。ロンドンのヘンリー八世の宮廷から、スペインのカルロス一世の宮廷から。新時代を迎えた諸国の台頭を的確に知らせたものだった。しかしイザベッラは、このようにイタリアの外が急速に変りつつあることを知りながらも、まだそれを身にしみて感じることができなかった。今の彼女の願いも、息子フェデリーコが教会軍の総司令官になることだった。教会勢力の力を疑おうともしなかったのである。イザベッラに依頼されたカスティリオーネの強い援助によって、一五二一年、この願いもかなえられた。イザベッラの喜びは大きかった。法王の要求で、フェデリーコの署名した誓約書が作られ、これは教会への忠節の証明として、ヴァティカンの重要書類とともに金庫に収められた。しかし、後にカルロスの大軍がローマに迫った時、これをとりもどそうとイザベッラは大あわてをするのだが。

フェデリーコのこの任命とともに、レオーネ十世は、イザベッラに難題を押しつけてきた。ウルビーノ公一家をマントヴァから追放せよというのだった。やむをえず侯《こう》爵《しゃく》一人は、ヴェネツィア、ヴィチェンツァと転々としなければならなかったが、イザベッラは、娘と義妹の追放だけは、断じて拒否した。追い打ちをかけるかのように法王は、次にフェラーラを教会領にしてしまう意図を明らかにしてきた。前からイザベッラに頼まれて、法王の意図を探っていたローマのカスティリオーネから、暗号の手紙が急ぎ彼女の許にとどいたのだ。イザベッラもアルフォンソも絶望の中に投げこまれた。

悪い知らせは続いてやってきた。頼みにしていたフランス軍が、ミラノから追い出されてしまった。しかも、それにフェデリーコの指揮する教会軍と、皇帝派の将軍プロスペロ・コロンナが合同して、フランス軍のロートレックに勝ったのだった。この知らせは、ローマの法王を有頂天にさせた。法王はメディチ枢機卿をミラノ公爵にしようと思っていたのだ。イザベッラはそれに反して、イル・モーロとベアトリーチェの次男フランチェスコ・スフォルツァを援助していた。全ては法王レオーネ十世の思い通りになるかと思われた。しかし、五日後、法王は狩で風邪をひいた。そして、同じ日の夕方死んだ。四十五歳だった。毒を盛られたにちがいないという噂がたったが、真相はよくわからない。

レオーネ十世は死後に三十万ドゥカートの借金を残した。それだけでなく、教会の宝石や金、法王の三重冠、司教たちの冠、銀製の食器類や、カペッラ・システィーナを飾っていた高価なタペストリーなど、全て質に入れてしまっていた。ヴェネツィア大使は「この法王ほど悪評の中で死んだ法王はいない」と書き残し、マントヴァ大使は次のような手紙をイザベッラに送った。「レオーネ十世は、キツネのように権力をにぎり、ライオンのように治め、イヌのように死んだ」と。

フェラーラのアルフォンソは、安堵《あんど》の胸をなでおろしていた。早速、記念メダルが作られた。"Ex Ore Leonis"（ライオンの口の外）ときざまれていた。ウルビーノ公も法王の死の知らせをきくと、直ちにマントヴァへ直行し、イザベッラとアルフォンソから金と軍を借り、ウルビーノへ向った。彼は何の困難もなく、市民たちの歓呼の中をウルビーノに復帰することができた。

サッコ・ディ・ローマ

静かに、しかしとどまることなく一五二七年のサッコ・ディ・ローマ（ローマ掠《りゃく》奪《だつ》）の舞台が準備されつつあった。登場人物も一人、二人とそろい始めていた。

その頃、一人の若いフランス貴族がマントヴァを訪問した。キアラ・ゴンザーガとジルベール・ド・モンパンシェの息子、イザベッラには甥《おい》にあたるシャルル・ド・ブ

フェデリーコ・ゴンザーガ

ルボンである。この美しい、後にイタリアに大災難をもたらす貴公子は、その若々しい気高い精神と品のある立居振舞で、イザベッラに非常に良い印象を与えた。彼は、シャルル八世の姪《めい》との結婚によってブルボンの名をついでいたのだった。しかし、妻の死後に皇太后のルイーズ・ド・サヴォアの策略にかかってフランス宮廷からしりぞけられた彼を、カルロスは自分のところに迎え、スペイン・ドイツ連合軍の指揮をまかせていたのである。シャルル・ド・ブルボンも、この高名な伯母に深い敬愛の情をいだいてマントヴァを去った。

イタリアは、しばらくの平和を楽しんでいた。法王クレメンテ七世は、その一五二三年の即位当時から、伯父であったレオーネ十世の政治方針をひきつぐ考えでいた。そして、カルロスの腕の中で勝負しようとしながら、一方、秘《ひそ》かにフランソワ一世と交渉を進めていた。クレメンテ七世は、スペインとフランスの二大勢力の均衡のうえに、教会勢力の強大化をはかろうとしたのである。カスティリオーネは、法王特使としてスペイン宮廷へ派遣された。これらの動きはイザベッラに、カルロスの存在を認めさせずにはおかなかった。彼女は、三男で十七歳になっていたフェランテをスペイン宮廷へ送った。以前、長男フェデリーコを、パリのフランソワ一世の宮廷へ送ったと同じ考えからだった。

イザベッラ・デステは、その生涯に三人の息子と三人の娘を残した。しかし、彼女の注意は息子たちだけにそそがれ、娘たちは母から顧みられなかった。父親は可愛がっていたのだが。長女のレオノーラは、以前からの約束でウルビーノ公に嫁いだが、下の二人の娘は、持参金節約のため尼僧院《にそういん》に入れられた。その時、父親のフランチェスコは泣いたが、母のイザベッラは涙一つ流さなかった。三人の息子たちは、イザベッラの注意の下、最高の教育を受ける。のびのびと育てられたこの息子たちは、大君主の宮廷にあっても、その才能を認められ重用された。

フランソワ一世がついにアルプスを越えた頃、イザベッラをひどく悲しませることが、彼女の足許《あしもと》から起った。最愛の息子、長男フェデリーコが、母に反抗する姿勢を示し始めたのである。彼は二十歳になった頃から、〝ラ・ボスケッタ〟と呼ばれる人妻に恋していた。この愛人が彼の子供を三人も産んだ時、フェデリーコは彼女と正式に結婚しようと決心した。しかし、彼は十七歳の時にすでに、婚約していた。そのマリアは東ローマ帝国皇帝の後裔《こうえい》でもあるモンフェラート侯爵《こうしゃく》の娘で、この婚約はイザベッラの望んだものだった。しかし、今では、フェデリーコは愛人のために美しい宮殿を城から少し離れたところに作り、彼女をそこに住まわせていた。ジュリオ・ロマーノ設計の美しい宮殿は、パラッツォ・デル・テー（茶の宮殿）と呼ばれた。そのうえ法王に、マリアとの婚約無効を願い出ていた。マントヴァの宮廷は、このラ・ボスケッタを中心に動くようになった。華やかな若い一団が、ラ・ボスケッタを中心に、馬でさんざめきながら通りすぎるのが、城のイザベッラの部屋の窓からよく見えた。イザベッラの周囲には、何人かの年寄りが残っただけだった。息子は時々意見を聞きにくるだけで、母を国政から遠ざけようとしていた。孤独がおしよせてきた。イザベッラは、初めて老《おい》を感じた。五十一歳になっていた。

しかし、人文主義者たちから「まれなる不死鳥」といわれたイザベッラ・デステである。このまま老いくちていく気など少しもなかった。彼女はもう一度、人生の渦の中に自分を投げこむ決心をする。再びローマへ。次男エルコレの枢機《すうき》卿《けい》昇進をはかる目的があった。一五二五年春、彼女はローマへ発《た》った。旅の途中、フランソワ一世と皇帝軍の戦いの模様を聞きながら。

ローマでは、もう彼女の古い友だちはほとんど残っていなかった。枢機卿ビッビエンナ、ジュリアーノ・デ・メディチ、ラファエッロは死んでしまっていたし、カスティリオーネはスペインに去っていた。しかし、法王の秘書官サドレート、パオロ・ジョーヴィオやキエリカーティは残っていた。しかし、法王クレメンテ七世も、政治情勢のむずかしい折、マントヴァをむげにすることはできなかった。法王は、エルコレの枢機卿の件を約束した。しかしその時期については、法王は言を左右にするだけだった。イザベッラは、エルコレのために赤い帽子を獲得するまでは、ローマを去らないつもりだった。友人たちとの毎日が過ぎていった。彼女のサロンでの、文芸的知的な会話の合間には、太陽のさす古跡を馬車でめぐったりした。

一五二六年一月、パヴィアの戦いで皇帝軍に大敗し、自らも捕虜になってしまったフランソワ一世は、ナポリに対するフランスの相続権の放棄を約束させられた後、釈放された。五月、いまやあまりに強大になったカルロスの勢力に恐れをなした法王は、ヴェネツィア、フィレンツェ、ミラノに呼びかけ、フランスも入って対カルロス同盟が結成された。しかし、マントヴァはローマから発せられたイザベッラの指示によって、同盟に加入しなかった。マントヴァ侯爵フェデリーコは、教会軍の総司令官であったから、法王側は当然加入すると思っていた。しかし、フェデリーコは動かなかった。法王が例の誓約書をとり出そうとしても、それはもうイザベッラが手をまわして、ヴァティカンの金庫から盗み出させてしまっていた。これはイタリア中の評判になった。なぜなら、イザベッラは道徳的な理由よりも（盗み、しかも金で買収した人間を使っての）、人間的な理由よりも（息子に裏切者の汚名をきせる）、政治的な理由によって行動したとして。

マントヴァのフェデリーコも、秘かにカルロスと通信をとり交していた。秘密の契約が結ばれた。それは、マントヴァ軍を多くの軍需品とともにカルロスに提供することと皇帝軍のマントヴァ領内通過の保証を約したものだった。イザベッラ母子はイタリアを裏切った。

マントヴァ侯爵が、いつになっても動こうとしないのを知った法王は怒り狂う。しかし、今さらマントヴァ進軍など思いもよらない緊急事態になっていた。放置しておくより仕方なかった。

九月、ローマは皇帝側の枢機卿ポンペオ・コロンナによって襲撃された。この様子は、イザベッラがローマに来て以来宿舎にしていたコロンナ宮殿からよく見ることができた。コロンナ軍はこの宮殿の前に集結したのだった。法王は、カステル・サンタンジェロへ逃げこんだ。彼は、同盟の撤回を約束させられた。しかし、軍勢がひきあげた後、教会軍を呼んだ法王は、コロンナの軍を追い散らしてしまった。

　十一月、ドイツ・スペイン連合軍は、一万二千のドイツ傭兵《ランツィケネッキ》とともに、フルンズベルクの指揮下、アルプスを越えた。その直後、フルンズベルクは病気になり、代ってシャルル・ド・ブルボンが指揮することになった。マントヴァのフェデリーコからは、イザベッラあてに至急帰国するようにとの歎願《たんがん》の手紙が次々ととどいた。少なくともローマから発ってくれるようにと。ローマの母親の身が心配でならなかったのだ。しかし、イザベッラはローマを動かなかった。皇帝軍の指揮をしているのは甥のブルボン公だし、その上、三男のフェランテもカルロスから、皇帝軍の中の一隊をまかされていた。それにまだエルコレの赤い帽子を手に入れていなかった。イザベッラもまた、他の全《すべ》ての人々と同じように、半年後の恐ろしいローマの破壊を予想することができなかったのである。

　一五二七年五月、ブルボン公がヴィテルボに着いたという知らせがヴァティカンにとどいた。法王は、初めて危機を身にしみて悟った。危険を察した市民たちの多くは、貴重品をカステル・サンタンジェロに運び込んだり、地下にうずめたりし始めた。市民たちがローマから外へ避難しようとしていることを知った法王は、それを死罪をもって禁じたが、たいした効果も現わさなかった。ローマの全ての城門は閉ざされた。レンツォ・ダ・チェッリのひきいるわずかの手勢が、城壁を守っているだけだった。「この朝――とフランス大使のデュ・ベレは書いている――私は法王と過ごした。彼の心中の恐怖を言いあらわすことはむずかしい。法王は、レンツォがさらに一千の兵を集めることに頼っていた。しかし、これは経済的にも、今の彼には不可能なことだった」

法王はこの経済的苦境を、新枢機卿を任命することによって切り開こうとした。五人の新枢機卿が任命された。一人一人が四万ドゥカートを支払うことによって。その中にエルコレ・ゴンザーガもいた。周囲のものはフェデリーコの裏切りや、ブルボン公やフェランテのことを取り上げて反対したが、法王にとって四万ドゥカートにはかえられなかったとしても、彼の心中秘かにあった、最も悪い事態がきた時への配慮によったものだった。いざとなれば、エルコレ新枢機卿が悪いようにはしないだろうと。

五月五日、ブルボン公のひきいるドイツ・スペイン連合軍が、ローマの城壁の下に着いたと同じ頃、赤い帽子はコロンナ宮殿のイザベッラの許にとどけられた。イザベッラの願いはここに達成されたが、今はもうローマを動くことなど思いもよらないことだった。彼女は秘かに、ブルボンとフェランテの陣営に使者を送り、もしローマが占領されたとしても、その時は彼女のいる宮殿の安全をはかってくれるようにと伝えさせた。ブルボン公からは、彼女の安全を保障する約束が送られてきた。直ちにイザベッラの命令で、宮殿にバリケードを築く作業が始まった。その間にも、イザベッラの許が安全であることを察知した人々が、彼女に保護を願ってきた。イザベッラは拒否しなかった。それは同情心から出たものではなく、「公女に生まれたものは、公女として生きつづける」という彼女の考えから出た行為、すなわち、目下の者に対する目上の者の保護の義務から出た行為であったが。コロンナ宮殿のイザベッラの許に、続々と避難してきたローマの上流市民や貴族たちは、前からいた人も合わせて三千人にも達した。全ての準備は終った。イザベッラは、静かに次に起ることを待った。

一五二七年五月五日夜、皇帝軍はモンテ・マリオを通り、ローマの城壁の真下に陣取った。真夜中、ラッパが鳴りひびき、襲撃が始まった。攻撃点はヴァティカンの丘の上、ポルタ・トッリオーネとサント・スピリトの間、城壁がどこよりも低いところが狙《ねら》われた。皇帝軍の兵士たちは、テヴェレ河から立ちのぼる白いもやにかくされていたが、城壁の上に陣取ったレンツォの軍勢と、カステル・サンタンジェロから発せられる大砲の強い火によって、おしよせてくる彼らの列がすかしてみえた。ブルボン

シャルル・ド・ブルボンの死（16世紀の版画）

公は銀色の甲冑《かっちゅう》に身をかため、その美しい馬上姿で城壁にとりついている軍勢を指揮していたが、カンポ・サント近くの城壁にかけられていたはしごをうばいとり、彼に従う兵士どもを叱咤《しった》激励しつつ、自ら城壁の上に立った。全軍はそれを見て勝ちどきを上げた。ちょうどその時、銃弾が彼に命中した。そばにいた人々はブルボン公の叫び声を聞いた。"Ha Notre-Dame! je suis mort!"（ああ、マリア様、私は死ぬ）。城壁からころがり落ちた彼の上に、オランジュ公は自分のマントをかけ、兵士たちは近くの教会に運んだ。死の前の半時間、シャルル・ド・ブルボンは、次の言葉をうわ言に言い続け、そして死んだ。"À Rome! À Rome!"（ローマへ、ローマへ）

皇帝軍は彼らの総司令官の死を知って激昂《げっこう》した。新たな士気がみなぎり、ついにサント・スピリトの城壁は破られた。軍勢はいっせいになだれこんだ。

この知らせがとどいた時、法王は、ヴァティカンの中、サン・ピエトロの像のひざに身をうつぶせていた。彼は、ヴァティカンの衛兵のスイス兵たちが、侵入軍にたち向っていくのを見た。そして、「スペイン帝国、スペイン帝国」と叫ぶ声が、ローマの街の上に鳴りひびくのを聞いた。従者たちが、法王をカステル・サンタンジェロへの秘密の抜け道にみちびいた。十三人の枢機卿が法王に従った。パオロ・ジョーヴィオは、自分の真紅のマントを法王にかけ、自らはその白い上着に敵の注意をひきつけながら、カステル・サンタンジェロの板橋を上げた。遅れた老枢機卿アルメリーニは、落し格子《ごうし》が降りた後、かごで引き上げられた。もう一人の老枢機卿プッチは、恐怖と疲労で半分死んだようになって、窓から引きずり上げられた。イギリス、フランスの大使はそれを断わり、後にレンツォによって救われた。しかし、ヴァティカン警備の任務にあり、法王を護《まも》って奮戦したスイス傭兵《ようへい》たちは、この日の戦いで全員が戦死した。今でも、ローマのヴァティカン国を訪問する人は、そこに色彩あざやかな制服をまとって警備についている、スイス人の傭兵たちを見るだろう。彼らには、一年に一度、彼らだけの祭日がある。それは、五百年前、絶対的に優勢なドイツ・スペイン連合軍に抗して、ヴァティカンを守るため全滅した彼らの仲間たちの死を記念する日である。

朝、五時半には、戦いは峠を越した。ドイツ軍はカンポ・ディ・フィオーリに集結し、スペイン軍はナヴォーナ広場に陣取った。フェランテ・ゴンザーガは、カステル・サンタンジェロへの通り道の橋を見張った。無秩序に、今や野盗の群と化したドイツ傭兵と荒々しいスペイン兵たちは、無防備の市民を襲った。女や子供も何の差別もなく。掠奪《りゃくだつ》と破壊が続いた。教会も祭壇も。逃げ遅れた枢機卿たちは、首ねっこをつかまれて道を引きずりまわされた。

オランジュ公は、宿所をヴァティカンに置いた。これは少なくとも、貴重な法王庁の古文書や貴重品を救うことになった。しかし、フランドル製のタペストリーや、ラファエッロの下絵は盗まれた。そして、傭兵たちによって、ラファエッロのフレスコの壁画の部屋は馬小屋にされた。大きな金のコンスタンティヌスの十字架は、サン・ピエトロの門からどこへともなく運び出され、ジュリオ二世の墓は盗掘された。この全く無秩序な軍隊には、さすがにスペイン側も驚かされた。カルロスの弁務官ガッティナーレは、皇帝に次のような手紙を送っている。「全ローマは破壊されました。サン・ピエトロ寺院も、法王の宮殿も、今や馬小屋と化してしまいました。われわれの隊長オランジュ公は、兵士たちに秩序をとりもどさせようと努力されましたが、もはや野盗の群と化した傭兵どもはどうすることもできません。ドイツ傭兵どもはそれこそ、教会に何の尊敬も持たないルーテル教徒とはこのようなもの、と思われるように野蛮に振舞っています。全ての貴重品、芸術品は痛めつけられ盗まれました」

コロンナ宮殿から、イザベッラはこの有様を見おろしていた。死にぎわのうめき声や女たちの悲鳴が聞えた。カステル・サンタンジェロの方から、銃声が絶え間なくひびいた。長い時間がたった。誰もが生きた心地もしなかった。頼みのブルボンからは何の知らせも、助けの人も来なかった。

宮殿の前の広場が夕もやの中に沈もうとする頃、夕ぐれの薄明りの中を、黒、赤、白の皇帝軍の色の衣服をつけ、かぶとをかぶった一人の騎士が、広場をななめに横切って走ってくるのが見えた。誰もが息をのんだ。騎士は宮殿の門の前に来た。その時、イザベッラの女官でまた親族でもあるカミーラ・ゴンザーガが喜びの声を上げた。兄のアレッサンドロだと。直ちにロープが降ろされ、彼は窓から引き上げられた。イザベッラは、この親族の男の出現にほっとした。アレッサンドロはイザベッラに報告した。ブルボン公は、城壁を越える時死んだこと。今、彼の遺体は、カペッラ・システィーナに横たえられていること。法王や枢機卿たちは、カステル・サンタンジェロに逃げこんだこと。彼が話し終らないうちに、スペインの騎士ドン・アルフォンソ・ディ・コルドーナが着いた。そして、イザベッラに、昨夜亡《な》くなったブルボン公から、彼女の宮殿を守るようにとの命令を受けていたが、この混乱で今まで来られなかったのだと言った。イザベッラも他の人々も、これで少し心配が薄らいだ。ついに、夜の十時、フェランテ自身が到着した。その時まで彼の役目から離れるわけにはいかなかったのだ。イザベッラは、三年前のスペインへの出発以来会っていないたくましく成長した息子を、心からの喜びで迎えた。

それからの七日間、ローマ全市は、掠奪と破壊をほしいままにされた。枢機卿たちの家はもちろん、カルロスの甥《おい》のポルトガル大使の家も容赦されなかった。フェランテは新たに宮殿にバリケードを築かせた。

このサッコ・ディ・ローマ（ローマ掠奪）によって、盛期ルネサンスの一大中心地であったローマは、廃墟《はいきょ》の街と化してしまった。毎年の謝肉祭には、華やかな仮装行列でにぎわい、普段でも人通りの絶えたことのなかったコルソ通りも、今や人の影さえもなく、時折、酔払い、群盗と化したドイツ傭兵たちの高声と、間をおいて続くはじけるような銃声が、崩れ果てた壁の奥にひそむ人々をおじけさせた。それでも陽のあるうちはまだよかった。夜。夜の闇《やみ》がすべてをおおいかくしてしまう時、人々の恐怖は最高潮に達した。誰もが「夜《ノッテ》」という言葉を口にしようとはしなかった。「夜《ノッテ》」でなく、「死《モルテ》」といわれたような気がしたのである。

コルソ通りから少し入ったところにある、コロンナ宮殿に避難している人々にとっても、「夜《ノッテ》」と「死《モルテ》」は、同じひびきを与えずにはおかなかった。さらに、飢えの苦しみがそれに加わる。三千人の口を満たすには、イザベッラの集めさせた食料が底をつく日も見えていた。ぼろをまとった乞食《こじき》が、やせこけた腕を、わずかばかりの食物に伸ばす状景は悲惨である。しかし、むっちりと白い豊満な肉体もあらわに、豪華な衣服を着け、宝石を飾り、髪を派手に結い上げた貴婦人たちや、日頃は、たいした恩恵をほどこしてやるような顔をして、信者に指輪にだけそっと接吻《せっぷん》させるのに慣れた高位聖職者たち、高慢な態度の宮廷人などが、わずかのパンに向って殺到するのは、悲惨を越えて地獄である。

周囲の人々のこのあさましい地獄から、イザベッラ一人が超然としているかに見えた。しかし、彼女とて恐怖を覚えなかったわけではない。皇帝派のコロンナ公から、彼の宮殿を宿舎として提供され、戦死してしまったとはいえ皇帝軍総司令官ブルボン公は彼女の甥であり、息子フェランテは皇帝軍の隊長である。これで彼女の安全は十分に保障されているはずであった。だが、宮殿の外の情勢は、楽観を許さなかった。秩序を失い、「ローマ」という言葉が、集中した富と財宝のありかだけを意味した彼ら、北からやって来たドイツ傭兵たちには、コロンナやブルボンの名も意味はない。ましてや一隊長でしかないゴンザーガの名が、どれほどの脅威を彼らに与えるか。期待する方が無理である。イザベッラは、このことを十分に知っていた。優雅に美しく建てられただけのローマ市内の宮殿が、掠奪に狂った彼らに襲われでもしたらひとたまりもないことも知っていた。やはり、いくらかは恐怖を感じたであろう。

さらに息子フェランテを通じて、ヨーロッパの北に生れたプロテスタントたちが、どのようにローマの街を、ローマの芸術品を破壊しているかも聞き知っていたはずである。

ローマ。この言葉ほど豊かで官能的なひびきを感じさせる言葉も少ない。イェルサレムが、その名を口にする時、ある種の人々に与え続けた想いとは全く別の想いを、ローマもまた、二千年の間与え続けてきたのである。

ましてイザベッラにとって、ローマは生涯を通じての憧《あこが》れの都であった。彼女は、何かを打開しようと決心する時、その足はいつもローマへ向っていた。ローマこそ、彼女に訪れる気を起させた唯一《ゆいいつ》の都であった。そのローマが、今、美の価値など知らないドイツ傭兵の泥足にふみにじられている。法王さえもローマを逃げ出し、オルヴィエートに亡命しなければならなかった。このサッコ・ディ・ローマというイタリア・ルネサンスの終焉《しゅうえん》を象徴する巨大な事実の中にいたイザベッラが、この悲劇を悼《いた》む感傷的な言葉を残したとしても、誰しもがそれを当然と思ったことだろう。そして、教養の高い芸術の理解者、保護者としての彼女の名は、それこそ確固としたものになり、ブルクハルトもきっと、彼女の言葉をあの名著の中に紹介したい誘惑をしりぞけられなかったにちがいない。

しかし、この恐怖の一週間、イザベッラはただ一通の手紙だけをわれわれに残した。マントヴァのフェデリーコにあてたものである。それには、人伝《ひとづ》てに聞いたローマの街やヴァティカンでの出来事、コロンナ宮殿のバリケードのこと、宮殿の外から聞えてくる銃声や女の悲鳴などについて、淡々と記述されているだけである。ただその手紙の最後に一行、「今日もまた、にんにくをすりつけたパンだけが食事らしい」と諧《かい》謔《ぎゃく》気味に書きそえられてあった。そこには恐怖も感傷も、その気配すらうかがえない。ただ徹底した現実主義に立った合理精神と大胆不敵な笑いだけがある。ただし、もう一人のルネサンス人エラスムスは、次の言葉を残した。「ローマは、単にキリスト教者のためだけの都ではありません。貴族的な高貴な精神とミューズの住む、われ

われ全体の母のようなものです。このたびの悲しい知らせを、私は深い弔いの心で受けとりました」（サドレートへの手紙より）

晩年

五十歳を越えたイザベッラ・デステは、その頃、彼女の生涯で最後の勝負のサイをふり始めていた。「マントヴァ侯爵《こうしやく》は価値が少ない」（グイッチャルディーニ）と言われ、あまりにも高名な母の下で世をすねていた息子フェデリーコは、愛人ラ・ボスケッタの腕の中に慰めを見出《みいだ》すのみで問題にならなかった。彼女の勝負の相手は、サッコ・ディ・ローマの後、イタリアの歴史をおおうようになった、スペイン王で神聖ローマ帝国皇帝でもあるカルロスである。今は全《すべ》てのことが彼の意志にかかっていた。もちろん老練なイザベッラは、この強大な人物を敵にまわすようなことなどしない。彼女はカルロスの力を冷静に計算し、相手にさとらせずに自分の必要とするところにだけ彼の力を利用していく。

サッコ・ディ・ローマは、カトリック帝国の皇帝としてのカルロスに、世論の批難を集中させた。皇帝は法王を、いつまでもこの屈辱的な状態に放置しておくことができないことを知った。和解の必要が、今ではカルロスの方にあった。

しかし、フランスの野望をくじき、ナポリとミラノまで手に入れたカルロスの勝利は完璧《かんぺき》だった。一五二九年八月十二日、ジェノヴァに彼はイタリアで初めての足をふみ入れる。長年の望み、ローマで法王の手によって神聖ローマ帝国皇帝の冠をいただくために。しかし、イタリア人は二年前の「ローマのあの恐ろしい出来事」を忘れてはいなかった。これに気を遣い、法王とカルロスの会見の場所には、ローマとジェノヴァの中間、ボローニャが選ばれた。続々とイタリア各地から貴族たちがボローニャへ向いつつあった。イザベッラがこの機会をのがすわけがない。彼女も、十一月、例のごとく美人の女官たちをひきつれてボローニャへ向った。

イザベッラの意図は次のことにあった。まず、マントヴァの侯爵《マルケーゼ》の地位を公爵《デューカ》に昇進させること。そしてさらにうまくいけば、今、甥《おい》のフランチェスコ・スフォルツァが当主であるミラノ公国を、彼の病身を理由にマントヴァに合併させることだった。その他に、弟アルフォンソ・デステのフェラーラ公国と歴代の法王たちとの間の不和を、カルロスの力で解消させることもあった。このために、アルフォンソとイザベッラの間にはたびたびの手紙の交換がされ、方策が練られていた。

一五二九年十一月、十六人の枢機卿を従えて法王クレメンテ七世が、そして、これも威風堂々と大行列を従えてカルロスが馬で、相前後してボローニャへ入城した。この時からスペイン風の白と黒の衣服の流行が、今までの色彩あざやかなルネサンス風にとって代わる。イタリア・ルネサンス崩壊の象徴でもあるかのように。

翌年の二月二十二日、神聖ローマ帝国皇帝の冠は、法王の手によってカルロスの頭上に輝いた。夜ごとの祝宴、舞踏会が続いた。その中にもイザベッラの希望は、おおかた実現されつつあった。公爵《こうしやく》昇格の件は、カルロス皇帝の確約を得た。ただミラノ公国合併については、ミラノ公フランチェスコ・スフォルツァへの皇帝の親愛の情から望みはなくなった。フェラーラと教会の間の和解については、完全に達成された。カルロスは戴冠式《たいかんしき》直後、法王の反対を押し切って、アルフォンソ・デステをボローニャへ呼んだ。アルフォンソは、カルロスがイタリア貴族の中で唯《ただ》一人、統治者としての価値を認めていた男である。三月の初めに、急ぎ到着したアルフォンソと法王の間で和解がなった。

しかし、またしてもイザベッラの女官たちのためにスキャンダルが起ってしまった。彼女たちのためにスペインとイタリアの騎士たちが争い、一晩に十四人も死人が出るという始末に、イザベッラは大急ぎで女官たちをひきつれ、ボローニャを発《た》たねばならなかった。しかし、若き皇帝カルロスは、イザベッラに心からの好意とほとんど尊敬の情でもって対した。彼女の息子たちを褒め、イザベッラのことはスペイン宮廷でカスティリオーネから始終聞かされていたといった。そして、帰途、マントヴァに寄ることを約束した。

三月二十五日、マントヴァに立ち寄ったカルロスによって、フェデリーコは公爵に昇格した。長男には今や公爵の称号を、次男のエルコレは枢機卿にし、三男のフェランテをカルロスの宮廷に送りこんでいたイザベッラの許《もと》に、オランジュ公に代って皇帝軍を指揮していたフェランテによってフィレンツェが陥落した、という知らせがとどいた。ルネサンス発祥の地でもあるフィレンツェは、共和国としてはこの年に崩壊する。

皇帝はマントヴァを発つ前、フェデリーコの結婚を指示していった。マントヴァ公爵は三十歳になっていた。十七歳の時、当時八歳のマリアと婚約していたが、愛人ラ・ボスケッタのために法王にその無効を申請し、許可を得ていた。無効の理由は、ラ・ボスケッタの夫を使って、マリアの母であるモンフェラート侯夫人がフェデリーコとラ・ボスケッタの毒殺を謀《はか》ったということだった。これは全くの濡衣《ぬれぎぬ》だったが、これによってラ・ボスケッタの夫は殺された。しかし、マントヴァの当主フェデリーコの結婚は政治である。フェデリーコもラ・ボスケッタも、今ではそれがわかっていた。彼女は自分が公爵夫人になることはあきらめていた。しかし、子供たちがいた。

そんな時、皇帝から話がもちこまれたのである。皇帝の選んだ花嫁は、インファンタ・ジュリア。アラゴン家の唯一人の生き残りの王女で、フェデリーコにはいとこにもあたっていた。ジュリアはみにくい女だった。しかも、四十歳になっていた。フェデリーコは、形式的にしても気が進まなかったが、ラ・ボスケッタはこの結婚を彼にすすめた。彼女は、ジュリアがみにくい女で、年をとっているから、フェデリーコに子を与えることなど不可能だろうし、彼も愛さないだろう、そうしたら自分の子供が跡継ぎになれる、と計算したのである。ラ・ボスケッタのこの動きを、イザベッラは黙って見ていた。彼女は動かなかった。時を待っていた。

しかし、その時は意外に早く来た。幼いモンフェラート侯爵が馬からふり落されて、突然に死んでしまったのである。それで、娘のマリアに相続権がまわってきた。早まったと思ったのはフェデリーコである。彼は早速、法王と皇帝に手紙を送り、ジュリアとは結婚できない理由があること、それは以前の婚約者であったマリアとの婚約無効の手続きが十分でなかったからだと、ジュリアとの婚約の無効を頼んだ。これには皇帝も法王もあきれてしまった。さすがに決定はのばされた。そんな時、マリアも死んでしまったのだ。相続者は、今度は妹のマルゲリータになった。

この時になって、イザベッラはようやく動き始めた。若い相続者のマルゲリータには、あちこちから結婚の申しこみが殺到した。母親のモンフェラート侯爵夫人は、娘をミラノ公フランチェスコ・スフォルツァと結婚させたがっていた。ミラノ公もそれを望んでいた。イザベッラはまず、母侯爵夫人を説得することから始めた。夫人はイザベッラの見事な外交の前にはまるで相手にならなかった。イザベッラは「娘さえよければ」というところまでもっていった。直ちにフェデリーコがマルゲリータの許へ送りこまれた。フェデリーコのたくみな言い寄りに、若いマルゲリータは陥落した。「フェデリーコと結婚できなければ尼になってしまう」と言うようになった。イザベッラは同時に、法王、皇帝に対しても運動を開始していた。フェデリーコの懺悔聴聞《ざんげちょうもん》僧《そう》が買収された。宗教の教理の複雑さのうえで劇が組み立てられた。以前の婚約無効の時の懺悔が教理にかなっていなかったため、婚約は無効になっていなかった、という理屈だった。これには法王も皇帝も承知せざるをえなかった。それに婚約していた姉の死後は妹が代わる、という例は珍しくはなかった。一五三一年七月、フェデリーコ・ゴンザーガとマルゲリータとの結婚が発表された。十一月、若い花嫁はマントヴァに着いた。そして三年後、モンフェラート侯国はマントヴァ公国に併合された。

ラ・ボスケッタの全ての望みは断ち切られた。十年来の愛人フェデリーコは、この結婚のために彼女を捨てたのである。彼女は追放されるまでもなく、自分からマントヴァを去っていった。子供たちは残して。イザベッラは勝ったかもしれない。しかし、彼女は、この十年来の敵ラ・ボスケッタの中に、自分と同じ種類の人間を見出したのである。

イザベッラ・デステにとって、息子フェデリーコの結婚が、彼女の生涯で最後の公式な行動になった。六十歳近くなった彼女は、その死までの九年間を静かに自分の書斎で過ごす日々が多くなった。グロッタ（洞穴）、ステュディオーロ（書斎）、と呼ばれた宮殿の中の二つの部屋は、小さいながらも中庭に面した大きな窓から陽光が豊かにさしこみ、集められた数々の芸術品で飾られていた。

一五三四年に弟アルフォンソが死に、続いてミラノ公、ウルビーノ公と彼女の同時代の人々はほとんど死んでしまった。世代が変った。しかし、イザベッラの精神の独立への誇りは、少しも老《おい》を見せなかった。娘レオノーラや息子エルコレたちが、当時有名だったヴィットリア・コロンナのサロンの熱心な一員になっても、イザベッラにとって、ヴィットリア・コロンナの〝宗教的な清潔な精神的結合〟など全く無縁だっ

イザベッラのステュディオーロ

た。書斎の入口にかかげられた彼女のモットー“*Nec spe nec metu*”（夢もなく、怖《おそ》れもなく）に見られるように、イザベッラにとっての人生とは、そこに、眼の前にあるのが人生であった。たとえ、それが清潔で美しくなかったとしても。彼女はヴィットリア・コロンナを丁重にあつかったが、それは彼女の〝高貴な精神〟を尊重したからではなく、ヴィットリアの甥が、当時最も勢力のあったアルフォンソ・ダヴァロスだからであった。イザベッラの思惑どおり、このスペイン貴族は後にイザベッラの孫と結婚する。

　最後の数年、イザベッラが情熱をそそいだのは、ソラローロという小さな地方の統治だった。このロマーニャ地方の小さな地方を、彼女は思うとおりに治めた。近代的な区画整理がととのい、合理的な課税がなされた。今もボローニャからリミニへ向う道を少し離れたところにあるこの小さな町の中央広場は、ゴンザーガ広場と呼ばれている。この統治は高く評価された。人々は「女王に生まれるべきだったお方」と称讃《しょうさん》したが、これは息子フェデリーコによってマントヴァ国政から遠ざけられたイザベッラの淋《さび》しい逃避でもあった。しかし、彼女は泣き言もいわなかったし、息子にとって代ろうとも思わなかった。もうマントヴァのためにはやるべきことはやってしまったと思っていたのだ。この年齢になってもまだ、彼女は快活な、そして十分におしゃれな女だった。

一五三七年六月、ほとんど残っていないイザベッラの同世代の数少ないうちの一人、旧友の枢機卿ピエトロ・ベンボがマントヴァに彼女を訪問した。その五日間の滞在の間に、今ではパラディーソ（天国）と呼ばれるようになった彼女の書斎の芸術品を見たりしながら。マンテーニャ、コレッジオ、ベッリーニ、ティツィアーノの絵、ミケランジェロの彫刻、ギリシアの大理石像や古代ローマの数々の彫刻、全ては彼女の想《おも》い出につながるものだった。ベンボは、このまだ若々しい生き生きとした精神をもち続けている、イザベッラと過ごした日々の深い印象をもってマントヴァを発っていった。数日後、イザベッラの息子エルコレは、ベンボから次の手紙を受け取った。「素晴らしい母上をおもちです。イザベッラ・デステは、われわれの時代で、最も賢明で幸せな方でした」

二年後、一五三九年二月十三日、イザベッラは死んだ。六十五歳だった。

第二章

ルクレツィア・ボルジア

「Aut Caesar aut nihil」

（皇帝か、無か）

ピントゥリッキオ画。ヴァティカン内「ボルジアの部屋」壁画より

ルクレツィア・ボルジア系図

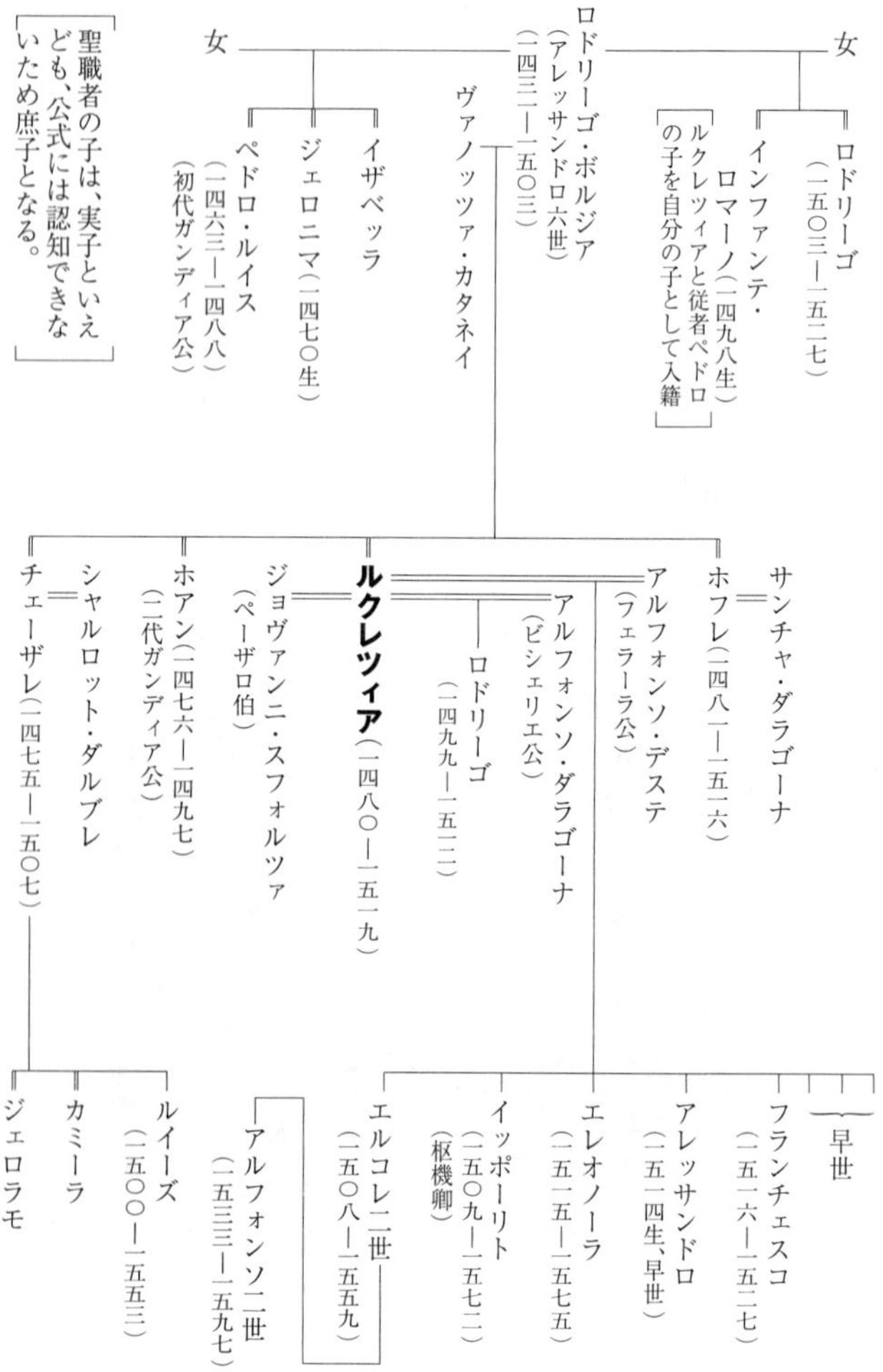
女
ロドリーゴ・ボルジア（アレッサンドロ六世）（一四三一—一五〇三）
女
ロドリーゴ（一五〇三—一五二七）
インファンテ・ロマーノ（一四九八生）
［ルクレツィアと従者ペドロの子を自分の子として入籍］
ヴァノッツァ・カタネイ
イザベッラ
ジェロニマ（一四七〇生）
ペドロ・ルイス（一四六二—一四八八）（初代ガンディア公）
［聖職者の子は、実子といえども、公式には認知できないため庶子となる。］
サンチャ・ダラゴーナ
ホフレ（一四八一—一五一六）
アルフォンソ・デステ（フェラーラ公）
アルフォンソ・ダラゴーナ（ビシェリエ公）
ロドリーゴ（一四九九—一五一二）
ルクレツィア（一四八〇—一五一九）
ジョヴァンニ・スフォルツァ（ペーザロ伯）
ホアン（一四七六—一四九七）（二代ガンディア公）
シャルロット・ダルブレ
チェーザレ（一四七五—一五〇七）
早世
フランチェスコ（一五一六—一五二七）
アレッサンドロ（一五一四生、早世）
エレオノーラ（一五一五—一五七五）
イッポーリト（一五〇九—一五七二）（枢機卿）
エルコレ二世（一五〇八—一五五九）
アルフォンソ二世（一五三三—一五九七）
ルイーズ（一五〇〇—一五五三）
カミーラ
ジェロラモ

歴史と女

ローマの夏は暑い。しかし、どこかさわやかな大気が通う。ヴァティカンの石造りの建物の中のこの一画では、深く切りこんだ窓から入る微風が、ほてった肌の上を心地よく流れる。この季節に多い観光客の誰もが、ミケランジェロの壁画を見るため、足早にカペッラ・システィーナへ向う。だがそこへの道を左に折れたところにある、ここ『ボルジアの部屋《アパルタメント・ボルジア》』に寄る人は少ない。

ピントゥリッキオは、ここにボルジア家の人々を壁画に描いた。左手のサンタ・カテリーナの前に立つルクレツィア・ボルジア Lucrezia Borgia。右手に向って、弟ホフレとその妻サンチャ。右はしには、当時流行のトルコ風の服を着た兄のホアン。そして次の部屋の入口の上の壁には、法王の礼服で父のアレッサンドロ六世。ただ、長兄のチェーザレ・ボルジアだけがいない。

眼下の中庭には、何の変哲もない噴水が水しぶきを上げるそばを、黒い僧服の人々が行き交う。しかし五百年昔は、この窓から、壁画に描かれたような山野が眺められた。そしてルクレツィアにとって、ここは、彼女の一生が彫り込まれた部屋であった。

まず、彼女の最初の夫となったペーザロ伯との結婚式が、この部屋で行われた。第二の夫のビシェリエ公は、この部屋の中で、しかも、彼女にとっては実の兄であるチェーザレによって惨殺《ざんさつ》された。第三の夫アルフォンソ・デステとの結婚のためフェラーラへ向う日、もう二度と会うことのなかった父法王と、最後の別れをしたのもこの部屋である。そして父法王が死んだのも、その後のボルジア家の急速な没落によって、チェーザレが絶望のうちに囚《とら》われていたのも、いずれも同じこの部屋だった。壁画の中の彼女の肖像は、かつては、輝く色とりどりの宝石によって飾られていた。その宝石がはめ込まれていた穴が、今でも、頭に胸に無惨な跡を残している。しかし、その顔の甘い美しさは、いまだに少しも失われていない。

ルクレツィア・ボルジアの悲劇は、父の法王即位から始まる。長く輝く金髪を、結い上げようともせず、肩から背にかけて自然のままに無造作に流すのを好んだこの女の一生は、ボルジア家の人々、特に父法王アレッサンドロ六世と兄のチェーザレ・ボルジアをはずしては述べることはできない。

なぜならば、ルネサンスという個性の強い時代の中で、そして女といえども男と対等と見なされ、敢然と自己を発揮した女たち、イザベッラ・デステやカテリーナ・スフォルツァに賞讃《しょうさん》を惜しまなかった時代の中で、ルクレツィアは、あまりにも普通の女でありすぎた。法王の娘という地位にあり、ローマ教会という権力の中枢《ちゅうすう》に育ちながら、彼女はついに、プリマ・ドンナにならないで終る。自己を強く主張する手段として、父や兄の勢力を利用することなど、美しさと男たちに愛される女らしさを天性に持った彼女には、全く想像だにできないことであった。彼女は、自分からは何ひとつ望まない女だった。

しかし、これだけのことなら、彼女の生涯は、あれほどの悲劇にならないですんだであろう。地方貴族あたりの良き妻として、平穏な一生をおくることもできたにちがいない。しかし、彼女にとっての最大の不幸は、この平凡な女らしいだけの女が、父と兄にあまりにも非凡な男たちを持ったことにある。ルクレツィアは、その一生を通じて、父と兄の影から離れることができないで終った。

「女を知ることは歴史の真実を知ること。ある時代をよく知ろうと思ったら、その時代の女たちをよく調べるとよい」といったのは、ゲーテである。彼女について書いた人々の興味も、何もルクレツィアの性格にあったのではない。彼女を書くことは、必然的に周囲を書き込まなければならないということにあった。つまり、男を書く時は、女を書かなくてもできないこともないが、女を書く時は、男を書かないですませることはできない。それ故《ゆえ》に、女を書くことは、結果として歴史の真実に迫ることになる。この好例がルクレツィアの一生なのである。イタリア人の手になる最も精密なルクレツィアの伝記の著者マリア・ベロンチも、その標題を『ルクレツィア・ボルジアとその時代』としている。たとえ彼女自身が、歴史的にはたいした人間でなくても、その父と兄は、それこそ、多くの人々の興味をひきつけてやまない、魅力的な個性にあふれた歴史上第一級の男たちであったのだ。

ボルジア家の人々

一四九二年七月二十五日から二十六日にかけての夜、ローマでは、法王インノチェンツォ八世が死にかけていた。この性格の弱い、とくに後年になるほど側近の意見に影響されやすかった法王は、すべての難問を、根本的解決に何の糸口をも与えぬまま残して、死のうとしていた。

まずイタリアの外では、コンスタンティノープル征服後、カトリック教諸国が圧迫を感じないではいられない、オスマン・トルコの問題があった。しかし、ローマ法王庁にとって、トルコ帝国よりもより現実的な脅威は、おひざもとの西欧カトリック諸国にあった。すなわち、専制国家として強大になりつつあったフランス、ドイツ、スペインの台頭である。これらの国々は、その国家としての成長に教会の力を利用しながら、今ではそれ以上の野心、領土的野心をイタリアに向け始めていた。

イタリア国内においても、教会は、各大勢力からのはさみ打ちにあっていた。ヴェネツィア、ミラノ、フィレンツェ、ナポリの四大勢力は、自分たちの勢力間の均衡を保つために、教会の力をなるべく低く押さえるという考えで一致していた。

ローマ法王庁の内部でも、その領土のロマーニャ地方は、全くの不統制で、ヴェネツィア共和国の野心に食い荒されつつあった。ローマ市内でさえも、教会の力を牽制《けんせい》する各列強の後押しをうけたオルシーニ、コロンナ、サヴェッリの豪族たちの横暴がひどく、それに対して、教会は何の打つ手も持っていなかった。

教会の力は、今や全く地に落ちてしまったのである。法王庁は、イタリア内外の列強に利用されるだけの存在になっていた。当然、次の法王の位を目指す陰謀は激しかった。誰もが、自分に都合のよい法王の選出を策していた。

ナポリ王国を狙《ねら》っていたフランスは、ミラノのイル・モーロと組み、イル・モーロの弟アスカーニオ・スフォルツァ枢機卿《すうきけい》を表面に立て、一方、ナポリのフェランテ王は、ナポリ派のジュリアーノ・デッラ・ローヴェレ枢機卿の後押しをしていた。ヴェネツィアは静観を決め、フィレンツェは、四ヵ月前のイル・マニーフィコの死で方策もなかったから、事実上、スフォルツァとローヴェレの二大勢力がぶつかり合うことになった。

しかし、スフォルツァは、三十七歳でどうにも若すぎ、ローヴェレは、その粗野な振舞と政治的すぎる行動で嫌われていた。その間をぬって出てきたのが、枢機卿ロドリーゴ・ボルジアである。

ボルジアにも、不利な点がないわけではなかった。彼はスペイン人だった。外国人の法王をひどく嫌うイタリア人の枢機卿たちにとっては、「カタロニア人」という一言は、耳ざわりは良くなかった。

強大なミラノ公国の勢力を背景にしたアスカーニオ・スフォルツァと、ナポリ王国と結託し、インノチェンツォ八世の第一の側近として勢力をふるっていたジュリアーノ・デッラ・ローヴェレ（後のジュリオ二世）の政治力に対して、ボルジアは何を持っていたか。

金である。枢機卿たちの中でも一番の資産家といわれたボルジアの経済力は、彼自身の最高の財産である現実への冷静な判断と計算によって、要所要所に、しかも大胆に投入された。三十四年間にわたった、枢機卿たちの中でも一番の地位でもある副官房《ヴィーチエ・カンチエリエレ》職から得た経験が、この勝負を助けた。最大の要所は、若すぎる年齢から、今回は自分が法王になることをあきらめ、自分の息のかかった者をと思っているスフォルツァに向けられる。

ボルジアのこの動きを知ったローヴェレは、怒り狂った。今や策謀は表面に出てくる。死の四日前、インノチェンツォ八世が病床に絶望的な身を横たえている時、その法王を前にして、ボルジアとローヴェレの間は爆発した。

「もしわれわれが今、このように法王の前でなかったら——ボルジアはローヴェレをにらみつけた——誰が副官房《ヴィーチエ・カンチエリエレ》職かを、お前に示してやるだろう」。「もしわれわれがこの場所でなかったら——ローヴェレも怒鳴った——お前を怖《おそ》れないのは誰かということを示してやるだろうに」（マントヴァ大使からマントヴァ侯への通信）

法王の死から八日が過ぎた八月三日の朝、二十三人の枢機卿が出席して、最初のコンクラーベ（法王選挙のための枢機卿会議）が開かれた。

カラーファ九票。ボルジア七票。ローヴェレ五票。他二票。

ボルジアの買収作戦は、まだ効果をあらわさない。スフォルツァ派は、高齢のカラーファ枢機卿に投票した。誰一人として、有効得票数である三分の二に達せず、決定は次にもちこされた。サン・ピエトロ広場に集まって、決定を待っていたローマ市民たちは、四方に散って行った。

第二回目のコンクラーベも、慣例どおり、カペッラ・システィーナで開かれた。カラーファ九票。ボルジア八票。ローヴェレ五票。他一票。

スフォルツァ派の結束は固く、自派のカラーファに投票する足並は、まだ乱れなかった。朝の九時といっても、夏のローマはもう暑い。いまだ未決定の報をもって、イタリア中に散って行く飛脚の馬のけちらす砂煙が、白くいつまでもサン・ピエトロ広場をおおっていた。

第三回目、全く同じ結果、慣例どおり、次回のコンクラーベからは、枢機卿たちにはパンと水しか与えられないという時になって、ボルジアは、その勝負のサイを大きく振り始めた。ボルジアの宮殿から、数々の美術品や銀製品の中に巧妙に隠された金貨が、秘《ひそ》かにスフォルツァの家に運びこまれる。ネピの城が贈られる。ボルジア即位の時には、スフォルツァを副官房職に、政治的にもスフォルツァと手を結んでいくという約束が交される。すべては、八月十日から十一日にかけて行われた。勝負はついた。カラーファに投票されていたスフォルツァ派の票は、すべてボルジアに行くことになった。十七票。三分の二の有効得票数を越えたのである。これを知ったローヴェレは、もはやどうにもできないことを感じ、その夜のうちに、オスティアの海岸にある自分の城へ逃げて行った。

八月十一日の朝、ローマの市民たちは、今まで塗り固められていた窓から、レンガが音をたてて崩れ落ちてゆくのを、サン・ピエトロ広場から眺めていた。そして、開かれた窓から、新法王選出を告げるラテン語の声を聞いた。「枢機卿ロドリーゴ・ボルジアが、アレッサンドロ六世として法王に即位される」

真の貴族は、市民のモラルなど問題にしない。市民的モラルを問題にしはじめた時、貴族階級の没落が始まる。この真の貴族としての心情を生きたのが、新法王となったロドリーゴ・ボルジアの生涯であった。

スペイン・ヴァレンシアの近く、ボルジア家の土地ヤティバにいたロドリーゴの飛躍は、一四五五年、伯父が法王に即位したときから始まる。法王カリスト三世は、その即位と同時に、スペインから呼び寄せた二人の甥《おい》を要職につけた。兄のペドロ・ルイスは教会軍の総司令官。弟のロドリーゴは枢機卿に、そしてすぐ副官房職に。その頃からロドリーゴの知性と才能は広く認められていたにしても、二十五歳の若さであ

アレッサンドロ六世

る。しかし、それだけではなかった。法王は甥に、司教区の中でも最も豊かな地方を与えたと、当時の記録は伝えている。

　優れた知性に恵まれ、枢機卿の中でも有数の金持となったロドリーゴは、加えて、勇気と沈着をも示す。三年後、伯父のカリスト三世が死ぬと同時に、毎度の例によって、コロンナやオルシーニ一党が反乱を起した時、兄のペドロ・ルイスは、無政府状態になったローマを逃げ出す決心をした。ロドリーゴは、一騎だけでローマを去る兄を、城壁のところまで送り、自分はヴァティカンへ帰り、静かに祈りを捧《ささ》げながら、暴徒が掠奪《りやくだつ》するにまかせていた。暴徒の誰一人として、その彼に手を出すことはできなかった。しかし、平静に見えた彼の心の中は、逃げる途中、オルシーニに殺された兄への想《おも》いでにえたぎっていたのだが。

　三十四年の歳月が過ぎた。四人の法王が即位し、死んで行った。彼があいかわらず副官房職にとどまる間に。ロドリーゴは、自分の時が来るのを忍耐強く待った。その間にも、彼の勢力と経済力は、ますます強大になっていった。

ルネサンス最盛期のローマで、彼は、僧侶《そうりょ》としての狭い生活でない、王か大貴族のような生活をおくっていた。狩を、そして豪華な祭典を好むという風に。学問や芸術は、彼にとって、多くのルネサンス人がそうであったように、朝夕の食事のようなものであった。しかし、それらを特別に保護して、自らの名声を高めるなどという考えには無縁だった。貴族的。これこそ彼の、そしてボルジア家の特質といえるであろう。他人の思惑など、彼にとってはどうでもよいことであった。いつでもどこでも、彼は自然であった。豪華な宴《うたげ》の中でも、礼拝堂の中でも。

ここに法王ボルジアの、後世に、また同時代においても口やかましく伝えられた、〝最も肉的なキリスト〟(il più carnale Homo)、堕落した法王の真相がある。彼の、偽善を徹底的に嫌う、他人の思惑など気にしない性格、これが敵側の宣伝とプロテスタント的な非難を野放しにさせた。しかし、「歴史はいつか、この輝かしい生涯に正当な地位を与えるであろう」(ホアン・ロペツ)。こう考えていたのは、同時代人の中でもロペツ一人ではない。

〝最も肉的なキリスト《イル・ピュー・カルナーレ・ホモ》〟。もちろん、彼のあまりに人間的すぎる生き方を非難しようとすれば、その実例を数えあげるのは、たいして困難なことではない。しかし、北のプロテスタントの人々は、次の点に盲であったし、また、それに我慢できなかった。すなわち、法王とは、聖職者であるよりも政治家であることを要求される。ヴァティカンは、宗教団体であると同時に政治団体でもある、いやあらざるをえないこと。これはカトリック教会の、というよりすべての大宗教に共通の宿命であって、この本質は、それを強く要求されたあの時代でなくても、現代においてすら、少しも変っていない。「自分の生まれた時代を生きることのできる男」といわれたアレッサンドロ六世は、あらゆる意味でルネサンスの人であった。宗教的にも政治的にも、そして、自らの欲望に素直なことも。

二十八歳の時、法王ピオ二世の伴《とも》をしてマントヴァ会議に出席した彼は、その地で、一人の田舎娘に恋をする。この素朴な女ヴァノッツァとの恋は、その後三十年も続き、二人の間にもう男女の関係がなくなって後も、彼の心の中には、ヴァノッツァに対する親愛と尊重の気持が消えなかった。すでに人妻であった彼女は、枢機卿ボルジアによってローマへ呼び寄せられ、彼との間に四人の子を持った。チェーザレ、ホアン、ルクレツィア、ホフレと。しかし、子供たちは生まれるとすぐに母から離され、ボルジアのいとこのアドリアーナ・ミーラの許《もと》で養育された。ボルジアから、彼の宮殿のすぐ近くに、自分の家をもらって住んでいたヴァノッツァは、ボルジアの訪問を待ち、時折の子供たちとの時間の他は、全く表面に出ず、その一生を陰の女としておくった。

彼女と対照的なのは、ジュリア・ファルネーゼである。ローマ貴族の家に生まれたジュリアは、枢機卿ボルジアが法王になる数年前から、彼の愛人だった。〝美しいジュリア〟といわれた、そのバロック的な派手な美しさとともに、六十歳近くなったボルジアの、二十歳足らずの女に寄せる溺愛《できあい》を一身に受けた彼女は、華やかに脚光を浴びる立場を楽しんでいた。ジュリアは、ボルジアの差金で、アドリアーナ・ミーラの息子オルシーノ・オルシーニと名目上の結婚をしていたが、人々は〝キリストの花嫁〟と陰で彼女を呼んでいた。彼女の兄のアレッサンドロは、妹の愛人である法王の助力によって枢機卿になり、後にはパウロ三世として、法王の位にもつく。

この法王、官能的快楽の追求に対しても、持前のおおらかさを発揮したアレッサンドロ六世には、この文章を続けていくためだけにしても、五人の子の名をあげねばならない。

まず母親の名も知られていない、長男にあたるペドロ・ルイス。一四六三年に生まれている。彼は、早くからスペインへ送られ、武将として、フェルディナンド王に重用されていた。王によって、ガンディア公爵《こうしゃく》に任ぜられ、王の姪《めい》との婚約もととのい、父に期待をかけられていたのに、父の法王即位の四年前、若くして死んでしまった。

次にヴァノッツァから生まれた四人の子たち。父の法王即位の年、チェーザレは十七歳、ホアンは十六歳、ルクレツィアは十二歳、ホフレは十一歳だった。

一番年長のチェーザレは、当時、ピサの大学で優秀な学生として修業中だったが、あの時代の〝長男は跡継ぎ、二男は僧籍、三男は軍事〟の慣例どおり、学生でありながらもうパンプローナの司教だった。しかし、彼の同級生には、枢機卿がいた。ロレンツォ・イル・マニーフィコの二男、後のレオーネ十世となるジョヴァンニ・デ・メディチである。チェーザレの優秀な学業に対して、メディチ家のこの後の法王は、一歩どころか常に数歩ゆずらねばならなかったが。

三男のホアンは、ボルジア家特有のすらりとした身体《からだ》つきを、人一倍おしゃれな衣服でつつみ、ローマ社交界の主役だった。だが、それだけに野放図な無軌道ぶりでも有名で、父法王をやきもきさせ、またそれによって愛されてもいた。父は、彼を死んだ長男に代わらせようとしていた。

長い金髪と青に灰色がかった眼のルクレツィアは、父の法王即位後、ヴァティカンの法王宮殿のすぐそば、カペッラ・システィーナを通って往《ゆ》き来《き》のできる宮殿に住むことになった。一四八〇年四月に生まれて以来、ずっと一緒に住んでいる、自分の息子を最大のコキュにすることをも平気なアドリアーナ・ミーラと、父の新しい愛人であるジュリア・ファルネーゼと三人で。

この奇妙な組合せの女三人が住む宮殿を訪ねる時間は、法王アレッサンドロ六世にとって、なかなかに楽しい時間であった。父法王は、娘のルクレツィアを自分の愛人と一緒に住まわせることに、何の心配も持たなかったらしい。それどころか、ローマ最高の娼婦《しょうふ》たちも出席する夜会などにも、平然と娘を連れていった。これが、彼の娘に対する教育法であった。ルクレツィアは、すでに一人のスペイン貴族と婚約させられていた。しかし、父法王は、法王即位の後、彼女をより有効に使おうとする。小さいホフレは、まだ何を決めるにしても幼すぎたが、彼もまた数年後には、政略のカードの一つに数えられる。

ボルジアの子たち、とくに法王から愛されたヴァノッツァから生まれた子たちは、その中の誰一人として、政争の外にその生涯をおくったものはいなかった。

白い結婚

法王に即位したアレッサンドロ六世の行動は早かった。五日後に開かれた最初の枢機卿会議で、今までの彼の職であったヴァレンシアの大司教には、息子チェーザレを任命。それと同時に、モンレアーレの大司教である甥《おい》のジョヴァンニは、枢機卿に昇格が決まった。チェーザレには、ヴァレンシア大司教とともに、スペインでの最高法職という資格がつけ加えられた。その他のヴァティカン内の要職も、ボルジア一家によって占められた。当時のフェラーラの大使は、エステ家に次のような通信を送っている。「新法王は、それをやるのに十人の法王を必要とするであろうほどの親族主義をやってのけました」

この時から、アレッサンドロ六世の「教会の力を強大にした」(マキアヴェッリ)政治が始まる。彼の関心は、初めのうちは外交政治にあったが、シャルル八世のフランス軍のイタリア侵入を機会に、軍事政治にも目覚めてゆく。それは、今までのイタリア内の四大勢力による、教会の力を低く押さえながら勢力均衡を保持しようというやり方に反抗するものであった。

ミラノ(イル・モーロ)+フランスの勢力は、ヴァティカン内でのアスカーニオ・スフォルツァ枢機卿の強力さになってあらわれ、ナポリ(フェランテ王)+ローヴェレ枢機卿の後押しは、ローマ市内でのオルシーニ家の横暴となって、法王をおびやかした。宗教上の問題も、サヴォナローラ以来、捨てておけるものでもなかったが、何よりも今は、地に落ちた教会の力を回復させることが先決問題であった。それには、大勢力を背景に持たない法王ボルジアにとって、周囲を親族で固めることも、この状態の中では、必要とも思われる。

アレッサンドロ六世選出の立役者を自任していた枢機卿アスカーニオ・スフォルツァは、その頃、自分の計算違いに気づき始めていた。思いのままと思っていた新法王が、彼の敵ナポリとも友好関係を結ぶ気配を示し始めたのである。法王の意図がわからないことに、彼は不安になった。しかし、これはアレッサンドロ六世の老巧さだった。操れると思った相手に、逆に操られる結果になったことに、まだアスカーニオは気づかなかった。兄のイル・モーロの野心達成のために、今、法王をぜひとも味方にしておく必要がアスカーニオに、すなわちミラノ側にあった。

狙《ねら》われたのは、十二歳になったばかりのルクレツィア・ボルジアである。結婚の相手には、イル・モーロやアスカーニオのいとこにあたる、ジョヴァンニ・スフォルツァが選ばれた。彼は、アドリア海の近く、ペーザロの小領主で、以前、マントヴァ侯の妹のマッダレーナ・ゴンザーガと結婚していたが、妻の死後は一人身だった。

一四九二年十月半ば、ペーザロ伯爵《はくしゃく》はローマに呼ばれた。この結婚話は、すべて秘《ひ》密裡《みつり》に運ばれた。ルクレツィアの以前の婚約者のスペイン貴族とは、三千ドゥカートの金で話がつけられた。

アスカーニオの策動で、極秘のうちに進んだこの話も、ナポリが気づかないはずがなかった。フェランテ王は、大きな打撃を受けた。今、フランスのナポリ王国への野心が露骨になっている時、ミラノと法王が近くなるのは、彼にとって放っておけない問題であった。直ちに、ナポリ側からも結婚話がもちこまれた。チェーザレは僧籍にあり、ホアンは長男の跡を継ぐと思われたので、残ったホフレにアラゴン王家の王女をという申込みである。ホフレは、まだ十一歳でしかなかった。アスカーニオは、このナポリ側の動きを知るやいなや、婚約だけでは安心できないと感じる。急ぎ、結婚の準備が進められた。しかし、これには法王から、ルクレツィアの年齢を考えて、一年間の婚約期間を結婚式後に置くという条件が出された。

一四九三年と年も改まった春、莫大《ばくだい》な持参金付きの法王の娘、しかも、若く美しいルクレツィアの夫になることに有頂天になっていたペーザロ伯が、ローマに着いた。彼は、ヴァティカンの豪華さに負けないようにと、ローマへ来る前、マントヴァのフランチェスコ・ゴンザーガ侯から、彼自慢の見事な細工の金の胸飾りを借りてきていた。これは、結婚式の時、それを前からマントヴァ侯の胸の上に見ていたマントヴァとフェラーラ大使たちの、失笑を買うことになってしまうのだが。

ボルジアの部屋

六月十二日の朝、ピントゥリッキオがすでに壁画を描き始めていたヴァティカンのボルジアの部屋で、結婚式は始まった。招待客の中を、八人の枢機卿たちに周りをとりまかれた法王が着席すると、花婿《はなむこ》が、マントヴァ侯の金の胸飾りを光らせて入場して来た。アスカーニオとその第一の腹心サンセヴェリーノ枢機卿との間に、勝利の目差《まなざ》しが交される。花嫁の二人の兄、チェーザレは、その簡単な司教の服で静かに立ち、ホアンは、チェーザレと全く対照的に、豪華な宝石をちりばめた最新流行の装《よそお》いで、集まった女たちの視線を浴びていた。それほど広くもない二つの部屋は、百五十人もの列席者で立錐《りっすい》の余地もなかった。

花嫁が入場して来た。宝石をつけていない服に、美しいというより、まだ初々《ういうい》しく幼い感じのルクレツィアは、静かに重さを感じさせない歩みを、父法王の前まで進めた。後には、当時流行の黒人の少女奴隷《どれい》が従っていた。しかし、人々の視線は、いっせいにそのすぐ後に入ってきた、法王の愛人ジュリア・ファルネーゼの艶姿《えんし》に流れた。この琥珀《こはくいろ》色のこぼれんばかりの肉の塊は、少し投げやりに足をはこんでいた。結婚式は簡単に終った。その後、観劇や宴《うたげ》が朝まで続いた。そこでの華は、花嫁のルクレツィアよりも、ジュリアであり、兄のホアンだった。祝いのためのコンフェッティ（砂糖菓子）は、女たちの広く開けられた胸の中深く、華やかな嬌声《きょうせい》の中、わざと投げこまれた。

六月十三日の朝、ルクレツィアは、ようやくその疲れ果てた身を、寝床に横たえることができた。花嫁衣装は、そばに脱ぎ捨てられていた。部屋は、昨日結婚式に出ていった前と同じ部屋だった。寝るのも同じように一人だった。生活も、何一つ変らなかった。いつものように、アドリアーナ・ミーラとジュリア・ファルネーゼとの女三人の生活が続いた。

娘ルクレツィアの〝白い結婚《ラ・ノッツェ・ビアンカ》〟によって、アスカーニオ枢機卿の口を封じた法王は、一ヵ月も経ない内に枢機卿会議を招集し、チェーザレを枢機卿に任命した。同時に、イッポーリト・デステ、アレッサンドロ・ファルネーゼなど十三人の新枢機卿を任命してしまった。これでアスカーニオらの勢力は頭数だけでも逆転されたことになる。アスカーニオは、またしてもやるつもりがやられていた。

同年に、ホアン・ボルジアが、死んだ兄ペドロ・ルイスの跡を継いで、ガンディア公爵に、そして婚約者までゆずられて、その結婚のためにスペインへ渡った。次の年には、ホフレも、十三歳の若さで、アラゴン家の庶出の王女、三歳年上のサンチャとナポリで結婚した。

その頃になって、ようやくペーザロ伯は不安になり始めていた。約束の一年間は過ぎようとしているのに、法王からは何の音沙汰《おとさた》もない。ルクレツィアの方は、あいかわらずの女三人の仲の良い生活が続いていた。ジュリアとルクレツィアの間はよくいっていた。ルクレツィアは、この自分とあまり年の違わない、若い華やかな父の愛人に、嫉妬《しっと》の感情など少しも感じなかった。彼女の一生を通じて、嫉妬の感情は、少しも彼女を苦しめたことはなかったのだから。

女三人の住む宮殿は、法王の彼女たちへの寵愛《ちょうあい》から、当然、華やかな社交の中心になっていた。法王への歎願書《たんがんしょ》などをもって来る訪問客に、ルクレツィアは、どうしても断わることができず、つい引き受けてしまったが、大好きな舞踏をしているうちに忘れてしまって、それらは、部屋のすみに置かれたままで終るのが常だった。

ペーザロ伯のいら立ちは、もう頂点に達していた。妻のルクレツィアを、どうしてもペーザロに連れて帰るつもりだった。そうでもしない限り、この結婚は、うやむやにされてしまいそうな気配がしていた。この彼の願いを、法王は、ルクレツィア一人でなく、アドリアーナとジュリアの二人の女も共にという条件で許可を与えた。その頃、ローマではペストが流行していたので、法王の胸中には、ペストからの避難のためごく短期間だけというつもりがあった。〝白い結婚〟を続けるという指示が、アドリアーナに与えられた。しかし、この短期間のペーザロ滞在も、法王の意に反して長くなってしまう。シャルル八世の率いるフランス軍の、イタリア侵略という大事件によって。

一四九四年。この年はイタリアにとって〝最も悲惨な時代の最初の年〟（グイッチャルディーニ）になった。侵入した当のフランス軍が不思議に思うほどの大歓迎の中を、シャルル八世はイタリア南下を続ける。

狙われたナポリのアラゴン王家を除けば、当時の支配者の中で、フランス軍侵入の危険性を知っていたのは、ほとんどアレッサンドロ六世一人だけだったといってよい。彼は、あらゆる外交手段を使って、シャルル八世にそのナポリ征服の意志を変えさせようと努めた。しかし、この醜い小男のフランス人は、偉大なシャルルマーニュを継ぐ妄想で一杯だった。その上、教会内部でも、スフォルツァのアスカーニオ枢機卿はもちろん、ナポリ派だったローヴェレも、今はフランスに寝返っていた。ローヴェレとともに、彼に近いオルシーニ家の裏切りも覚悟しなければならない。これは法王にとって、ローマの中に爆弾をかかえこんでいるようなものであった。

二年前の敵、ローヴェレとアスカーニオは手を結んだ。まずローヴェレがシャルル八世に近づき、宗教会議を招集し、そこでボルジアを退位に追いこみ、フランスに近い新法王を選ぶべきだと進言した。理由は、二年前の法王選挙が買収によったものだから、ということだった。それを受け入れたシャルル八世からの使者は、アスカーニオ枢機卿だった。

ヴァティカンに入ったアスカーニオと法王アレッサンドロ六世の間で、単刀直入の会談が六時間も続いた。単刀直入な話になるのは当然だ。二年前の売り手と買い手の当の本人同士なのだから。しかし、法王は、このフランス派の提案というより強制を拒否した。「法王は、フランス王の奴隷ではない」。この会談の直後に法王と会ったフェラーラ大使へも、法王は、はき捨てるように同じことを言った。

十一月末、二度目の脅迫に来たアスカーニオを、法王は、カステル・サンタンジェロに監禁してしまった。十二月には、予想されたように、オルシーニがフランスに寝返った。ローマを守るのは、少数のアラゴンとカタロニアの兵だけである。ほとんど無防備都市と化したローマに、法王は、フランス軍入城を黙認するしかなかった。アレッサンドロ六世は、この時、教会自前の軍隊、それも強力な軍事力を持つ必要性を痛感する。これは後に、チェーザレによって実現されるのだが。

その年の最後の日、シャルル八世はローマに入城した。六時間も続いた軍勢の行進は、王が宿所のサン・マルコ宮殿（今のヴェネツィア宮殿）に入った後も、延々と果てしなかった。例のごとく掠奪《りゃくだつ》が始まった。フランス兵は、ルクレツィアの母ヴァノッツァの家も容赦しなかった。法王は、ヴァティカンの窓から、掠奪の有様を、カステル・サンタンジェロからアスカーニオが大手をふって出てゆく様子を、黙って見ていた。

一月六日、勝利者の威力を誇示しながら、シャルル八世はヴァティカンに入った。法王との第一回の会見のためである。会見というより、次の二つ、ナポリ征服への法王の承認と宗教会議開催を強請するものだったが。しかし、ヴァティカンの部屋で一対一になった時、シャルルは、政治的にアレッサンドロ六世の敵ではなかった。法王の持前のさそいこむような外交に、いつのまにやら当初の二つの要求事項がうやむやにされてしまっていることに、王自身が気づかないほどだった。第一回の会見は、カトリック国の王の、教会の長への表敬訪問という調子で終ってしまった。法王から非聖職者に与えられる最高の下賜品《かしひん》、金製のバラを贈られたシャルルは、それで満足してしまったのである。

チェーザレ・ボルジア

しかし、アレッサンドロ六世は、フランス軍のローマ駐屯が既成事実になってしまうことを怖《おそ》れた。一日も早くフランス軍をローマの外へ出してしまうこと、これが先決問題である。彼は、王からの次の要求はのむことにした。㈠法王領内のフランス軍通過の承認、㈡年金付きの人質として法王庁内に滞在していたトルコ王子のジェームと、法王の実の息子の枢機卿チェーザレ・ボルジアの二人を、人質の形で渡すこと、チェーザレだけは、四ヵ月間という期限で。

一月二十八日、シャルル八世はローマを発《た》ち、ナポリへ向った。チェーザレも王と馬を並べていた。彼の後には、チェーザレの紋章を美々しく飾った黒のビロードにおおわれた十九の荷物が、十頭の馬の背にゆられていた。しかし、この十九のうち二個だけには彼のものが入っていたが、あとの十七個の中身はがらくただった。しばらく道を行くうち、その二個の荷物を背にした馬だけ、何気なく、一行からはずされ、隠された。その夜の宿所は、ローヴェレの所有地ヴェレトリになっていた。宿所に着き、夜皆が寝に入る時、十九歳のチェーザレは、人なつっこくシャルルの部屋までおやすみの挨拶《あいさつ》を言いに行った。しばらく王となごやかに話をした後、彼は自分に与えられた部屋に帰った。

翌朝、この人質の様子を見に来たシャルルの家臣は、白い寝床の上に、脱ぎ捨てられている枢機卿の緋《ひ》の衣を発見した。チェーザレは、影も形もなかった。

シャルルから早速、抗議文が法王に送られた。「枢機卿は悪いことをしました。全く悪いことを」。これは現在残っている手紙の直訳である。大国フランスの王にしては何と幼稚な文面であろう。当時のイタリアでは、たとえ小国の外交官でも、こんな幼稚な文章は書かなかった。この抗議文が書かれた頃、すでにチェーザレはローマに着いていた。父法王と秘《ひそ》かに会った後、ローマを出、二日後にはスポレートにいた。これを知ったシャルルからスポレート市に対して、チェーザレ引き渡しの要求が出された。しかし、スポレートからの返事は次のようなものだった。「枢機卿はもう出発され、供二人を連れ、たった三騎で笑い合いながら、今はこちらにいると思ったらもうその次はあちらに影が、という具合です」。法王も、「枢機卿は、どこを探しても見つからず、こちらでも心配している状態なので」と言うだけだった。

二月五日、八日間も無駄にしてしまったシャルルは、もうあきらめてナポリへ向って出発して行った。その二日後、十七個のがらくたの荷物を積んだ馬の一行が、従者につきそわれて、陽気にローマへ帰って来た。三月の末になるまで、誰もチェーザレの消息を知らなかった。

息子の逃走劇で身軽になったアレッサンドロ六世は、早速反撃を開始した。法王の呼びかけに、イタリアの国々はすべて賛同した。フランス軍侵入の張本人イル・モーロも、スペイン王、神聖ローマ帝国皇帝も入って、四月十二日、対フランス同盟は正式に発足した。

ナポリを簡単に手に入れ、勝利に酔っていたシャルルも、この同盟成立を知るや、「征服した地で捕虜にならないため」急ぎフランスに帰ることを全軍に命じた。その帰り道で法王に会いたいというシャルルの要求を、アレッサンドロ六世は逃げることにした。彼は、守りの固いオルヴィエート、ペルージアへ出発した。やむをえずシャルルとその軍は、強行軍で、アルプスへアルプスへと向った。イタリア侵入のためにアルプスを越えてから、まだ一年も経《た》っていなかった。しかし、アペニン山脈を越え、タロー の河岸で、マントヴァ侯フランチェスコ・ゴンザーガの率いる同盟軍に出会してしまったのである。戦いは、フランス軍にとって散々の結果に終った。シャルル八世はすべてを捨て、味方の兵まで捨てて、やっとの思いでアルプスを越え、フランスへ逃げ帰った。フランス軍は、この侵入でイタリアに一つの贈物をした。それは、「フランス病《マール・フランチェーゼ》」と呼ばれた。もちろん、フランス人がこの名を使うはずはない。彼らはこの不名誉な病気、つまり性病を、「ナポリ病」と呼んだものである。

アドリア海を眺めながらペーザロで、ルクレツィアは十五歳を迎えていた。ローマから同行してきたジュリアとアドリアーナの二人は、とうにペーザロでの単調な生活に飽きてローマに帰ってしまったので、ルクレツィアはたった一人、ペーザロに残されていたことになる。フランスの脅威を遠ざけた父法王は、娘を手許《てもと》にもどすことを始めた。ミラノ勢の衰退をいち早く感じ取っていた法王にとって、これ以上ミラノと近い関係を続けるのは不必要だったのである。その上、法王がローマでシャルル対策に専念していた頃、ペーザロ伯は教会の軍人として給料を受けながら、一方ではミラノ側に寝返っていたということもあった。法王の強い要求で、ルクレツィアは夫に付きそわれ、六月十六日、当時ペルージアにいた法王の許に一年ぶりで帰って来た。そして、フランス軍がアルプスを越えた頃、法王とともにローマへもどった。

翌年になるとアレッサンドロ六世は、娘とペーザロ伯の間を切ることに本格的に着手する。驚いたペーザロ伯は、ローマ、ペーザロ、ミラノの間を往復して、事態の改善に努めたが無駄だった。頼みの綱であったミラノのイル・モーロもアスカーニオも、法王との間をこれ以上悪くしないため、この哀れないとこをもう見捨てていた。しかし、離婚を認めないカトリック教義の中で、それを実現させるのはむずかしい。ヴァティカンの文書局では、都合のよい条文を見つけるのに忙しかった。一年が過ぎた。

一四九七年、サヴォナローラの論敵としても有名な僧マリアーノ・ダ・ジェナッツァーノが、法王によってペーザロへ送られた。ペーザロ伯に、「ルクレツィアとの結婚は、夫の不能によって、実際には遂行されなかった」ことを認めさせるために。老練な僧マリアーノの論法に、ペーザロ伯はもうたじたじだった。絶望的になった彼は、一週間の猶予《ゆうよ》を願い、馬を急ぎミラノへ向けた。イル・モーロと相談するためだった。

ペーザロ伯が、ミラノでイル・モーロに、「ほんとうに何もなかったのかね。別の女と証人立会の上で実証してみるか」などとからかわれている頃、突然、それまでローマの生活を楽しんでいる様子だったルクレツィアが、馬の遠乗りの途中、尼僧院《にそういん》に閉じ籠《こも》ってしまった。父の命令にも、外に出ようとせずに。しかし、この離婚喜劇から逃れたかった彼女は、結婚無効の書類には署名した。もう万策つきたペーザロ伯の今の心配は、結婚の時支払われた三万ドゥカートのルクレツィアの持参金だった。これを返却しなくてもよいということになったその年の末、彼もまた、自分が男として不能であることを認めた書類に署名した。

闇《やみ》の中

ルクレツィアが、尼僧院に閉じ籠って八日が過ぎた六月十四日、彼女の母ヴァノッツァは、子供たちを中心にボルジア家の親しい人々を招いて、ごく内輪の宴を張った。夏の初めの甘い夜を楽しむように、宴は彼女の家の庭園で開かれた。まだ美しさの十分残っている母親をかこんで、それはなごやかな雰囲気のうちに進んだ。

　チェーザレは、僧衣ではなく俗人の服を着ていた。あいかわらず派手なものではなかったが、裁断の見事な服は、細身の鞭《むち》のような彼の肉体を浮き出させていた。浅黒い肌、黒い髪に、青味がかった大きな灰色の眼が深い光をたたえ、ただ官能的な黒い髭《ひげ》とそれにうまった唇が、そのややもすれば厳しくなりがちの彼の容貌《ようぼう》をかろうじてやわらげていた。

　一座の華はホアンだった。前年、父に呼ばれてスペインから帰っていた彼は、教会軍の再編成を意図した父によって、「教会軍の総司令官《カピターノ・ジェネラーレ・デッラ・キエーザ》」に任命されていた。父法王の期待を負って、オルシーニとの戦いを指揮したが、その結果は惨《みじ》めなものに終った。しかし、彼はこの失敗など気にもしていなかった。妻をスペインにおいたままの生活を、十分に楽しんでいた。父の愛を一身に集めた彼の勢力は大変なものだった。その傲慢《ごうまん》な態度は、ことごとにアスカーニオと衝突し、常に忍耐に訴えなければならないのは、今ではアスカーニオの方だった。華やかに人々の眼を集めていたその夜のホアンは、かたわらに、見なれぬ一人の仮面をかぶった男をひきよせていた。一座の誰一人知らない男だった。それでも人々は、不安にも不思議にも思わなかった。人々はささやき合っていた。たぶん、ホアンの情熱的な不倫の愛の相手だろうと。

ホフレも、妻のサンチャと来ていた。黒髪の情熱的なナポリ女のサンチャは、幼い夫にあき足らず、ローマへ来たとたんにチェーザレと関係をもち、ホアンとも、彼がスペインから帰った時から関係があった。この義兄たちとのスキャンダルは、法王の悩みの種でもあった。

夜半近く、人々はヴァノッツァに挨拶《あいさつ》し、それぞれ帰途についた。ボルジア家の人々は、その住いのあるヴァティカンの方角へ向った。心地よい夜の大気の中を、人々は徒歩でゆっくりと歩いた。テヴェレ河のそば、もうヴァティカンも近いという時、ホアン一人が、もう少し夜気を吸いたいからと、連れの仮面の男を同じ馬の背にのせ、馬丁だけを連れて一行を離れた。人々は、危険だからせめて武器でも持っていくようにと言ったが、彼は、すぐ帰るのだからと笑うだけだった。ローマの街は暗く、道には人影もなく、家々は窓を閉ざし、ところどころの壁面にはめこまれた聖像の前に灯《とも》る常夜燈《じょうやとう》が、淡い光と影を落している以外は全く恐《こわ》いほどの闇、その闇の中にホアンは消えた。

翌日、ヴァティカンでは、法王が朝から忙しかった。ナポリでの新王の戴冠式《たいかんしき》の打合せで、午前中は過ぎた。ホアンは現われなかった。法王は少し心配したが、いつかも彼が娼婦《しょうふ》の家に泊り、そこを出るのを人に見られたくないため、夕方まで帰って来なかったことがあったので、そんなことだろうと思っていた。しかし、ガンディア公は、夕闇が降りた後も姿を現わさなかった。法王は不安を、もう今では隠すこともできなかった。近衛隊《このえたい》のスペイン兵たちが街に走った。路《みち》という路を走りまわる武装したスペイン兵に、市民たちは、オルシーニかコロンナの軍勢が、ローマを襲撃してくるのかと思った。ガンディア公の馬丁が発見された。しかし、瀕死《ひんし》の重傷の身で、何も聞き出せないうちに死んでしまった。誰の胸にも、怖ろしい予感がした。

その頃、テヴェレ河の岸につないだ舟の中で寝ていた一人の船頭が連れてこられた。そのジョルジョという名の船頭は、次のように物語った。

六月十四日から十五日にかけての夜、彼がいつものように舟の中で寝ていると、妙な物音に目を覚まさせられた。それは、スキャボーニの病院の方角から来る二人の男が立てる物音だった。男たちは、用心深くあたりに気をくばりながら進んできた。少したって、白馬に乗った男が一人、鞍《くら》の後ろにくくりつけた人間の身体《からだ》を、左右から二人の馬丁にささえさせながら近づいて来るのが見えた。彼らは、河岸のところで止まった。騎士は、馬の向きを変え、男たちに命令した。男たちは、動かない人間を馬の鞍からおろし、河の中に投げ込んだ。船頭ははっきりと、うまく投げ込んだかどうかをたずねる騎士の声を聞いた。「はい、御主人様」男たちが答えた。騎士は再び馬の向きを変えた。河の水はゆっくりと流れていた。何かが水の上に浮んでいた。死人の着ているマントが、風をはらんで流れてゆくのだった。それに向って、男たちは石を投げつけた。再び騎士の命令で、男たちは土の跡を消した。そして、騎士と男たちは立ち去った。夜がもどった。

船頭は、届け出る気などなかったと言った。彼は今まで、このようなことには始終出会っていた。そして、それらはいつも闇にほうむられていたのだからと。

この瞬間、法王は我を忘れた。信じなかった。他の人は皆、予感が的中したことを悟ったが、彼だけは信じようとしなかった。それで、テヴェレ河の大捜索が始まった。三百の舟が網を投げては河底を探すのを照らす何千というたいまつの火で、テヴェレ河の両岸は、一晩中昼のように明るかった。

翌日の正午、ポポロ広場近くの河底から、ガンディア公ホアンの死体がひき上げられた。両手をしばられ、全身に九つの傷があった。致命傷と思われる大きな傷が、喉《のど》を深くえぐっていた。剣はさしたまま、財布の中には三十ドゥカートも入ったままだった。マントの中には、河の泥がいっぱいへばりついていた。

公の死体は、カステル・サンタンジェロに運ばれた。汚れた服が脱がされ、身体は洗われた。そして、公爵《こうしゃく》の正装を着せられ、教会軍総司令官の紋章が胸につけられた。

彼は、この時二十一歳でしかなかった。
その日の夕暮時、葬列はサンタ・マリア・デル・ポポロ教会に向った。親族、僧侶《そうりょ》、貴族たちに付きそわれ、百二十のたいまつの火に照らされて、音もなく集まった群衆の中を、行列はカステル・サンタンジェロを出た。その時「人々は、城の開け放たれた一つの窓の向うの暗闇の中に、失った息子の名を呼ぶ法王のほえるような声を聞いた」（サヌード）
法王は、自分が拷問《ごうもん》を受けたかのように苦しんだ。三日の間、彼は食事もとらず、寝ようともしなかった。事件から五日後に開かれた枢機卿会議に、彼は憔悴《しょうすい》した姿を現わした。「最も大きな打撃！——法王のスペイン風の低くひびく声がとぎれがちに聞えた——私は、公を心から愛していた。もしすべてをもとにもどすことができたらと思うと。いかに自分の罪のむくいからとはいいながら、このようなむごい死に方とは」。彼は泣いていた。そして、枢機卿たちを見まわして言葉を続けた。「教会内部の再編制を行いたい。親族主義は廃止するつもりである。以後、教会の職は、それに適した者に与えられるであろう」。こういう法王の口調は、もうしっかりしていた。直ちに、枢機卿コスタが、改革の責任者に任命された。
その間にも、教会警察による捜査が続けられていた。まずあの夜にホアンと一緒だった、仮面の男が追及された。しかし、その生死さえもつきとめることができなかった。容疑者の名が、次々にあげられた。

まずアスカーニオ・スフォルツァ枢機卿——暗殺の動機は、完璧《かんぺき》といってもよいほどにあった。彼と死んだホアンとの不仲は、誰一人知らぬ者はいないほどだったし、ミラノ勢は、今ではテロリズムに訴えるより他にどうしようもないほど、教会の中で孤立していた。フランスの再度の野心が今はミラノに向けられている時、ミラノはぜひとも教会との友好関係を必要としていたので、反ミラノ最先鋒《さいせんぽう》のガンディア公を暗殺する動機は十分にあったのだ。その上、公が最後に消えた地点が、ちょうどアスカーニオの宮殿の近くだったことが疑いを深くさせた。宮殿の家宅捜索も行われた。しかし、何も得られなかった。法王は後に、アスカーニオの無実を公表した。

次にウルビーノ公グイドバルド——彼はオルシーニとの戦いの時ガンディア公に同行し、敗戦の後、捕われの彼を置去りにして、公が逃げてしまったということがあった。その恨みからと見られた。しかし、周知のウルビーノ公の温厚誠実な性格から問題にならなかった。

事件当初、しきりと名をあげられたルクレツィアの夫ペーザロ伯も、当時ミラノにいたことが証明され、妻を兄に寝取られた恨みからといわれた末弟ホフレも無実。敵の多かった、いやほとんどが敵ばかりといってもよかったガンディア公の暗殺事件は、迷宮入りの様相を示し始めた。事件発生後二十一日目の七月五日、法王は、突然捜査打切りを公表した。同時に、ボルジア家の人々は、ヴァティカンから遠ざけられ、ホフレとサンチャはナポリへ出発させられた。二十二日にはチェーザレもまた、死んだホアンとともに行くはずだった、ナポリ王の戴冠式出席のためローマを発《た》った。

全イタリア、いや全ヨーロッパの、このヴァティカンで起きた謎《なぞ》の暗殺事件に集中した眼も、「彼もまた人々をすなどる漁夫であることを示すために、アレッサンドロ六世は自分の子を網でとった」（サンナヅァーロ）とまでうたわれた町の噂《うわさ》も下火になった頃、事件から八ヵ月が過ぎた一四九八年二月二十二日、われわれは初めて、暗殺者としてチェーザレ・ボルジアの名を見出《みいだ》す。その日、ヴェネツィア駐在のフェラーラ公国の情報官アルベルト・デッラ・ピーニャは、エステ公に次の手紙を送った。

「新たに私が入手した情報によると、ガンディア公の死は、枢機卿の兄によったものだということです」

改めて、好奇の眼がボルジアにそそがれた。事件直後のあらゆることが、ふたたび人々の口にのぼった。この八ヵ月間、ただの一度もチェーザレの名は、噂にも聞かれなかったので、それは一層好奇心をあおりたてた。暗殺の動機としては、㈠義妹サンチャをめぐるチェーザレのホアンに対する嫉妬《しつと》。㈡妹ルクレツィアをめぐる兄弟間の愛の葛藤《かつとう》。㈢父法王のホアンへの寵愛《ちょうあい》に対するチェーザレの嫉妬。㈣「私は誰がやったかを知っている」という事件直後の法王の言葉。㈤母のヴァノッツァが事件直後に法王と会い、その後法王による捜査打切りの命が出されたことから、きっとヴァノッツァは暗殺者を知っていたのであろうということ。㈥ナポリから帰ったチェーザレに対して、法王は手に接吻《せっぷん》をさせただけで口もきかなかったこと。これらが人々の口にのぼった。しかし、㈠㈡㈢に対しては、当時ヴェネツィアに多く逃げていたオルシーニ一党の悪意の宣伝によるもので無視できるだろう。また、チェーザレの性格を見れば、たんなる、それも女のための嫉妬の感情だけで弟を暗殺するほどの、小粒な人間でないことは明らかである。しかし、二十二歳のこの〝美しい神秘の男〟の胸中に何があったか。彼の大きな野心と、それを必ず実行する強い意志から見れば、そして、その後のチェーザレが、ガンディアの公爵以外はすべて弟の後を継いだことも、そう考えてくると、当時珍しくもなかった兄弟間の暗殺の一つとして見られないこともない。歴史家の間でも、いまだに意見は分れている。しかし、少なくとも父法王は、チェーザレと思っていたらしい様子は十分にあった。それでいながら法王は、ボルジア家を守ろうとしたのだと。

アッピア旧街道の近く、傘松の林が散らばる静かな一郭に、サン・シスト尼僧院がある。ルクレツィアは、兄の残酷な死や、父による夫の不名誉な離婚喜劇を、僧院の高い土塀の中で、別の世界のことのように受けとっていた。やさしかった兄の死は悲しかったが、深く考えるのはやめようと思った。彼女は、何かことが身近で起るたびに、それから逃れるのが自分に残された唯一《ゆいいつ》の方法だと思い始めていた。

不安と淋《さび》しさの日々を過ごしていたルクレツィアの眼が、身近にいたただ一人の男の上に止まったとしても不思議ではない。ペドロ・カルデロンというこのスペインの若者は、父法王の従者の一人で、法王とルクレツィアの間の連絡係をしていた。静かな僧院の中で、熱っぽく見上げる美しい従者に、彼女は自分の肉体を与える。

これを、法王やチェーザレの眼から隠し通せるはずはない。ルクレツィアが従者の子を妊《みごも》った時、彼らは怒り、そしてもう巷《ちまた》の噂にのぼり始めたことに困り果てた。ある日、ちょっとしたペドロの口答えから爆発したチェーザレの怒りは、刀を抜きヴァティカンの中を追いまわし、法王の面前で、その顔に血潮が散ったほどペドロに切りつけた。そのまま消えた従者は、数週間後、テヴェレ河から、手足をしばられた死体で発見された。それを聞いたルクレツィアは、顔色ひとつ変えなかった。三ヵ月後、彼女は男の子を産んだ。

法王庁の惨劇

チェーザレは、その大望、王国創立という彼の野望を、少しずつ実現に移し始めていた。ナポリを見た彼は、アラゴン王国の豊かさと、それでいて不安定な内情を察知した。そして、ここに彼の夢の実現の可能性を見る。しかし、長年のフランスの、ナポリに対する野心も無視できなかった。彼は法王に、ルイ十二世の動静を探るように手紙で頼みながら、一方、自分はより王権に近づくために、アラゴン王の嫡出《ちゃくしゅつ》の王女との結婚を打診する。サンチャのような庶出の王女との結婚は、やるだけでも無駄なことだった。そして、この運動の第一歩として、妹ルクレツィアとアラゴン家の王子との結婚を謀《はか》った。相手は、サンチャの兄のアルフォンソだった。もちろん庶出の子にあたる。話は簡単に決まった。アラゴン家としても、王権につながる嫡出の王女を、しかもチェーザレと結婚させることは危険に思われたが、ルクレツィアと庶出の王子とでは問題はなかった。法王と近い結びつきをもつことは、アラゴン家としても歓迎すべきことであったから。

一四九八年七月、ヴァティカンの中で、結婚式はごく内輪に行われた。どんな事情が裏にあったにせよ、ルクレツィアは幸福だった。新しい夫は平凡な若者だったが、南欧風の明るい甘い性格で、美しいサンチャの兄らしく、彼も美男だった。この結婚のためにビシェリエの地をもらい、公爵《こうしゃく》になったアルフォンソ・ダラゴーナは、しかし、領地へ帰ろうともせず、ローマ社交界で、法王の娘の夫としての立場を満喫していた。彼ら二人は、今までルクレツィアが住んでいた宮殿に住むことになった。このままこの二人が、ボルジア家と関係なく一生をおくれたとしたら幸福だったかもしれない。だが、チェーザレは、その動きを止めなかった。

一ヵ月後、二十三歳のチェーザレは、ついにその緋《ひ》の衣を剣にかえた。枢機卿《すうきけい》会議で、枢機卿の位を降りる宣言をしたのである。時を同じくして彼は、フランス王ルイ十二世から、リヨンの近くのヴァランス（ヴァレンティノア）の領地とともに、公爵の称号をもらった。ルイ十二世は、この法王の息子への厚遇の代りに、法王から離婚の許可を得た。彼は妻を離別し、シャルル八世の未亡人で大金持のアンヌ・ド・ブルターニュと再婚したがっていたのである。

この法王の離婚承諾書を持ったチェーザレ、今ではヴァレンティーノ公爵は、秋深いローマをフランスへと発《た》っていった。ルイ十二世のイタリアへの真意を探るためと、女王アンヌの宮廷にあずけられている、アラゴンの王女カルロッタとの結婚を実現することを胸にもって。やわらかい秋の陽光の中を、金の縁飾りをつけた白いどんすの上着に黒のビロードのマントをはおり、見事な葦毛《あしげ》の馬に乗ったチェーザレの美しい姿を見て、法王は満足気だった。そして、幼い子供にでもさとすように、フランスへもこのように堂々と馬で入らねばならないと指示を与えたりした。

秋が終り、冬が過ぎ、翌年の春も盛りの五月、フランスからの使者が、チェーザレの結婚の報告を持ってローマに着いた。花嫁は、ナヴァーラ王の妹、ルイ十二世のいとこにもあたる十六歳のシャルロット・ダルブレだった。フランスの宮廷でチェーザレは、ルイ十二世のナポリ征服の意志が固いことを知り、それ故《ゆえ》にチェーザレとアラゴン王女との結婚を、王が望まないことを知った。彼は、即座に方針を変えた。アラゴンを捨てフランスを取ることに。そして、ルイ十二世のいとこと結婚したのだ。この時からチェーザレの眼は、イタリアの他の地方、とくにロマーニャとトスカーナに向けられる。これはルクレツィアにとって、彼女の悲劇が始まったことを意味した。しかし、彼女はまだ何も知らなかった。夫との仲むつまじい日々が過ぎていた。

ヴァティカンの中には、しばらくぶりに笑いがよみがえっていた。娘の幸せな様子を見て、父法王も満足だった。そんな時、フランスから到着した飛脚がもたらしたチェーザレの結婚式の報告は、ヴァティカン中を笑いの渦に巻きこんだ。パリから四日間、馬を乗りつぎ乗りつぎしてローマに着いた時、使者はあまりの疲労で立っていることもできなかった。特例をもって、彼は法王の前で椅子《いす》を与えられた。心配のあまり一刻も早く様子を聞きたい法王に、使者は休む間もなく七時間も報告を続けなければならなかった。

まず王と女王も出席して、結婚式はとどこおりなく終ったこと。後に続いた宴《うたげ》も素晴らしいものであったこと。そして新婚の第一夜にも、ルイ十二世自ら臨席して証人になったこと。ただ花婿《はなむこ》のチェーザレが、一回終るたびに王に合図し、それが六回目になった時、さすがの王も豪快に笑い出し、自分よりもよほどブラーヴォだと言ったこと。これを聞いたとたん、まず法王が笑い出した。ルクレツィアを含めた同席の人々の間からも、遠慮のない笑いが止まらなかった。その夜、チェーザレの成功を祝って、ヴァティカンでは大宴会が夜遅くまで続いた。

しかし、ルクレツィアにとって、この幸福も長くは続かなかった。チェーザレの結婚によるフランスと教会の接近は、ナポリのアラゴン王家にとっては、フランスの黒雲がナポリの上空をおおい始める前兆であった。このナポリの不安は、ボルジアの足《あし》許《もと》にいるビシェリエ公にはより深刻だった。不安になりだしたら彼は、もうそれをおさえることができない。ある日、妻には何も言わず、ナポリへ逃げて行ってしまった。ルクレツィアは神経質に笑った。「ペーザロ伯もビシェリエ公も、私の夫たちは皆ヴァティカンから逃げ出す」と。彼女はその時、妊娠六ヵ月の身だった。どんな気持だったか、想像するもむずかしくない。怒った法王は、サンチャをナポリに帰し、ナポリ王に「自分のものは自分でもつ方がよかろう」と言った。しかし、娘の悲しみはどうにかしてやらねばならなかった。彼はルクレツィアを、教会領のスポレートの執政官にした。夫に捨てられた妻の恥を負った娘に、彼女一人でもやっていけるということを世間に示させてやりたい気持からである。弟のホフレも同行させることにした。

夫の逃亡から五日たった八月八日、ルクレツィアとホフレの一行は、スポレートに向った。夫に捨てられた十九歳のルクレツィアと、妻サンチャに裏切られ続ける十八歳のホフレには、父親らしい心づかいで十分な行列が用意されていた。同行の貴族や女官たちもよく選ばれていた。身重のルクレツィアには、法王からとくに、彼女が楽に旅ができるようにと、二つのどんすのクッションが置かれた美しいしゅす張りの輿《こし》が贈られた。バルコニーから見送る法王の下を通る時、ルクレツィアとホフレは、広いつばの帽子をあげて父に挨拶《あいさつ》した。ルクレツィアの金髪が夏の陽光に光った。眼の下を過ぎ去ってゆく姉と弟に、法王は三度も手を振り、その姿が見えなくなるまで、バルコニーから立ち去ろうとしなかった。

北イタリアでミラノが、ついにルイ十二世の手に落ちたことを知ったナポリは、次に向けられるフランスの矛先を感じて絶望の中にいた。「もし法王がアラゴンを捨てるならば、もはや頼るのはトルコしかない」と言われるほどだった。アラゴンは最後の綱にすがった。逃げて来たビシェリエ公を妻の許に返して、それで法王の怒りをやわらげることで。九月半ば、ビシェリエ公はやむをえずローマへ向った。しかし、法王に会う勇気がなく、ローマの城壁の周囲を少しうろついて、そのままスポレートへ行った。それでもルクレツィアは、夫が帰って来てくれたことに有頂天だった。スポレートでの政務など投げ出し、夫とともにネピの城へ発った。美しいウンブリアの秋を、二人だけで楽しむためだった。

十月十四日、夫とともにローマへもどって来たルクレツィアは、その五日後、男子を産んだ。祖父と同じく、ロドリーゴと名付けられた。

ミラノのルイ十二世の軍と呼応して、ロマーニャ地方の征服を着実に進めていたチエーザレの心の中では、もはやアラゴンを切る意志は決定的になっていた。自分の大望のために、フランスとヴェネツィアを味方にしておくこと。このためにミラノはすでに犠牲にした。この次はナポリのアラゴンを犠牲にしなければならないと。

六月の末、ヴァティカンに雷が落ち、法王が怪我《けが》をするという事件が起きた。それほどたいした怪我ではなかったが、ルクレツィアとナポリから帰っていたサンチャが、ヴァティカンの中に泊りこんで看病することになった。

七月十五日、いつものようにビシェリエ公は、ヴァティカンに妻と妹を訪問し、法王も共の夕食を終り、しばらく雑談に時を過ごしてヴァティカンを出た時は、もう夜中の一時になっていた。一人の従者に送られ、法王のバルコニーの下を通って、サン・ピエトロ広場を横切ろうとしていた。一五〇〇年というその年は、ヨーロッパ各地からローマを訪れる巡礼がとくに多く、その中でも貧乏な巡礼たちは、サン・ピエトロ寺院の軒下に寝るのが常だった。ビシェリエ公が広場を横切ろうとした時、その寝ていたように見えたうちのいくつかの人影が、むくりと起き上った。黒い影が、たちまち公をとりかこんだ。彼らは、抜き身の剣をもってぶつかってきた。公も剣を抜いた。彼は剣を使うのが得意だったので、逃げようとしなかった。しかし、相手は数が多すぎた。マントが切られ、下に落ちた。上着の金の飾りが落ちた。シャツが切られ、血が走った。ついに公は、全身に傷を負って倒れた。その時まで恐怖で声も出なかった従者は我をとりもどし、ヴァティカンへ走り、その扉をたたき、大声で助けを求めた。倒れた公を馬の背に乗せようとしていた暗殺者たちは、その声を聞くと、公をそのままに置いて逃げた。ヴァティカンから衛兵が走り出てきた時は、すでに遠くに去ってゆく、彼らの馬のひづめの音が聞えるだけだった。

ビシェリエ公は、衛兵たちの手で、ヴァティカンの中に運ばれた。血にまみれ、顔は死人のようだった。ついさっきまで妻や妹と楽しい時を過ごしていたそこでは、その時まで、まだ彼女たちが話の続きをしていた。公は、そのかすかな息の下から、自分が誰の手の者によって傷つけられたかを訴えた。その名を聞いて絶望の声をあげたのはルクレツィアだった。

重傷のビシェリエ公を、外へつれ出すことは不可能だった。ルクレツィアは、驚き怖《おそ》れている法王に願い、ヴァティカン内の一室に夫を運んだ。十六人の信頼できる見張りを置き、すぐナポリ大使を呼んだ。ナポリ王の侍医を至急ローマに来させるよう彼に頼んだ。そして、サンチャと二人、夫のそばに付きそった。

翌日の朝早く、この事件はもうローマ中に知れわたっていた。誰一人として言葉に出さなくても、この暗殺の首謀者が誰かを疑わなかった。

ビシェリエ公は、ボルジアの部屋に寝かされていた。蒼白《そうはく》で熱もあったが、意識ははっきりしていた。ルクレツィアとサンチャは、急造の寝台をその同じ部屋に持ち込み、夫と数歩離れたそこで寝た。夫の食事は、彼女たちが三度三度その部屋の中で、軍隊用のコンロの上で作った。万一の毒殺を警戒したのである。隣の部屋には、ナポリから着いた医者が常に控え、部屋の外は、信頼できる法王付きの兵たちと、少数の公の家臣によって守られた。

一ヵ月が過ぎようとしていた。若い公の身体《からだ》は回復しつつあった。窓の所まで歩けるようにもなった。ルクレツィアはしかし、事件については一言も口にしなかった。ただ、夫を全身で守ろうとしていた。もう少しして夫が回復した時には、自分が一緒にナポリまで彼を連れていくつもりだとナポリ王に伝えたほどに。彼女は、その一生で初めて自分の意志をつらぬこうとしていた。公も今では、妻だけが頼りだった。二人の間に、初めて真実の愛が生まれる。ただ一人の名だけは口にしないようにしながら。

八月十八日、法王によばれたルクレツィアとサンチャは、二つ扉向うの法王に会うため、ほんの少しの間だけ部屋を留守にした。そして、もうふたたび夫を兄を見ることはなかった。ビシェリエ公は一人残された。寸刻も置かず、部屋の外の見張りと医者が捕えられた。チェーザレの〝右手〟、ドン・ミケロットが部屋に入った。扉は中から閉ざされた。すべては終った。まもなくもどってきた二人の女は、部屋の前に見慣れぬ武装した兵たちを見た。ドン・ミケロットは二人に説明した。公爵は、不用意に床に落ちて亡《な》くなられましたと。彼女たちの、せめて遺体に会わせてほしいという願いも無駄だった。ビシェリエ公の遺体は、その夜のうちに秘《ひそ》かに葬《ほうむ》られた。それから数日して、ルクレツィアは一人、父法王の哀願をふり切り、息子ロドリーゴを連れ、ネピの城へ向ってローマを発った。

ローマを離れて

ルイ十二世の全面的な援助を背景に、教会軍の強大化に父法王の夢を実現したチェーザレが、緋《ひ》の衣を剣に変えた手際《てぎわ》はあざやかだった。「教会軍総司令官《カピターノ・ジェネラーレ・デッラ・キエーザ》」として軍事力を、「教会の旗手《ゴンファロニエレ・デッラ・キエーザ》」の地位を得て政治権力をも手に入れた彼は、イーモラ、ファエンツァ、フォルリ、ペーザロと、ロマーニャ地方を次々に征服していった。その周辺の国々であるフェラーラ、マントヴァ、フィレンツェ、ボローニャは、この二十五歳になったばかりの「めったに話さない、しかし常に行動している男」（マキアヴェッリ）の意図を探るのに必死だった。今や誰の眼にも、法王が息子の絶対的な影響下にあることは明白だった。

しかし、チェーザレには、自分の今やらねばならないことがわかっていた。それは、老齢の父法王にもし万一のことが起った場合のために、今から準備を進めることだった。すなわち、フランスとの友好関係を保ちながら、イタリアの他の国々、ヴェネツィア、フィレンツェ、フェラーラ、マントヴァを味方につけておくことである。ヴェネツィアには、以前から彼のその意図を、事あるごとに伝えてあった。フィレンツェとは、彼の最終的な野心、トスカーナ地方征服の意図を巧妙に隠しながら、今はフィレンツェの味方である様子を示していた。マントヴァとは、自分の娘とマントヴァ侯の息子の婚約によって、その間をつなごうとしていた。

ネピの城からローマにルクレツィアが呼びもどされたのは、一つ残ったフェラーラ公国への対策のためである。今度の結婚の相手は、フェラーラの当主エステ家の跡継ぎアルフォンソ・デステだった。

しかし、選ばれたエステ家にとっては、これはもう〝ライオンに狙《ねら》われた狐《きつね》〟の心境だった。当時、ヴェネツィアと並んで完璧《かんぺき》を誇っていたフェラーラ、マントヴァの情報網が、総動員されたことはいうまでもない。この話に裏がないはずはないと考え

アルフォンソ・デステ

たフェラーラのエルコレ公にはもちろん、マントヴァのイザベッラ・デステにも、一日に何通となく、通信がローマを発《た》っていった。チェーザレの、法王の、そしてルクレツィアの周辺までが、徹底的に洗われた。

一方、公式には、大使を通してあらゆる逃げの手が打たれた。アルフォンソ公には、もうフランスのある未亡人と結婚することになっておられると。しかし、無駄だった。ローマからは、それなら二男のフェランテでけっこう、しかし、モデナ、レッジョの領地を付けてもらいたい。これは、フェラーラにとって、国の二分割を意味した。教会封土の国フェラーラは、教会の長の気持次第では、国全体すら取り上げられかねないのである。エルコレは、長男との結婚を選んだ。ボルジアの依頼を受けたルイ十二世からの要請もあり、もうこれ以上逃げることはできなかったのだ。

その間にも、ヴァティカンの中に網の目のように張りめぐらされたフェラーラ、マントヴァの情報網は、意外な事実をつかんだ。この結婚話が、チェーザレの政治的意図から出たことは明らかだが、前二回の結婚と違う点は、父法王が非常に乗り気になっていること。娘の不幸に心を痛めていた法王にとって、家格《かかく》からも性格からも、アルフォンソ・デステを、娘の夫として最適だと思っていること。ルクレツィアもローマを離れるのを、不満どころかかえって望んでいること。

これを知ったエルコレ公が、何も手を打たないはずはない。狐は狐でも、彼はたぐいまれな古狐だった。直ちにローマへ、二人の経済に明るい家臣が、大使の資格で特派された。持参金つり上げのためである。一五〇〇年の末から始まったこの話が、結婚式までに一年以上かかっている。この間の交渉は、ほとんどこの問題に集中された。

しかし、法王は、娘の喜ぶ顔見たさに、エルコレの要求をすべてのんだ。それどころか、エルコレを「偉大な公爵《こうしゃく》」、アルフォンソを「最も美しい若者」、イザベッラを「知性と徳と美のたぐいまれな調和」と手ばなしで賞《ほ》め上げるありさまだった。ただチェーザレだけは、エルコレ公のこの執拗《しつよう》さをひどく嫌い、「まるで商人だ」とはき捨てるように言った。法王はさらに、嫁いでゆく娘の身辺をきれいにしてやりたいと、以前に従者ペドロとルクレツィアの間に生まれたインファンテ・ロマーノを、チェーザレの子として、そして別の教書では自分の子として届け出さえもした。

一五〇一年も末になった頃、ようやく何もかもが終った。ルクレツィアの持参金は、三十万ドゥカートで合意が成立した。十万ドゥカートの現金、ネピを含めた二つの城、ロマーニャの小領地、宝石と衣装だけでも七万五千ドゥカートにのぼった。その他に、教会がフェラーラに与える数々の特典と保証が付いた。エルコレはがっちりと、これらのすべての証明書をも獲得した。彼女の前二回の持参金が三万ドゥカートずつ、イザベッラ・デステが結婚した時の持参金が二万五千ドゥカートだったことから見れば、今度がいかに破格な額であったかがわかる。

ようやくフェラーラから、花嫁を迎えるために、エステ家の四男で枢機卿のイッポーリトと二男のフェランテもローマに着いた。

一五〇二年一月六日、ローマは珍しく雪模様だった。その朝ルクレツィアは、二十年間住んだ彼女の宮殿で、ローマでの最後の朝食をとった。身支度が終った時、彼女は息子のロドリーゴの部屋へ行った。子供はまだ眠っていた。ローマの父の許《もと》に残してゆかねばならない子を、彼女は寝入っているままにしておいた。そして、ヴァティカンへ向った。

法王は、もう部屋で待っていた。ルクレツィアは、父の前にひざまずいた。頭を下げたまま何も言わなかった。人々は、二人を残して部屋を出た。しばらくしてチェーザレが呼ばれ、部屋に入っていった。そして少しの時がたった。

出発の時間が来ていた。エステ家のイッポーリトとフェランテが、それを告げた。ルクレツィアは、チェーザレとイッポーリトに両腕をささえられ、立ち上った。部屋を出る時、彼女はもう一度父をふりかえった。法王は「安心して行きなさい。何かあったらいつでも手紙をよこしなさい」とスペイン語で言った。そして、もう一度同じことを、周囲の人々にも聞かせるかのようにイタリア語でくり返した。

雪が降り始めていた。その中を一行は出発した。ルクレツィアは、兄とイッポーリトに両側をはさまれるようにして、馬を進めて行った。法王は、窓から窓に、小走りに移りながらそれを見送った。父と娘は、これ以後ふたたび会うことはなかった。

一行が一日の行程をようやく終ろうとし、その夜の宿泊地も間近という頃、突然、チェーザレは妹に別れを告げた。宿泊地までは送ってくれるものと思っていたから、不意をつかれて言葉もないルクレツィアの前で、イッポーリト・デステに挨拶《あいさつ》したチェーザレは、そのまま馬の向きを変え、後も振り返らずに去っていった。ルクレツィアは、この時初めて、ローマを離れたことを痛いほどに感じた。

フェラーラ

ポー河の下流に広がるフェラーラの冬は厳しい。夕暮時になると、ほとんど毎日といってよいほど河からのぼってくる白い霧におおわれ、少し先も見えなくなってしまう。時にはこの白い霧は、早朝から町をつつんでしまうこともある。この厳しい冬の寒さに負けないために、この地方の人々はブドウ酒を多く飲み、また濃厚な料理が発達した。そのためか彼らの性格は、荒々しくずるく大胆だった。彼らを統率するのには、冷徹で老獪《ろうかい》な支配者が必要とされた。

フェラーラ公爵《こうしゃく》エルコレ・デステは、この地方にはまさにうってつけの支配者だった。公国内のやっかいな小領主たちを統率する能力とともに、フェラーラは大国ヴェネツィア共和国と国境を接していたので、周辺の情勢を冷静に判断し、機敏に動く外交手腕が求められる。エルコレ公は、これらの才能を十分に持った支配者だった。そして、君主としてその能力を十二分に発揮するのには、金の力がまず第一であることも知っていた。彼は、自分が吝嗇家《りんしょくか》であるという評判が立つことなど気にもしなかった。一年のうちの何日と日を決めて、自分で領内の金持や商人の家をまわり、それぞれから、いくらかずつの寄進を受けるのを慣習にしていた。フェラーラ年代記には、誰それからはにわとりを二十羽、他の誰からはチーズとオリーブ油の樽《たる》を三つ、という風な記録が残っている。

しかし、エルコレ公のしみったれを陰で笑い、息子たちは、その全力をあげて父のすねかじりに熱中したが、誰一人として、公の執政者としての能力を疑う者はいなかった。フェラーラは、公の下で安心していられた。公は、フェラーラ出身のサヴォナローラに心酔し、修道院をやたらと建てたりするかと思うと、宮廷でエロティックな喜劇を演じさせて平然としていた。この三年後、死の床でも彼は、ハープを演奏させ、満足気に手で拍子をとりながら聴いていたという。あらゆる意味で、彼は、典型的なルネサンスの人であった。

このエルコレの性格を継いだのは、長女のイザベッラと四男のイッポーリトである。マントヴァ侯爵フランチェスコ・ゴンザーガに嫁いだイザベッラについては、第一章ですでに書いた。ただ、エステ家に嫁いでくるルクレツィアにとっては、イザベッラは、小姑《こじゅうと》としてなかなかやっかいな型に属した。「僧《イル・プレーテ》」としか署名のない通信が、ローマからも、ルクレツィアがフェラーラに向う旅の途中からも、そして結婚後には、フェラーラの宮廷からも、イザベッラにあてて、ルクレツィアに関するあらゆる情報を送り続けたのである。

四男のイッポーリトは、枢機卿というより政治家であり、軍人であった。教養もあり冷静な頭脳を持った彼は、父の死後、兄アルフォンソのよき協力者になる。二男のフェランテと庶出の三男ジュリオは、二人とも美しく生まれついたが、どちらも平凡な宮廷人でしかなかった。この二人は、後に兄アルフォンソ殺害の陰謀をたてるが、失敗に終る。悪いこともできない代わり良いこともできない人間、つまり彼らのように何ごともできない人間に対して、ルネサンスという時代は厳しい時代であった。

ルクレツィアの夫になるアルフォンソは、当時の貴公子としては、全く型破りの人間だった。最初の妻アンナ・スフォルツァが早死した後、彼が二十一歳の夏のことだった。「正午、フェラーラの中央広場にいた人々は、広場を横切ってくる真裸の、背に剣をおっただけの青年の姿に度胆をぬかれた。それがこの国の跡継ぎのアルフォンソだったので、広場中はまるで蜂《はち》の巣をつついたような騒ぎになった。彼は、その中を平然と歩き続けた。彼の後には、何人かの彼の友人がわいわいと従っていた」（サヌード）。アルフォンソは、友人たちとの間で、真裸で中央広場を通り抜けられるかどうかで賭《かけ》をしたのである。そして彼は勝った。しかし、これを知った父エルコレ公は怒り狂った。「何たる軽率！」。父がひどく怒っていると聞いたアルフォンソは、城へは帰らず、その足でマントヴァの姉のところへ逃げていった。そして父の怒りがおさまるまで、姉のところで悠々と居候《いそうろう》をしていた。

彼はなかなか教養もあり、ヴァイオリンの演奏はくろうとはだしの腕だったが、何よりも彼を夢中にさせたのは、旅と大砲だった。旅。彼は出発の時、いつももっともらしい理由と行き先を告げるのだが、そしてブルクハルトも、見聞を広めるためだったと賞《ほ》めているが、実際はどうも冒険的な放浪の旅に終ったことが多かった。もちろん、結果としては彼の見聞は広まったわけだが。そして、貴公子の旅らしく、大勢の供を連れてゆくのをひどく嫌った。頑健な肉体を誇っていた彼は、護衛など必要と感じなかったこともあって、いつもできるだけ少数の、ほとんど二、三人の従者だけを連れてこっそりと出発した。どうしてもその地位の手前大勢の一行を従えねばならない時は、フェラーラを出る時だけそれに妥協し、領地を出たとたんに皆を帰してしまって、あいかわらず二、三人だけで旅をするのだった。これは父の死後、公爵になった後も、いっこうに変らなかった。

宮廷人を嫌い、社交的な集まりを嫌い、一人だけで食事をするのを好んだ彼は、旅先ではすぐ友達を作った。それは、兵士や漁夫や商人たちだった。一度などは、スペインへ行くつもりで出発したのに、港でヴェネツィア海軍の二人の船長と知合い、彼らのガレー船で、アドリア海に出没する海賊を追いまわすのに夢中になってしまったことがある。当時、アドリア海を自国の海のように考え、秘密を守るために海図さえも作らせようとしなかったヴェネツィア共和国では、同行したのがフェラーラの当主と知ったとたん、これは大問題になった。おかげで、二人の船長は一時、牢《ろう》に入れられる羽目に会う。

アルフォンソは、旅に出ない時は、一日中工房で過ごした。旋盤の前に坐《すわ》ったきり、鉄や銅をひねくりまわしていた。しかし、彼の大砲こそは、後にフェラーラ軍の誇りとなる。旅か大砲に時を費さない時は、彼は宮殿の窓から、広場の人々を眺めていた。より多くの民衆を見られるようにと、最もにぎわう魚市場を、その悪臭にもかまわず、わざわざ自室の窓の下に開かせ、しばしばそれを見降しながら食事をした。

君主としての才能もまた、彼を裏切らなかった。弟のイッポーリトほど派手に動かなかったが、後にはその強固な意志と冷静な情勢判断が、フェラーラを助けることになる。彼をまず最初に認めたのは、妻の兄チェーザレだった。ロレンツォ・イル・マニーフィコの勢力均衡政策である列強共存路線の信奉者だったエルコレ公とは折り合わなかったチェーザレ・ボルジアも、アルフォンソは認めた。チェーザレの勢力全盛時は、まだ父エルコレが在位していたので、この二人の間には直接的な関係はなかったが、チェーザレは、アルフォンソの見通しの確かさとその現実主義に対して賞讃《しょうさん》を惜しまなかった。「われわれ新しい世代は……」と言いながら。アルフォンソの特質を認めたのはチェーザレだけでなく、後にはマキアヴェッリも、また最後には、皇帝カルロスもイタリア貴族の中で彼一人を尊重する。

彼は、ルクレツィアに対しても、彼女の今までの夫たちとは全く違った態度で接した。彼女の結婚の一行が、明日はフェラーラの町に入るという夜のことだった。人々が寝につく前のひとときを雑談に過ごしている時、突然、窓の下に馬のひづめの音がひびいた。ボローニャから一行に従っていたベンティヴォーリオ公が、窓から見降して叫んだ。「アルフォンソ公です」。人々はざわめいた。ルクレツィアは急いで髪に手をやり、衣服を直した。フェランテが戸口に飛び出した時は、アルフォンソはもう馬を降りていた。弟の腕をかかえて、まあ花嫁のところへ案内しろと言い、フェランテが何も返事のできないうちに、彼らはもうルクレツィアの前に来ていた。ルクレツィアは、輝くばかりの、そして恥らいを含んだ微笑をもって、この慣習を無視した不意の訪問の夫を迎えた。アルフォンソは、ルクレツィアの顔をじっと見た。そして気に入ったという風にうなずき、それから初めて挨拶《あいさつ》した。二時間も続いたこの型破りの会見で、アルフォンソはルクレツィアに、これからのすべてのことは自分に従うようにと言い、彼女はそれを承諾した。彼は、自分の妻になるのは、ボルジアを背後にしたルクレツィアではなく、ルクレツィアという一人の女であることを、彼女に確認させたのだった。そして、最初の出会いから始まったこの二人の関係は、その後の二十年の結婚生活を通じて変らなかった。しかし、アルフォンソのような型の男は、女にはなかなか理解されないものである。そして、ルクレツィアも、ついに真実の彼を理解できないで終る。

結婚の次の朝、ルクレツィアは甘い倦怠《けんたい》の中に一人遅く目覚めた。隣のアルフォンソはもういなかった。客たちは待ちくたびれ、早起きしたイザベッラは、もう各国大使の間をまわり、政治談議をすませているというのに、ルクレツィアは、遅い朝をまだ寝床の中で楽しんでいた。このフェラーラの冷たい大気の中でも、彼女はローマ風の甘い遅い朝の習慣を捨てることができなかった。ようやく軽い朝食を命じ、少し気だるい気分の中を、ゆっくりと身支度を始めた。すでに正午近くになっていた。

結婚式に続いた謝肉祭で、彼女の最も好きなこと、舞踏を心ゆくばかり楽しんだルクレツィアにも、その舞踏のシーズンがすんでしまうと、退屈な日々がもどってきた。夫のアルフォンソは、あいかわらずの旅と大砲にあけくれる生活で、彼女の宮廷にしげしげと出入りするのは、女官たちが目当てのフェランテとジュリオだけだった。朝遅く起き、ゆっくりと身支度をし、自分の礼拝堂でのミサの後朝食をとり、少しの客と会い、女官たちとのおしゃべりや新しく作る衣服の見立てをし、時には聖人物語やスペインの愛の詩を声を出して読んだり、小箱から昔の手紙を取り出してみたりという日常が続いた。いつも夫が身近にいた、死んだビシェリエ公との結婚時代が思い出された。

夏の終りに七ヵ月の死児を産んで、ルクレツィアの健康がひどく弱っていた頃のことである。ある日の夕方、突然、チェーザレがフェラーラの城に着いた。妹を見舞うためである。供はたったの十三騎だった。ジェノヴァでのルイ十二世との会見後、フェラーラに急行したのだ。病床についていたルクレツィアは、この兄の見舞をひどく喜んだ。エステ家の宮廷の人々は、その夜、ヴァレンシア方言で語り合いながら、一晩中城の回廊を行き来する兄と妹の姿を見た。翌朝早く、チェーザレは、来た時と同じように突然フェラーラを発《た》って行った。残されたルクレツィアは、兄の出発後ふたたび病床についてしまった。

そんな時、彼女に近づいて来たのが、詩人のエルコレ・ストロッツィである。この生まれながらの肉体上の欠陥を松葉杖《まつばづえ》に頼らざるをえない、しかし貴族的に優雅なフエラーラの詩人は、ルクレツィアの単純な心を、すぐ自由にあやつれるようになった。アルフォンソも、妻の宮廷に文芸的な雰囲気が生まれるためにはと、詩人の自由な出入りに寛大だった。詩人は、ルクレツィアの僧院行きにも同行し、ヴェネツィアでの新しい服の見立てをまかされたりした。そして、彼はその後の彼女とその恋人たちとの、恋の橋渡しの役さえも引き受けるようになる。

ルクレツィアの健康もようやくもとにもどりつつあったその年の秋半ば、ヴェネツィアから、ピエトロ・ベンボがフェラーラにやって来た。この美男の、詩人というより完璧《かんぺき》な宮廷人、当時 *"Il principe degli umanisti italiani"*（イタリア人文主義者たちの貴公子）ともてはやされていたベンボは、たちまちルクレツィアのサロンを征服してしまった。フェラーラには、彼の友人が大勢いた。ストロッツィ、サドレート、テヴァルデオ、アリオストと。彼らによってルクレツィアの周辺は、にわかに文芸趣味に満ちあふれてきたようだった。

冬の間中街をおおっていた白い霧が去り、春がきた四月、ある日ストロッツィが、ベンボに出す手紙をルクレツィアに見せた。手紙は、ルクレツィアの美しさを賞め讃《たた》えた数々の美しい言葉で埋っていた。それを読んだ彼女は、美しく書かれたこのお世辞が気に入った。ふたたび封を、しかしその前に、何も書かれていない白い紙をとり、

ピエトロ・ベンボ

自分でピエトロ・ベンボと名だけを書いて入れた。周りをかこんでいた女官たちは、人の心を惑わすこの軽い遊びを笑いながら見ていた。この手紙を受けとったベンボの心の中に、ルクレツィアに対する陽気な親愛の情が生まれたことは想像にかたくない。二人の恋はこうして始まった。

　もはや年中行事のようになった旅に、夫のアルフォンソがフェラーラを出ていった後、ルクレツィアとベンボの間は、急速に近くなっていった。ベンボが宮廷にいない時は、二人の間をしげしげと手紙が往復した。それを取り次ぐのは、いつもストロッツィだった。ルクレツィアからベンボには、スペイン語で書かれた手紙や、スペインの歌などが送られた。それらは初めのうちはイタリア語で書かれていたが、ある時のベンボの「愛らしいスペイン語の甘さは、洗われたトスカーナ語の中にはその場所がないのです。そのままに、生まれたままのスペイン語で」という手紙から、ルクレツィアはスペイン語で書くことにしたのである。それは、嫁いで来て以来、堅実なエステ家の家風にそぐわない自分を感じ、自信を失い不安になっていた彼女にとって、自分に自信をもち、自分を取りもどした思いにさせるのだった。彼女はベンボがそばにいると、宴《うたげ》も舞踏会も、服の着付けまでがうまくゆくような気がした。手紙も「私のピエトロ」で始まり、ＦＦとだけの署名で終るようになった。ＦＦとはラテン語のFirmitas Fidelis（不変の忠実）を意味していた。

しかし、その夏に起った父の死と、それに続く急速なボルジア家の没落が、この二人の恋をも押し流してしまう。八月、イッポーリト枢機卿のもたらした父法王の死の知らせは、ルクレツィアを絶望の中に落し込んだ。喪服を身に、黒でおおわれた部屋の、灯もないところにうずくまった彼女は、何も食べず眠ろうともしなかった。

不幸を知り、直ちにかけつけたピエトロ・ベンボも、茫然《ぼうぜん》と床にうずくまったままのルクレツィアを見ると、入りかけた部屋からそのまま外へ出て、黙って帰っていった。そして手紙を送ってきた。「今のあなたが泣くのは、御父上の死の悲しみよりも、これからのエステ家におけるあなたの立場のつらさを思って泣くのです。こんなことを書くのは、私たち二人にとっていささか注意を欠くことであるけれども。しかし、強く生き続けねばなりません。とくにあなたにとってなおのこと……」

それまでのルクレツィアは、ペトラルカに心酔するこの詩人にとっては、ミューズの一人でしかなかった。しかし今、詩人はその人間性のすべてをもって、彼女を暖かく力づけ、慰めはげまそうとしている。詩のインスピレーションを得るための女でない、生身の愛する女のために。

旅の途中、法王の死の知らせを受けたアルフォンソも、急ぎフェラーラに引き返してきた。しかし、妻の取り乱した姿には、彼も手のつけようがなかった。それでも彼は、ベンボのようには手紙を送らなかった。その代り今やすべての敵、悪の代名詞のようになったボルジアの名に対する、父エルコレを初めとする世間の冷たい眼や、ルイ十二世の「アルフォンソ公には、ルクレツィア・ボルジアはふさわしくない」という言葉にもかかわらず、妻の立場に一指もふれさせなかった。これが彼の、ルクレツィアに対する愛情であった。

しかし、父の死の悲しみを忘れようとしたかのように、秋になると、ルクレツィアのベンボへの恋は、周囲をもかえりみないほどになった。自分の黒のビロードを使って、スペイン風の豪華なマントを作らせ、彼に贈った。彼が来るのを、城の窓から、少しでも早く認めることができるようにと。手紙が、たて続けにベンボに送られた。

「私を殺してしまう、あなたの甘い手に接吻《せっぷん》を……」「私の心は甘い復讐《ふくしゅう》のために、あなたの唇にたどりつきたい」「今まで接吻されたどんな男たちのよりも、やさしく甘いあなたの手に接吻を」

これが、今ではボルジアの名に何の怖《おそ》れもいだかなくなった人々によって、一段とあからさまに噂《うわさ》されるようになった時、アルフォンソは、狩と称して、ベンボの住むフェラーラ郊外へ向った。そして彼と会った。二人の間でどのような話が交わされたかは知らない。しかしその三日後、ベンボは、ヴェネツィアへ発って行った。

恋は終った。翌年、ベンボの著作、至高の愛をうたった『リ・アゾラーニ』は出版され、ルクレツィアに捧《ささ》げられた。

一五〇三年、夏

フェラーラのルクレツィアを、あの狂乱に追いこんだボルジア家の没落に、われわれはそれこそ、古典悲劇の本質を見ることができる。高貴な人々の悲惨な終末であることによって。そしてその不幸が、偶然に、しかも突然襲ってきたことによって。

一五〇三年の夏までに、ウルビーノ征服を最後として、ロマーニャ地方は完全にチエーザレの支配下に入っていた。彼は、ロマーニャ公爵《こうしゃく》の称号も得た。

イル・モーロの下、ミラノの宮廷での十七年間の生活以来、マントヴァにもヴェネツィアにもとどまらず、フィレンツェで水力学の研究に日々を過ごしていたレオナルド・ダ・ヴィンチが、その引く手あまたの才能を、自らチェーザレのために仕事をすると申し入れてきたのも、その頃のことである。チェーザレは、レオナルドに技術総監督としての白紙委任状を与え、「私のアルキメデス」と呼んで、レオナルドのしたいようにさせた。チェーザレ二十七歳、レオナルド五十歳の年のことである。

フィレンツェ共和国の外交使節として、マキアヴェッリがチェーザレに会ったのも同じ頃だった。フィレンツェに厳しい、秘《ひそ》かに全トスカーナを狙《ねら》っているチェーザレとの交渉は、ひどく困難なものだったが、マキアヴェッリは、やがて「この全く素晴らしい才能を持った男」の中に、『君主論《イル・プリンチペ》』の具象像を見出《みいだ》す。イタリアの悲劇の「刃を傷口から引き抜く」ことのできる者、すなわち今の分裂状態の根源を絶滅できる者を、マキアヴェッリは、「民衆から怖《おそ》れられながらかつ慕われる、その二つをともにやってのける」チェーザレ以外に見出すことができなかった。支配者の理想像を、狐《きつね》（冷徹な現実主義）とライオン（大胆な魂）の二つを完全に持っていなければならないとした、マキアヴェッリの思想はここから生まれる。

「自分には敵か味方しか存在しない。その中間などは存在しない」とマキアヴェッリに語ったチェーザレの将来は、誰の眼にも輝かしいものに見えた。傭兵隊長《ようへい》たちの反乱も、芸術的ともいえる「完璧《かんぺき》な欺《あざむ》き」（パオロ・ジョーヴィオ）によって、なんなく抑えてしまった。もちろん、殺したのである。前もって個別交渉によってその団結を崩しておいて、全員を一堂に招待し、そこで殺した。敵は殺された。何の容赦もなく。長い間、「教会の咽喉《のど》にひっかかった骨」（グイッチャルディーニ）であったコロンナ、オルシーニの一党も、徹底的にたたきつけられた。

チェーザレの行動は、つねに敏速で果断だった。そんな彼に、イタリア中はひっかきまわされる始末だった。ある日彼は、ルイ十二世と会うためにジェノヴァにいた。次の日は、妹を見舞うためフェラーラに。その次の日は、ロマーニャ地方のイーモラ、ウルビーノを巡察、その足ですぐフィレンツェへ、フランス王との仲裁のために。その間にも狩を楽しむ。そして次の日から八日間は行方知れず。彼の側近は病気と公表したが、誰一人としてそれを信ずるものはいなかった。しばしば、各国の情報官たちはそれぞれの君主に対して、チェーザレ追跡不可能の詫《わ》びの手紙を出さねばならなかった。しかし、その頃彼はローマにいた。法王との秘かな会見のために。チェーザレの大望の実現は、もう眼の前にあった。"*Aut Caesar aut nihil*"（皇帝《カエサル》か無か）、こう自軍の旗印に書かせた彼の気魄《きはく》とともに。ラテン語の「カエサル」のイタリア語読みは、「チェーザレ」なのである。

しかし、悲劇は突然にやってきた。その夏のローマは、ひどい天候の中にあえいでいた。風は全くなかった。太陽は突き刺すように照りつけた。水は腐り始めた。そして、マラリアが襲ってきた。すべての枢機卿《すうきけい》の宮殿は病院と化した、と当時の記録は伝えている。しかし、屋根の下で死ねる者はまだよかった。それもできない人々は、道路の石だたみの上や、水も出ない噴水のかたわらで死んでいった。引取り手もなく、そのまま打捨てられた死体がそこここに散らばり、腐り始めた死体の悪臭が街中をおおった。恐怖にかられた人々の間から、ペスト、ペストという言葉が走った。しかし、ペストではなかった。症状は、ひどく悪性のマラリアのそれだった。

まずフィレンツェ大使が死んだ。すぐ続いて、法王の甥《おい》ジョヴァンニ・ボルジア枢機卿も死んだ。甥の死の知らせは、七十二歳になった法王に、もはや衰えた自らの肉体への疲労を感じさせた。ローマから外へ出られる者は、すべてローマを捨てた。枢機卿たちも、郊外の別荘に逃げ出した。各国の大使や情報官たちは、ローマを離れる許可を、それぞれの君主に要請した。

法王もチェーザレも、ローマを離れる必要を感じていた。とくにチェーザレの方は、ロマーニャへ発《た》つつもりだった。しかし、二人とも、八月十一日の法王即位十一周年記念のために、ローマを外にするわけにはいかなかった。そういう彼らのために、以前は法王の秘書官をし、今では枢機卿になっているアドリアーノ・ダ・コルネートが、八月四日、ローマ郊外の彼の別荘で贅沢《ぜいたく》な昼食会を催した。

それから八日たった八月十二日、まず法王が高熱と吐き気のために倒れ、次の日チェーザレも同じ症状で病床についた。

ここからボルジアの没落が始まったと人々は言う。枢機卿を殺すつもりの毒入りブドウ酒を、間違って法王が生のままで飲み、チェーザレは水を割って飲んだのだと。「八日前の昼食会に同席していた他の枢機卿たちも床についた」というヴェネツィアの情報によったのである。同時代の歴史家グイッチャルディーニ、ジョーヴィオ、サヌードらも、そして後代のブルクハルトもこの毒殺説を信じた。

しかし、当時の記録者、年代記作者たちは、一言も毒殺の字を残していない。「多くの人々がこのペストでない病気のために死んだ。法王もチェーザレ公も病床についた。症状は、時々間を置いては襲ってくる高熱と吐き気で、これは他の病人と全く同じである」とカタネイ、コスタービリ、ブルカルドらは書き残し、Febbre terzana

(三日ごとの熱、当時の用言でマラリアのこと)だとしている。後代の歴史家たちはパストール、ルツィオを初めとして、皆毒殺説に反対の立場をとった。もちろんボルジアの用いていたという毒薬は、ゆっくりと時間をかけて殺すものだった。しかし、七十二歳の老人を殺すのに約二週間かかっていること。そして昼食会に同席していた枢機卿たちは、その中の最も高齢な人たちさえ死んでいないこと。しかし何よりも、すべての記録に残る彼ら二人の症状は、全く悪性のマラリアのそれを示していること。これらを検討すると、毒殺説は、ボルジアの悲劇をより劇的にする効果はあっても、その真実性の根拠は薄弱と言わねばならない。

八月十二日に倒れた法王も、その次の日に床についたチェーザレにも、一進一退の病状が続いた。八月十四日、医師たちによって法王は血をとられた。血を取るのは、あの時代の唯一《ゆいいつ》の治療法と思われていたのである。しかし、法王の高熱は続いた。彼は、病床にぐったりとなったまま動かなかった。チェーザレの方も、医師にとりかこまれながら、死ぬほどの衰弱の中にいた。灼《や》けつくような高熱が、くり返して彼を襲った。吐き気がひどかった。高熱に伴う頭痛に襲われるたびに、チェーザレは床の上をのたうちまわって苦しんだ。誰もが、父法王より、彼の方が重症だと思いこんだ。

チェーザレには、間を置いて襲ってくる高熱の間にも、父法王の病勢が心配だった。自分が治らねばならない、遅すぎないうちに。オルシーニ、コロンナの復讐《ふくしゅう》も危険だったし、ヴェネツィア、フィレンツェ、それにフランスも信用できなかった。枢機卿たちは、それぞれの家に引きこもって情勢を見守っていた。各国の情報官たちは、刻一刻と変る二人の病勢にペンを休みなく走らせ、それを持って去る飛脚の馬が、白いほこりをけたてて イタリア中に散って行った。誰もが寝なかった。

しかし、重症と思われたチェーザレよりも、老いた法王の肉体の力の方がもう終りにきていた。発病から六日目の八月十八日の朝、彼は、その病室でミサを行うことを希望した。ミサの後、法王は、懺悔《ざんげ》をし、聖体拝受を受けた。そして晩鐘の頃、終油の秘蹟《ひせき》が、もう瀕死《ひんし》の彼に行われた。深い沈黙が病室をおおった。その夜、アレッサンドロ六世は死んだ。彼の老いた心臓は、もうこれ以上の高熱に耐えてゆくことができなかったのである。

法王の死は、直ちにそのすぐ上の部屋のチェーザレに知らされた。しかし、自分自身も生と死の境をさまよっている彼は、病床から起き上ることもできなかった。「彼は私に言った――とマキアヴェッリは後に書いている――『自分は、父の死ぬ時起りうるすべてを、すでに以前から考えていた。方策も見つけていた。しかし父の死の時、自分もまた死の境にいるとは考えもしなかった』」。しかし、今、彼の最後の望み、自分が治るまで父法王がもちこたえてくれたらという望みも断ち切られた。すべては終った。

重病にあえいでいる主人に代って、後に敵をもうらやましがらせたドン・ミケロットの忠節がその時も発揮される。まず大事なことは、ヴァティカンを暴徒の掠奪《りゃくだつ》から守ることだった。彼の命で、ヴァティカンとカステル・サンタンジェロのすべての門は閉ざされた。続いて、ヴァティカン内にある全貴重品を、チェーザレの病室の近くの部屋にもってこさせた。今までの例から、召使たちすらも安心できなかったのだ。法王の病室もほとんど空っぽになった。ただ寝台の上に遺体が横たわっているだけだった。そして、これらがすべて済んだ後、チェーザレの命によって、初めて法王の死が公表された。

一方法王の遺体は、教会の式部官の、また冷静な記録者でもあったストラスブルク出のドイツ人、ブルカルドの手によって、他の部屋に移された。そして洗われ、法王の正装を着せられ、二つのろうそくの間、紫色のブロケードにおおわれた卓の上に安置された。ろうそくの火がゆらぎもしないで灯《とも》る、閉め切った暑苦しい部屋の中、一人の付添もなく。

次の朝、遺体はサン・ピエトロ寺院に運ばれた。ミサには、枢機卿は一人も出席していなかった。葬式の祈りのための聖書すらも、どこにおいてあるのかわからないような状態だった。聖歌隊はかけ足で歌った。衛兵たちは、たいまつのうばいあいで声高にののしりあい、列席していた僧たちも、それを怖れて聖具室へ逃げこんでしまった。

人々の最後の別れを受けるため、格子《こうし》の向うに安置された遺体は、その間にも暑さのための腐敗が始まっていた。死体はどす黒く変り、ふくれだした。悪臭さえ漂ってきた。教会の中に列をなしていた民衆も、恐怖に身ぶるいした。しかし、ぞっとするような見世物を好む群集心理からか、行列は午後まで絶えなかった。それでもしばらくして、見るに耐えないほどに変り果てた法王の遺体は、誰かの手によっておおいをかけられた。

夜半近く、わずかのたいまつの火に照らされた淋《さび》しい葬列が、ヴァティカンの近くの墓地に向っていた。一人の司教とその助祭たちの他は、ごく少数の人々だけが付き添った。埋葬の時になって、用意された棺《ひつぎ》には、ふくれ上った法王の死体がどうしても入りきらず、二人の力の強い墓掘り人夫が、最後には足を使って無理やりに押し込まなければならなかった。たいまつの火が、押し込もうとされるたびにはね上る死体の酷《ひど》い全貌《ぜんぼう》を、怖ろしく照らしていた。ようやく棺のふたは閉められ、埋葬は終った。参列者たちは明りを消し、沈黙の中を急ぎ足で立ち去った。

たった十五日前には、栄光の中にその大望が実現しつつあったチェーザレ・ボルジアも、今では足で立つこともできない重病の床で、すべてが崩れ去るのを感じていた。父の地位を背景に、彼の天才的な政治性と大胆な軍事的能力によって作られていたボルジアの勢力は素晴らしいものだったが、まだ内容は弱く、成熟した力になっていなかった。なんとしてもそれだけの時間がたっていなかった。法王の突然の死が、しかし何よりもチェーザレの同時期の重病の不幸が、すべてを押し流してしまったのである。

まずウルビーノ、ペルージアが反乱を起した。しかし、ロマーニャ地方はチェーザレに忠節だった。この地方は、後にチェーザレが最悪の事態になった時も、その忠節を変えようとはしなかった。そして彼にはまだ、教会軍総司令官の肩書があった。これは、敵といえども無視できなかった。

しかし、枢機卿団《サクロ・コレッジオ》は、早急に次の法王を選ばねばならない。チェーザレは、自分に有利な新法王を考えようにも、まだその身体《からだ》の方がいうことをきかなかった。そして、彼がそれ以上ローマに居坐《いすわ》ることは、どんな軍人もいてはならないというコンクラーベの伝統に反することだった。この伝統をたてにとった枢機卿団の、ローマ退去の要請に素直に従ったことが、チェーザレのまず第一の誤りである。何としてもローマにとどまり、ボルジアに有利といわないまでも、少なくとも敵意をいだいていない、そして任期の長い新法王選出に努めるべきであったのだ。当時彼の軍隊は、ローマから百キロのオルヴィエートまで来ていたのだから。高熱は彼の身体だけでなく、その鋭い頭脳と冷静な判断力まで鈍らせてしまったのである。

九月二日、チェーザレはネピの城へ向ってローマを発った。城壁の外まで、フランス、スペイン、ドイツの大使たちが見送った。チェーザレは、真紅のカーテンがひかれ、八人の従者にかつがせた輿《こし》の中に横たわっていた。彼は見違えるほどに瘦《や》せ、脚だけふくれ上り、まだひどい頭痛に苦しんでいた。輿の後に、今度初めて主人を背にしない彼の見事な馬が、公爵の紋章を付けた黒のビロードのおおいをかけられて従っていた。

九月十六日、ローマではコンクラーベが開かれた。しかし枢機卿たちの中でもフランス派は、ルーアンの大司教でルイ十二世の信任厚いダンボアーズ枢機卿を推していた。これは、彼の枢機卿昇格がアレッサンドロ六世によったものであるところから、チェーザレには好都合だった。スペイン派は他の枢機卿を、そしてヴェネツィア派は後の災難も知らず、ジュリアーノ・デッラ・ローヴェレを応援していた。この三すくみの状態の中で、九月二十二日、フランチェスコ・ピッコローミニがピオ三世として新法王に選ばれた。しかし、新法王は病床にあった。その八十歳という高齢から、誰の眼にも過渡期の選出ということは明らかだった。ボルジアに同情的だったピオ三世に、肉体的に法王の位は重すぎた。即位から二十六日後、彼は死ぬ。

ネピからローマへ帰り、初め枢機卿イッポーリト・デステの宮殿に、次にはローマの街にあふれている、復讐に燃えるオルシーニの一党を避けるために、カステル・サンタンジェロにいたチェーザレは、次のコンクラーベに自らの運命を賭《か》けた。彼は、いまだにボルジアの名に忠実な、スペイン人枢機卿の十二票をにぎっていた。総票三十七票の三分の一に相当する。

十月二十九日、彼はヴァティカンへ行き、ジュリアーノ・デッラ・ローヴェレと会った。条件は、教会軍総司令官の地位とロマーニャの公爵としての領地の保証だった。代りにボルジア派の票はコンクラーベでローヴェレに行くということで。ローヴェレはこれを承諾し約束した。

チェーザレは、じっとローヴェレの眼をみつめた。今まで、何人も味方が裏切るのを彼は見てきた。そして政治においては、真実は感情の中にはなく有効性の中にあること。それも十分に知っていた。しかし二人の間には、今までも行動の段階において、一種の尊敬があった。おそらくこの二つの偉大な力、しかし全く性質の違う力が合一していたら、後に続くイタリアの悲劇は避けられたかもしれない。しかしローヴェレは、今はチェーザレに対して真実味のある態度を示しても、そしてチェーザレの娘を自分の甥と結婚させる相談をしながらも、ボルジア一族に苦杯をなめさせられ続けた、この十一年間の憎しみを忘れてはいなかった。ローヴェレを信じたこと。これがチェーザレの第二の、そして最大の誤りであった。彼は賭に負けた。政治に負けたのである。その数日後、ジュリアーノ・デッラ・ローヴェレは、ジュリオ二世として法王に即位した。

ジュリオ二世

チェーザレは、すぐ自らの誤りに気づかねばならなかった。ジュリオ二世の彼に対する態度は、日一日と変っていった。法王は、ロマーニャは教会に属すべきであると公然と発言したりさえした。しかし、今度の誤りは彼にとって、あまりにも大きかった。彼の態度は傍目にも「全く昔の公を思い出せないほど」（マキアヴェッリ）に変り、失敗の上にまた失敗が積み重ねられた。

彼はジュリオ二世に、ロマーニャへの通行許可証を申請した。それを持ってオスティアから、海路をリヴォルノまで、そこでまだ自分に忠節なロマーニャの軍隊をもって最初からやり直すことを考えていた。この時代の男たちは、つねに初めからやり直すことに慣れていたのである。しかし、今のチェーザレにはもう何かが欠けていた。オスティアで船に乗り込もうとする直前、彼はジュリオ二世の追手に捕われてしまった。ローマへ送られたチェーザレは、ヴァティカンの中、「ボルジアの部屋」と呼ばれるかつての自分たちの部屋に客として迎えられた。しかしそれはもう監禁だった。今まで彼に最も遠かったもの、絶望、苦悩、涙が一度におしよせてきた。超人の精神は解体しつつあった。

その頃、フィレンツェ軍の捕虜になったチェーザレの家臣ドン・ミケロットやタッデオ・デッラ・ヴォルペが、ひどい拷問《ごうもん》にも負けず彼への忠節を捨てないで、フィレンツェ軍に寝返るよりは捕虜の身を選んだこと、ロマーニャの民心はいまだにチェーザレにあることなどを聞きながらも、彼は、今の自分の捕われの状態を、フランスのルイ十二世も自分を見捨てたことを絶望的に感じていた。そして、法王の出した交換条件、ロマーニャの軍を放棄すればチェーザレの身を自由にするという申し出を受諾した。彼はイタリアを、その大望のすべてを放棄したのである。

翌年、一五〇四年の二月、チェーザレは自由の身としてヴァティカンを出た。そしてローマ、彼にとって栄光と屈辱の都を後に、ナポリへ向った。スペイン王国のナポリ総督ゴンザーロ・ダ・コルドーバが、以前からボルジアの親しい友人であったのを頼ったのだった。しかしこのナポリ行きは、彼の第三の、そして最後の誤りとなった。スペイン王フェルディナンドが、ガンディア公ホアン・ボルジアの暗殺の全責任者という名目で、チェーザレのスペイン送還を命じてきたのである。勇将としても知られた総督コルドーバは、チェーザレに尊敬と友情を感じていた。彼は心の中で闘った。しかし、王の命令ではどうすることもできなかった。

五月二十五日の夜、チェーザレはコルドーバから呼ばれた。街にあやしい人々がうろついているから、自分の城にいた方が安全であろうという申し出だった。チェーザレはそれを信じた。二人の友人は夕食をともにした。友情にあふれ楽しく話をしながら。いざ寝につく頃になって、コルドーバはチェーザレをその寝室まで送ってきた。そしてそこでまた、しばらく話し合った後、チェーザレはゴンザーロ・ダ・コルドーバに、自分はもう休みたいといった。だから彼も引き取ってほしいと。しかし、友は頭を横にふった。そして言った。自分はあなたのそばに寝ずに付いていよという命令を受けとったのだと。チェーザレは蒼白《そうはく》になった。そして叫んだ。「サンタ・マリーア、私は裏切られた」

八月二十日、ナポリの港を、一艘《そう》の船がその白い帆に陽光をいっぱいに浴びながら、スペインへ向って出帆して行った。

青春の死

フェラーラではルクレツィアが、一変した兄の身を心配していた。思いつく限りのあらゆる有力者に手紙を出し、チェーザレの釈放を歎願《たんがん》した。法王ジュリオ二世には、チェーザレをフェラーラに送ってもらいたいと頼んだ。しかし法王は、ローマのフェラーラ大使に彼女からの手紙を見せながら、エステ家にはそんな気はないだろうと言って、正式に取り上げもしなかった。その頃、当主エルコレが死の床にあったエステ家にとっても、法王の意を無視してまで受け入れられることではなかった。ルイ十二世からは、彼女にあてた親切な礼をつくした返事がとどいた。しかしもう、チェーザレを見放していた王の手紙は、女性に対する外交辞令でしかなかった。同時に法王に送られた手紙では、チェーザレをフランス領内に置く考えなど全くないことを明言した。エルコレにあてた手紙では、「あの坊主《ぼうず》の私生児など放っておけ」とさえ言っている。せめて保護者を失った幼い子供たちだけでも、自分の許《もと》に引き取りたいという彼女の願いも、書類の上ではチェーザレの子となっているインファンテ・ロマーノだけ、それもフェラーラでなく、近くのカルピの小領主の許で養育することが許されただけで、ビシェリエ公との子ロドリーゴは、バーリのイザベッラ・ダラゴーナの宮廷に送られることになった。しかしこれは、まだルクレツィアから跡継ぎを得ていなかったアルフォンソにしてみれば、無理もない処置と言わねばならないが。

このように彼女の心配も歎願も、全く誰からも相手にされなかった。若い何も知らない女のやることとしか思われなかった。事実、彼女のしたことは感情だけが走り、慎重な配慮に欠けていた。二十四歳になろうとしていたのに、ルクレツィアはあいかわらずの〝永遠の少女〟でしかなかった。

この時期、絶望していたルクレツィアをやさしく慰め力づけたのが、義姉イザベッラ・デステの夫フランチェスコ・ゴンザーガである。マントヴァの当主として、馬鹿《ばか》でもないフランチェスコは、ルクレツィアのやることなすことが幼く無駄なことはよくわかっていた。しかし、生来の暖かい心をもつ彼は、この美しい頼りなげな女が、懸命に兄の身を心配しているのに感動したのである。そしてルクレツィアも、つねに自分の近くに誰か安心してよりかかれる男、自分をやさしく包んでくれる男が必要であった。

このフランチェスコは、決して知的な優れた男ではなかったが、彼には現実の男の魅力があった。背が高く、浅黒い筋肉質のすらりとした身体《からだ》に、半開きの眼がやさしく光り、そのひしゃげた鼻は、かえって親しみを感じさせた。それでいて彼が馬に乗る姿は、その見事なマントヴァ産の馬とともに、彫刻というより美しい建築が行くようであった。彼はブドウ酒を愛した。ブドウ酒を愛する男たちが皆、女を愛するように。

この感覚的な二人が近づくのには、それほど時を必要としなかった。マントヴァとフェラーラの間は近く、義兄妹の間であれば会う機会は多い。しかしその間にも、手紙の交換は続いた。そして二人の間を連絡し手紙の交換を助けたのは、今度も詩人のストロッツィだった。手紙の中では偽名を使った。フランチェスコはグイド、ルクレツィアはバルバラ、フェラーラ公アルフォンソはカミーロ、その弟のイッポーリト枢機卿はティグリーノ、フランチェスコの妻イザベッラはレーナ、そしてストロッツィはヴィッロと。これらの手紙は、ルクレツィアからストロッツィに渡され、ストロッツィからはマントヴァに住む彼の弟に、弟からはマントヴァ宮廷に自由に出入のできるその義弟ウベルティに渡され、マントヴァ侯フランチェスコの手に渡るという経路を通った。フランチェスコからの手紙は、それとは逆の道を通ってルクレツィアにとどけられた。手紙の多くはチェーザレの件についてだったが、時折「カミーロは明日の朝にフランスに発《た》ちます」のような手紙も往復した。一五〇六年の秋、ポー河のほとりで二人が会い、フランチェスコがルクレツィアをマントヴァの城まで連れていった時から、この二人の間は、人々のひそやかな口の端《は》にものぼり始めていた。しかし二人とも、チェーザレについてという大義名分があった。そしてアルフォンソは、嫉《しっ》妬《と》を表に出す性格ではなく、イザベッラも、その自尊心から放っておいた。ただ二人を軽蔑《けいべつ》した。

フランチェスコはルクレツィアの願いを聞いてやり、法王にもスペイン王にも、自分の名でチェーザレ釈放依頼の手紙を送った。しかしそれにも良い返事がなく、気の重い日々を送っていたルクレツィアを、小おどりさせる喜びの知らせがフェラーラにとどいた。

一五〇六年十月二十五日の夜、チェーザレが、捕われていたカスティーリア地方の城からの脱走に成功したというのである。六年前、ローマのサン・ピエトロ広場で、たけり狂う雄牛を一頭一頭と倒し、最後の六頭目を、剣の峰打ちだけで打ち殺し、ローマの群衆を熱狂させたチェーザレの若い力が、ふたたび彼によみがえってきたかのようであった。逃亡後一ヵ月以上も、追手を避けて姿をくらましていた彼は、十二月三日、妻の実家ナヴァーラ王国の首都パンプローナに姿を現わした。ルクレツィアへの知らせは、そこから発せられていた。

このチェーザレの自由獲得の知らせは、彼女だけでなく、ヨーロッパ中をどよめかせた。人々は噂《うわさ》した。ナポリを足場にイタリアを狙《ねら》うスペイン王フェルディナンドが、チェーザレにその軍をまかせるつもりだとか、ヴェネツィアとの間に苦労している法王ジュリオ二世が、彼を教会軍の指揮官として迎える気だとか。しかし、法王もスペイン王もフランスのルイ十二世も、この鷹《たか》を懐《ふところ》に入れる気は少しもなかった。チェーザレは、ナヴァーラにとどまっていた。ルクレツィアにとっては、それでも十分な喜びだった。早速フランチェスコに、喜びにあふれた手紙で報告し、僧院では、神に感謝のミサをあげさせた。

一五〇七年と年も変り、ルクレツィアにも平穏な日々が過ぎていった。四月にはアルフォンソが国政を彼女にまかせ、例の旅に出ていった。その頃のある日の午後、城の一室では、ルクレツィアをかこんだ人々が雑談に花を咲かせていた。その時城門の前に、ほこりにまみれ、疲れ果てた一人のスペイン人が着いた。馬を降り、衛兵に簡単に告げた。「チェーザレ・ボルジア公が亡《な》くなられました」

それはただちにルクレツィアに知らされた。彼女は動かなかった。人々の視線の中で。そして口を開くやいなや、彼女の口から神を呪《のろ》う言葉がほとばしり出た。「私が神に近づこうとすればするほど、神は私に試練を与えなさる！　神にはよほど感謝しなければならないでしょう。こんなに始終、試練を与えてくれるわけだから」

チェーザレの従者だったそのスペイン人が呼ばれた。そして説明した。チェーザレはヴィアーナの地で、義兄たちと一緒に地方豪族の一隊と戦っていたこと。そしてどういうわけか、味方と離れ、一人だけで敵に囲まれてしまったこと。夜半すぎついに傷つき、そして死んだこと。敵は、彼の武具や武装をはいで裸にし、それを夜明けの冷たい地面に横たえたままにして逃げたこと。味方がチェーザレの遺体を発見したのは、もう朝の初めの光が、白くあたりに流れ始めた頃だったと。

ルクレツィアは黙って聞いていた。頭を少し下げた姿のまま。人々はそんな彼女を、強い精神力と分別をもっているといって感心した。しかし、ルクレツィアの苦悩と絶望は塗りこめられてしまい、もう表面に出てこなかったのだ。それからの数日、エステ家の人々も宮廷の誰も、彼女の涙を見た者はいなかった。いつもと同じ生活が続けられた。昼間は、夫の残していった国政をみたりして。しかし、夜になると、灯の暗い彼女の部屋から、スペイン語のヴァレンシア方言で一人つぶやく彼女の声が、近くの部屋の女官たちにも聞えた。

十二年の歳月が流れた。ルクレツィアは、三十九歳になっていた。エステ家に嫁いできてからでも、すでに十八年間が過ぎようとしていた。子供たちも、三人の男の子を早く亡くした他は、四人の子供たちは元気に育っていた。長男のエルコレ二世は、後にフランス王の息女と結婚し、二男のイッポーリトも枢機卿となり、今もローマ郊外のティヴォリに残る、数々の見事な噴水で有名なヴィラ・デステを建てる。

しかし、ボルジアの家系の方は淋《さび》しかった。父アレッサンドロ六世と兄チェーザレの死後、一五一二年には、ビシェリエ公との間の子、小公爵《しょうこうしゃく》ロドリーゴも、十三歳でその養育先のバーリで死んだ。ルクレツィアは、フェラーラへ嫁ぐ日、まだ赤ん坊の息子を寝入っているままにして別れて以来、二度と会っていなかった。一年ごとに寸法を少しずつ大きくした子供服を、もうバーリに送る必要もなくなった。その四年後には、末の弟のホフレも、つねに陰にかくれた田舎貴族のままの一生をナポリで終えた。翌年には、母のヴァノッツァもローマで死んだ。残っているのは、スペインにいる死んだ兄ホアンの家族と、フランスで成長したチェーザレの娘の他は、ルクレツィアがフェラーラに引き取った庶子たちだけだった。その中の誰一人として、輝かしい父や兄の面影を伝えている者はいなかった。

チェーザレ・ボルジア。ルクレツィアに、その不幸のほとんどすべてをもたらしたといってもよい兄。しかし、彼女はそれを恨みに思うどころか、かえって誰よりも愛し、頼りにしていた兄。その兄の死後初めて、彼女は平和な時をもつことができたかに見える。この時期にフェラーラは、ローマとの間に苦しい戦いをもったが、当主夫人としての彼女は何もしなかったし、またする必要もなかった。夫アルフォンソという、大樹の陰にいればよかったのだ。二人の前夫に比べて、人間として格段の相違のあったアルフォンソの器量《ヴィルトウ》と、妻である彼女への愛のためであった。ルクレツィアは、もう恋人を作らない。この十二年の間に、彼女は次々と五人の子供を産んだ。

しかし、悲劇的であったにせよ、ルクレツィアがほんとうの意味で生きたのは、父法王の即位から始まり、兄チェーザレの死に至る十五年間だけであったといってもよいだろう。彼女は、ボルジアの名とともに生きた。ボルジア家の栄光、そしてその崩壊とからみ合いながら。ボルジアの名が崩れ去った時、彼女の人生も終ったのである。それ以後の彼女は、もうルクレツィア・ボルジアではない。善良でやさしい妻、ルクレツィア・デステでしかない。

その年、一五一九年の初め、ルクレツィアの健康はひどく悪かった。彼女は十度目の妊娠にあった。マントヴァでも、長くフランス病をわずらっていたフランチェスコ・ゴンザーガの状態が絶望的だった。そして三月、ルクレツィアが昔、「私はあなたが好きです。なぜならあなたは秘密の人だから」と手紙に書いた男も土になった。

六月十四日、彼女は、七ヵ月の女子を早産した。弱そうなこの未熟児は、永く生きそうだとは誰にも思えなかった。洗礼はすぐと決められた。その夜、暗い灯の下、生まれたばかりの赤ん坊は、イザベッラ・マリーアと名づけられた。

しかし、母親のルクレツィアの方は、横たわったままだった。次の日も頭痛がひどく、高熱は彼女を焼いた。あの美しかった長い金髪は、じゃまになるので、病床についた初めから短く切られてしまっていた。両手を硬直させ、頭を後ろにのけぞらせて苦しむ彼女の顔には、もう色がなかった。そのうちに、鼻から血があふれ出した。間を置いてこの状態をくり返しながら、一週間が過ぎた。彼女の、苦しみの中にも生きる努力をしている様子は、傍目にもわかった。医師の忠告には、どんなことにも素直に従った。薬も、無理にも飲もうとした。アルフォンソは、そんな妻のかたわらに付きっきりだった。しかし、手を取って力づけるでもなく、彼は、病室の中をいらいらと歩きまわるだけだった。誰かが政務の相談にでも来ると、怒鳴りつけて追い返してしまった。

六月二十二日、もう誰の目にも絶望的と見えたのに、彼女は濃いスープを一杯飲み、そして、法王に手紙を書きたいと言った。死期を悟った彼女の今の心配は、たび重なる法王庁とエステ家との間の不和であったのだ。

ローマでは、フェラーラ大使がレオーネ十世と会っていた。「法王猊下《サンテイタ》――と彼は言った――公爵夫人は健康がひどく悪く、この手紙を自筆で書けなかったことをわびておられます」。法王の心の中には、昔、ピサの大学で同窓だったチェーザレが、その後のボルジア家の栄光と没落が浮んでいたのかもしれない。彼は、ルクレツィアの手紙を読み始めた。

「私は、二ヵ月前からひどい懐妊期間を過ごしてまいりましたが、神のお助けで、十四日の明け方に娘を得ることができました。これで私の健康も回復するだろうと願っておりましたのに、それどころか悪くなるばかりでございます。すでに、われわれの創造者は、私に娘という贈物をお与えになったことです。私は自らの人生の終りを知り、数時間後には、もうその外にいるであろうと感じております。

懺悔《ざんげ》も聖餐《せいさん》も終えました今、キリスト教者の一人として、たとえ罪深い身であっても、法王猊下《げいか》に哀願しとうございます。猊下の御慈悲をもって、私の貧しい心に精神の宝をお与え下さるため、猊下の聖なる祝福とともに、私のために神への取りなしのお祈りをして下さることを。そして、後に残していかねばならない私の夫と子供たちに、神の御加護とともに、猊下の心広い御慈愛をお与え下さいますように……」

読み終った法王は、だまって十字を切り、祝福の身振りをした。

二日後、ルクレツィアはおだやかだった。しかし、意識はもうなかった。その夜、彼女は小さく溜息《ためいき》をもらし、そして死んだ。

臨終のルクレツィアから、これほどまでに夫と子供たちを頼まれたにもかかわらず、それから二年たつかたたないうちに、法王は、フェラーラに宣戦布告をする。彼女のしたことは、またしても無駄に終った。

第三章

カテリーナ・スフォルツァ

「La virago d'Italia」

（イタリアの女傑）

ロレンツォ・ディ・クレディ画。フォルリ市立美術館蔵

カテリーナ・スフォルツァ系図

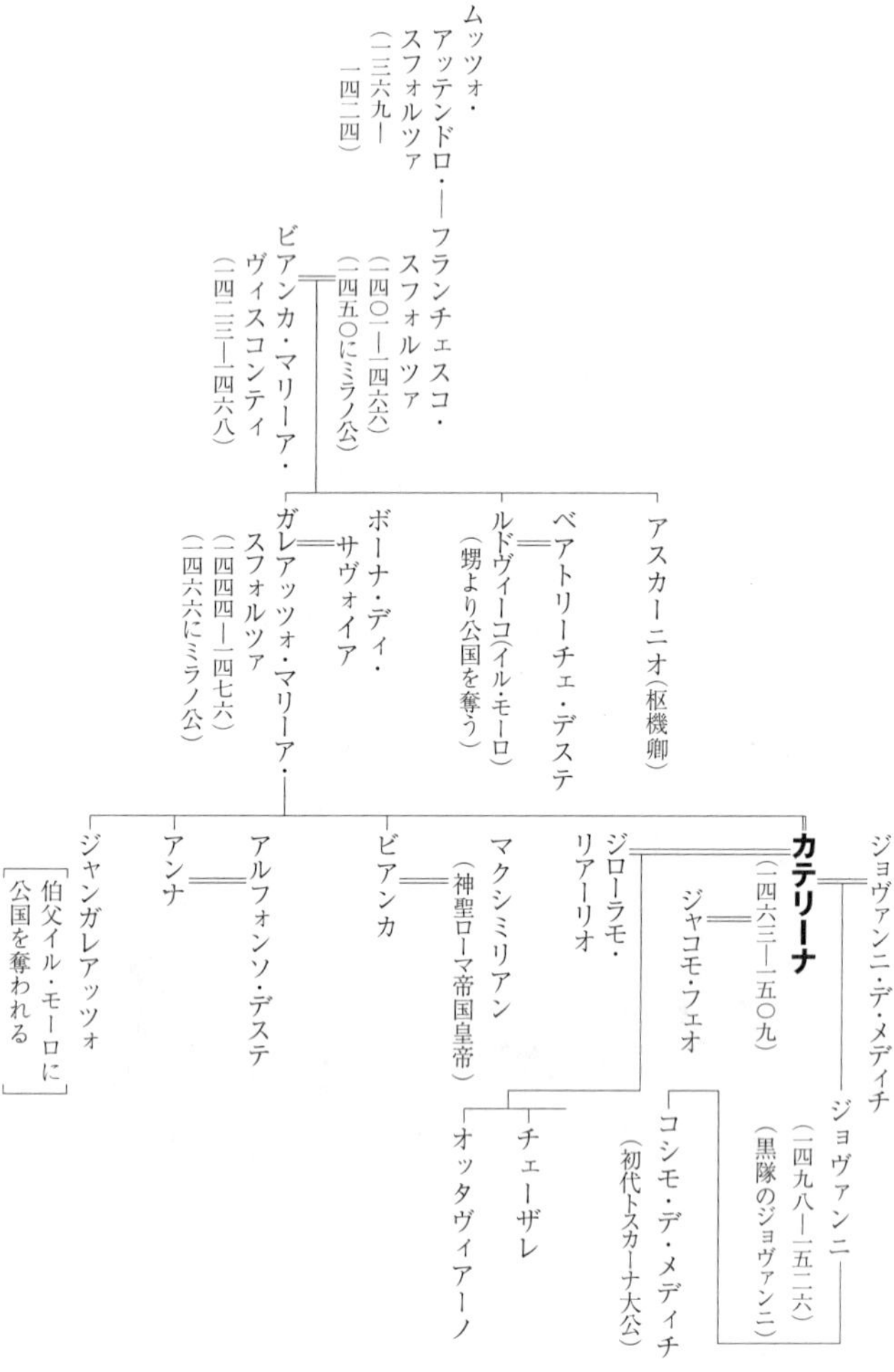
ムッツォ・アッテンドロ・スフォルツァ（一三六九―一四二四）
フランチェスコ・スフォルツァ（一四〇一―一四六六）（一四五〇にミラノ公）
ビアンカ・マリーア・ヴィスコンティ（一四二三―一四六八）
アスカーニオ（枢機卿）
ベアトリーチェ・デステ
ルドヴィーコ（イル・モーロ）（甥より公国を奪う）
ボーナ・ディ・サヴォイア
ガレアッツォ・マリーア・スフォルツァ（一四四四―一四七六）（一四六六にミラノ公）
ジョヴァンニ・デ・メディチ
カテリーナ（一四六三―一五〇九）
ジャコモ・フェオ
ジローラモ・リアーリオ
マクシミリアン（神聖ローマ帝国皇帝）
ビアンカ
アルフォンソ・デステ
アンナ
ジャンガレアッツォ
［伯父イル・モーロに公国を奪われる］
ジョヴァンニ（一四九八―一五二六）（黒隊のジョヴァンニ）
コシモ・デ・メディチ（初代トスカーナ大公）
チェーザレ
オッタヴィアーノ

序

この悲嘆にくれた女の話をお聞き
　フォルリのカテリーナの話を。
私は自分の国で戦いをしている
助けもなく誰からも捨てられて。
この私のために
武装して馬を駆り、勇気を示した
一人の君侯も知らない。
全世界は驚いた。
「フランス」と呼ぶ鬨《とき》の声を聞いて
イタリアの力は
全く地に落ちたのだ。

この悲嘆にくれた女の話をお聞き
　フォルリのカテリーナの話を。

私はこの城塞《じようさい》にとどまった。
糧秣《りようまつ》と大砲、金貨
そして多くの兵と共に。
私のほかには
誰がこの城塞の城代でありえよう。
聖油式に誓う。
自分以外の誰も信じないことを。
裏切られたくないのだから。
　この悲嘆にくれた女の話をお聞き
　フォルリのカテリーナの話を。

もしあの法王の息子の
ヴァレンティーノ公爵《こうしやく》（チェーザレ・ボルジア）が

これから後もフォルリにとどまる気なら
左官屋にでも職を変えた方がよいだろう。
街を全《すべ》て新しく作り直すために。
私が怒り狂う時は
徹底的な破壊をするだろうから。
　この悲嘆にくれた女の話をお聞き
　フォルリのカテリーナの話を。
（十六世紀初頭のロマーニャ地方の小唄《こうた》「カテリーナ・スフォルツァの哀歌」より）

　外城壁はすでに破壊されていた。敵兵は、外城壁と内側の城塞との間の堀に渡された二つの柵《さく》を越え、多くの薪束《まきたば》によって急造された橋を渡って、内城壁をまるでくもの子のようによじ登り始めていた。

　城塞の中には、まだ二千の守備軍がいるはずであった。しかし、城壁にくいついた攻撃軍に対して、当然集中するはずの彼らからの砲火は、まれにしか発せられない。

その間にも攻撃軍の一人は、四つの塔の内の一つの屋根にまでよじ登り、ついに旗を奪い取るのに成功した。これを見て攻撃軍は奮い立った。勢いづいた彼らは、城塞の中になだれこんで行った。

一ヵ月近くにもわたった籠城《ろうじょう》を耐えぬいた守備軍が、なぜこうも簡単に敵の侵入を許したのか。城塞の当主、伯爵夫人カテリーナ・スフォルツァは、その原因も不確かなままに、それでも敵の侵入路近くにある爆薬に火をつけることを命じた。爆破によって、敵の侵入をくい止めようとしたのである。しかし彼女の命令は達成されなかった。城塞の四つの塔の内の、二つを守っていた隊長が裏切ったからなのだ。彼ら二人と、二千の守備軍の大半を占めていた傭兵《ようへい》、金で傭《やと》われた、そのために勝ち目のある戦いの時には勇気を奮うが、落ち目になれば、もう自分の持ち兵たちのことしか考えない傭兵隊長との間で、女主人裏切りの了解が成り立っていたのである。

自分の命令に沈黙を守るだけの隊長たちを見て、カテリーナは、はじめて事態を悟った。それまで彼女は城壁の上で、鉄の胸甲の上にくすんだ黄色の服をつけ、抜き身の剣を手に、二、三度彼女のそばに落ちた砲丸にも一歩もしりぞこうとせずに守備軍を叱咤《しった》激励していた。

しかし、情勢は絶望的だった。今では大半の兵を失った彼女は、わずかの手勢を身近に持つだけだった。城壁の上では無防備も同然である。彼女は城塞の中、四つの小塔の中心に位置する大塔に籠《こも》って、最後の絶望的な防衛を続ける決心をした。

抜き身の剣を手にしたまま、黄色の服が、塔の螺《ら》旋《せん》状の階段を駆《か》け登った。少数の兵たちが後に続いた。だが、黒い鉄の甲冑《かっちゅう》の群れの中の黄色は、守備軍の黙認の中を城塞になだれこんできた、敵兵たちの眼を集中させずにはおかなかった。敵はどっと中心の塔の入口に押し寄せた。扉を閉める間もなかった。狭い五十センチ幅ほどの、窓もない螺旋状の階段は地獄と化した。伯爵夫人を守って、階段から敵を蹴《け》落《おと》そうとする味方の兵たちと、下から洪水のように押し上げてくる敵との間での白兵戦はすさまじかった。斬《き》り合いは、倒れ、死んでいく兵たちのからだの上で行われた。もはや、敵か味方かの区別さえもなかった。傷ついた兵の上に、一撃で倒された別の兵の死体が折り重なった。断末魔のうめき声と武具のぶつかり合う音が、塔全体にこだました。

しかし、敵兵はいくら倒しても後を断たなかった。しら

15世紀半ばにミラノで作られた甲冑

ずしらずのうちに、味方は階段の上に上にと押し上げられはじめていた。二階はもう敵の手に落ちていた。塔の最上階にまで後退せざるを得なかった。そして自らも敵兵と斬り合い、手傷を負ったカテリーナにとって、今や逃げのびる手段はもとより、ここを守りきる望みさえ立たなかった。彼女は、爆薬庫に火をつけることを命じた。それでも、塔もろとも木ッ端微塵《こっぱみじん》になることを考えるほど、彼女はまだ絶望しきっていたのではなかった。爆薬庫のまわりの薪束の燃えている間に、敵が爆発を怖《おそ》れて塔から逃げ出すことをねがっていたのだった。その時こそ敵から逃げのびる手もあると。

しかし、彼女の計算ははずれた。薪束の燃える煙が、階段の上にはいのぼってきた。階上は煙に包まれてしまった。その間に敵は爆薬に火がとどくまえに、それを消してしまったのである。煙に包まれた味方は、全く戦意を失った。

この時、裏切った隊長の一人、ジョヴァンニ・ダ・カザーレは、自分の一隊が守っていた塔の上に、カテリーナの命令もないのに、白旗をあげた。槍《やり》の先に結びつけられた旗が、夕闇《ゆうやみ》の空にほの白く浮んだ。

攻撃軍の総司令官ヴァレンティーノ公爵チェーザレ・ボルジアは、自軍の城塞侵入が成功し始めた時、城塞から誰一人逃げ出せないように軍を配置しておいてから、余裕を見せて陣を離れ、町に帰っていた。しかし城塞の一郭から白旗が上ったのを見、頃はよしと馬を駆って堀の端まで戻って来た。従者がラッパをふき、伯爵夫人と話したいというチェーザレの意向を告げる声がひびいた。塔の最上階の小窓に、伯爵夫人が姿を見せた。チェーザレは馬の上から彼女に向って、丁重に、もうこれ以上の流血惨事を避けるため城塞を明け渡してくれるよう、城塞のあげ橋を降ろしてくれるようにといった。カテリーナは無言だった。ちょうどその時、彼女の背後に攻撃軍の中の二人のフランス人の隊長が迫っていた。それを知った彼女の抵抗はもう弱かった。

夜半過ぎ、たいまつの火に道を照らさせて、総司令官チェーザレとフランス軍の司令官イヴ・ダレグレが、城塞の中に入っていった。戦いは終っていた。しかし、四百五十、フランス側では七百と伝えられた死者は、まだそこら中に放置されたままだった。その間をぬってチェーザレは、まっすぐに塔の中の一室に入った。そこには、カテリーナが何人かの側近と女官たちに囲まれて立っていた。彼女に近づいたチェーザレは、勝者のおごりも敗者への軽蔑《けいべつ》もなく、丁重な物腰でただ簡単に、彼女を捕虜にする旨《むね》を告げた。カテリーナは何も言わなかった。

しばらくして、傷を負って弱ったそのからだを、チェーザレとダレグレに両側から支えられながら、カテリーナは城塞を出た。崩れ果てた城塞の中、横たわる死者の間をぬって歩きながら、彼女は全くの無表情だった。一五〇〇年、一月十二日の夜のことである。伯爵夫人カテリーナ・スフォルツァは、この時三十七歳になっていた。

時の法王アレッサンドロ六世の子として教会勢力を背景に、あらたに親族となったフランス王ルイ十二世の全面的な後援を得て、旭日昇天《きよくじつ》の勢いだった当時のヴァレンティーノ公爵チェーザレ・ボルジアの前に、ただ一人立ちはだかったのが、このフォルリの伯爵夫人カテリーナ・スフォルツァである。今敗れ去ったとはいえ、全イタリアの男たちが、チェーザレの前に何のなすすべもなく屈服したというのに、女でありながら彼女の勇気は、イタリア中の賞讃《しようさん》をほしいままにした。マキアヴェッリによれば、当時、彼女を讃《たた》えた小唄が数多く作られ、巷《ちまた》で唄われたという。しかし、現代まで残ったのは、冒頭にあげた「カテリーナ・スフォルツァの哀歌」しかない。このカテリーナに拍手を惜しまなかったのは、何もイタリア人だけではなかった。とくに、美しくてしかも勇気のある女を尊敬するという騎士道精神の、自分たちこそ真の後継者と思いこんで疑わなかったフランス人は、このイタリアでも最高に美しい女の一人といわれたカテリーナ・スフォルツァの、しかも自分たちに向って示された勇敢さに全く魅了されてしまった。最も手こずらされ犠牲も大きかっただけに、賞讃を越えて魅せられてしまったのである。

このフランス人たちにとって、勝者となったチェーザレのやり方は我慢がならなかった。二つのことから、その彼らの対ボルジアの不満は爆発した。まず第一は、チェーザレがカテリーナを城塞からそのまま自分の宿舎に連れて行き、しかもその夜と次の日の一日中、自分の部屋に彼女と二人だけで閉じこもっていたことである。敗れたもの、自由のきかないしかも女に向ってのこの行為は、彼らが信条とする騎士道精神を冒瀆《ぼうとく》するものであった。全イタリアの世論も、このチェーザレの行為を非難した。「哀れな伯爵夫人は、自らの誇りまでも傷つけられた」と。しかしこれらを問題にしなかったのは、当のチェーザレである。欲する女は、たとえ他人のものであっても奪い取って自分のものにする彼には、騎士道精神など笑止の沙汰《さた》であった。自分より十二も年上の、成熟した美しさを誇る、しかも初めから彼に対して軽蔑の態度をあらわに示しさえしたこの女を、どうしても自分のものにしたかっただけである。そして実行した。「城塞の守備軍のすべてが彼女ほどの勇気を持っていたら、城塞は落ちなかったかもしれない」とマントヴァ大使に語ったチェーザレも、実はカテリーナに魅了された一人である。けれどその魅了のされ方が違っていた。彼は、女には魅了されても、尊重することなど考えもしない男であった。カテリーナ自身が、これにどんな反応を示したかは伝えられていない。このチェーザレの行為を非難しこれらの記録を残したのは、みな男である。しかし、女は、彼らが考えるほど単純にはできていない。

チェーザレによって彼の部屋に閉じこめられ、余人は中に入れないという状態に置かれたカテリーナに対してのフランス兵たちの同情は、チェーザレへの不満とともに高まった。隊長のダレグレが、その急先鋒《きゅうせんぽう》であった。彼は、伯爵夫人はフランス兵によって捕虜になったのだから、彼女の身柄は当然フランス王のもとに置かれるはずである。そして戦時下では、女は捕虜にできないというフランスの法によって、彼女はボルジアの捕虜ではないと主張した。しかし、父法王から初めに殺せと、すぐ次いで、捕えてローマに連行せよとの命令を受けていたチェーザレには、この主張に同意する気などなかった。チェーザレとダレグレとの間で話し合いが続けられた。そしてようやく出た結論は、伯爵夫人カテリーナ・スフォルツァはフランス王の捕虜として、法王ボルジアに預けられるというものであった。

フランス兵たちの第二の不満は、賞金の件についてであった。城塞《じようさい》攻撃が予期しない強い反撃を受けていた頃、チェーザレは、伯爵夫人を生きたまま捕えた者には、一万ドゥカートの賞金を与えると布告した。しかしカテリーナを直接に捕えた二人のフランス隊長たちに、チェーザレは、合計二万ドゥカートに対して、その一割を与えたにすぎなかった。隊長たちは全額を要求した。約束どおり全額を与えられない時は、カテリーナを殺すとまでいった。これに対してチェーザレは、伯爵夫人を城塞の落ちる最後まで捕えられなかったとして、四千ドゥカート以上は一歩もゆずらなかった。しかし、これでも大金である。隊長たちはこの額を受け入れた。これはフランス王に帰属するということで、フランス法の適用によって捕われの身を免れることができたかもしれないカテリーナにとっては、最後の頼みの綱がたち切られたことを意味した。マキアヴェッリは、後にこう書き残している。

「伯爵夫人は、四千ドゥカートでフランスからヴァレンティーノ公に売られた」と。

陥落したフォルリ、イーモラの総督として、スペイン人のゴンザーロ・デ・ミラフエンテスを任命したチェーザレは、その一万五千の全軍とともに、一月二十三日、ローマへ向うためフォルリを出発した。その日の朝、まだ靄《もや》のたちこめる中を朝の光がうっすらとただよう時刻だった。人々は一行の通る広場に集まっていた。自分たちの領主であった、そして今は捕われの身のカテリーナを見ようとして。彼女は黒い繻子《しゅす》の服を着け、黒いヴェールを頭からかけて、白い馬を歩ませて来た。チェーザレとダレグレが馬で、その彼女を両側からはさむようにしていた。彼女のうしろには老僕二人と女官二人が、それぞれ馬で従っていた。以前からカテリーナを憎み、彼女が対チエーザレの防衛に立ち上った時も彼女に従うことを拒否したフォルリの市民たちも、女主人のこの変り果てた姿には、同情するというより感動してしまった。民衆というものは、いつでも無責任なものなのだ。それでもカテリーナは、彼らの呼び声にいちいち眼をうるませながら挨拶《あいさつ》を返していった。「フォルリの夫人」といわれ、夫リアーリオの死後十二年間、この国に君臨してきた彼女は、今すべてを失った。百年前、ロマーニャの田舎豪族から身を起し、武人としての素晴らしい歴史に輝き、ついにミラノ公国の当主として権力を自由自在にしたスフォルツァ家の精神は、このカテリーナをもって終る。数ヵ月後、彼女の伯父ミラノ公爵イル・モーロも、その最後の勝負を失った。ミラノ公国は、蛇と綿の花のスフォルツァ家の紋章から、百合《ゆり》の花のフランス王家の紋章に代ったのである。

「私に恐怖を感じさせるには、私の心臓がよほど強く動悸《どうき》を打たねばなりません」ロレンツォ・デ・メディチにこう書き送ったカテリーナは、イタリア・ルネサンス最高の、美しく残忍な女といわれる。後に、チェーザレ・ボルジアに対しても「私は怖れを知らなかった男の娘です」といっている。彼女の中には、スフォルツァ家、剣をもってのし上ったスフォルツァ家の血が、強く生き続けていた。

今日では、男性的心情をもつ女に対しての評価は、ひどく厳しい。大胆で勇敢な女は、女傑とか女丈夫とか、ひどくいかがわしい調子で呼ばれる。しかし当時は、これらの言葉さえも、決して軽蔑を含んだものではなく、かえって讃嘆の言葉であった。カテリーナは、「イタリアの女傑《ラ・ヴィラーゴ・ディターリア》」といわれていた。美しく残忍な女、大胆な女は、当時の男たちの眼には、男の征服欲をそそる魅力的な女と映ったのだろう。

このカテリーナの人気は絶大だった。当時のフォルリの街には、今日のブロマイド屋のように彼女の肖像画をやたらに複製しては売る店が相当あり、肖像画はとぶような売れゆきだったという。彼女のもとにフィレンツェ特使としてフォルリに来たマキアヴェッリも、友人から、伯爵夫人の肖像画を買って、なるべく速い便で送ってくれと頼まれたりしている。

しかし、彼女のこれほどの人気も、女の身で男もかなわぬ敵に対して、一歩も退《ひ》かなかったその勇気にあった。とくに、夫の暗殺者たちの手から抜け出し、国をふたたび自分の手に入れた時や、一代の英雄チェーザレ・ボルジアと対決した時の大胆さは、歴史上のヒロインとしての資格が十分にあったことを示している。

それにしても「イタリア第一の女《プリマ・ドンナ・ディターリア》」という彼女に対しての評判には、少々疑問を感じなくもない。もちろん、カテリーナ・スフォルツァほど、当時の政治の表面にいた女はいないし、フォルリとイーモラを、あの困難な時代に、少なくとも夫の死後十二年間は護《まも》りぬいた。しかし、彼女の君主としての政治的才能は、イザベッラ・デステに一歩を譲らねばならない。イザベッラの場合、平凡だがそれほど不出来な君主でなかった夫が、少しばかり長く生き続けた。彼女の政治的才能を発揮する機会が、カテリーナほど恵まれなかったということになる。

しかし、この二人のイタリア・ルネサンス最高の女たちの政治にも、女の限界があったことは認めねばならない。マントヴァ、フェラーラ二国だけの安全を守ることのみを考えたイザベッラ。フォルリ、イーモラを守るため、時代の新しい流れを見通せず、無謀にもチェーザレに立ち向かったカテリーナ。彼女たちを、当時の最高の男たち、ロレンツォ・デ・メディチ、イル・モーロ、アレッサンドロ六世、チェーザレ・ボルジア、ジュリオ二世らの、善悪の彼岸を行く壮大な政治と比べてみれば、ルネサンスという時代が、いかに男の時代であったかがわかるであろう。歴史には、男の時代と女の時代がある。ルネサンスの女たちは、男の時代に生きた女たちであった。

それにしても、イザベッラの、血を流さない政治にみられる「ライオンと狐《きつね》の結合」（マキアヴェッリ）の成熟さは、カテリーナにはない。彼女は、狐であるよりも、よりライオンであった。この点でも、またその生涯の悲劇的な終り方でも、彼女には、彼女の最大の敵となったチェーザレ・ボルジアとの共通点がみられる。そしてチェーザレもそうであったように、こういう型の人間が人々の心を揺り動かすものである。なぜならば人々は、彼らの中に、永遠の青春を見出《みいだ》すのだから。青春は美しい。とくにそれが、むやみと感傷的に浪費されるのとは違い、現実に足をふまえ、冷徹な精神とともに大胆に発揮された時にはなおのこと。

そのうえ、カテリーナは美しかった。そして、より美しくなろうと努力もした。すらりとした身体《からだ》の線を保つために、食事のとり方にも注意していた。同時代の女たちの中で、その教養の深さとともに、美しさでも評判だったイザベッラ・デステが、少々太り気味のふくよかな女だったのを評して、「マントヴァ侯爵夫人は、あんなに太っていてよく平気でいられる」といっていたという。

また一五一五年、カテリーナの死後六年して、側近の一人であったルカントニオ・クッパーノ伯が整理した、カテリーナ夫人の〝美しくなるための処方箋《しょほうせん》〟というのが残っている。この人物は、彼女の末子であり、イタリア・ルネサンス最後の武人といわれた「黒隊のジョヴァンニ《ジョヴァンニ・ダツレ・バンデ・ネーレ》」の部下でもあった。サッコ・ディ・ローマの時、怒濤《どとう》のごとく南下してきたドイツ・スペイン軍に立ち向った唯一《ゆいいつ》のイタリアの武人、この「黒隊のジョヴァンニ」を、詩人タッソーは、〝イタリアの剣、盾、そして誇り〟と讃えたものである。クッパーノ伯が整理したこの処方箋から、そのいくつかを拾い出せば、次のような事柄が見出せる。

まず、肌を白く美しくなめらかにするには――新鮮な卵の白味を煮て、それをこした湯で洗顔する。顔のしみを取るには――さぎのふんをみじん切りにし、ブドウ酒で煮、こした湯で洗顔する。眼の疲れを取るには――川魚の脂《あぶら》を陽にさらし、それを蜂《はち》蜜《みつ》とまぜたものを眼のまわりに塗る。髪をより早く長くするには――クローバーの葉も根もくさらせたものをぬかとともに煮、それに水と酢をまぜ、こした水で髪を洗う。手を美しくするには――苦いアーモンドの実をよく洗い、みじん切りにし、一晩水につけておく。後、水を捨て、白芥子《しろからし》二個とサラセン芥子四個をみじん切りにし、それらに生クリームをまぜ、手や指に塗り、火にゆっくりとあてる。赤い水分が出て、残りが白いねんど状になるまで火にあて、冷やした後に洗い落す。……このためかどうかカテリーナの手の美しさは評判であった。こういう調子で、美容、健康など、また堕胎法まで、こまかく記してある。

しかし、この処方箋こそ、パリの宮廷を初めとして、全ヨーロッパ社交界に広まったものであった。なぜならば、カテリーナの第三の結婚によって、彼女の親族ともなったカテリーナ・デ・メディチ、すなわち、後にフランスで、あのサン・バルテルミーの大虐殺《だいぎゃくさつ》をやってのけるカトリーヌ・ド・メディシスによって、この処方箋はフランス宮廷にもたらされ、パリから全ヨーロッパの宮廷や社交界に広まった。カテリーナのおしゃれは、多年にわたって、全ヨーロッパの貴婦人に影響をあたえたのである。このように当時の貴婦人たちの流行の先駆者となっただけでなく、創始者でもあったカテリーナの美しさは、多くの男たちの眼をひきつけずにはおかなかった。ローマに来るフォルリの使節たちが法王に謁見《えっけん》するたびに、法王アレッサンドロ六世は、彼らにまず聞いたという。「さて、伯爵夫人はいまだに美しいかね」と。美しく勇気のある大胆な女への讃美は、真の男たちが生きているかぎり続くのかもしれない。

野武士の中から

壁掛けもないむき出しの壁と、小さく切られた窓だけのだだっ広い部屋。大きな木のテーブルの上には、質素なしかし多量の食物とブドウ酒が所せましと並べられ、食事時に帰って来た男たちが武器を投げ出したまま思い思いの場所に坐《すわ》り、それぞれ勝手に皿を引き寄せ食べ始める。二、三十人もの喧騒《けんそう》をきわめた食事が終ると、満腹した男たちは、簡単に仕切られただけの、間に扉もない大部屋のあちこちに置かれた、カヴァーもないベッドに、衣服も脱がずにそのまま倒れ、正体もなく寝入ってしまう。中には豚の脚に食いついていた時から、給仕する女たちの動きにつれて眼を動かしていた男たちが、満腹するやいなや、女たちをいやおうなくベッドの上に押し倒して別の方も満腹させてしまうことさえある。まだ食事を終らない他の男たちの豪快な笑声と、丸焼きの豚の脂《あぶら》をじゅうじゅうさせている火と、それを受けて光るこれだけは十分に手入れがほどこされた武具の鈍い光沢の中で、それは当然のことのようにくり返された。〝ロ・スフォルツォ〟(何ごとも成し遂げる者)。後にこう綽名《あだな》され、最後には姓となり、スフォルツァ家と呼ばれることになるアッテンドロ一族の、これが日常の生活であった。カテリーナが敗れ去った、一五〇〇年のチェーザレとの戦闘に先立つことおよそ百年前の話である。当時、ロマーニャ地方の片田舎コティニョーラの豪族アッテンドロ一族は、この中世的な粗野で豪快な、近隣との絶えざるいさかいのため、百姓仕事をしている時さえも武器を手許《てもと》から離さないという日常の中で、荒々しく養育された。このような環境の中では、女たちさえも武張《ぶば》って育つのは当然である。コティニョーラ地方の仇敵《きゅうてき》パゾリーニ一族との日常茶飯事の争いには、女たちさえも武器をとった。絶え間なく子を妊《はら》みながらも。

十四世紀の後半、イタリアでは傭兵《ようへい》隊長、野武士の頭目、地方の豪族が、その出生などには無関係に力を発揮し、それによって国家を形成しつつあった。初めはアルプスの北から来た外国人主体だったが、すぐ続いてイタリア人がとってかわった。この時代はどんな者にも、富と権力の無限の可能性が開かれていたのである。

一三八二年のある夕べのことだった。アッテンドロ家の一人ジャコモが、いつものように畑をたがやしていると、遠くから笛と太鼓の音が聞えてきた。そして、「百姓たちよ、くわを捨てわれわれとともに来よ、運を見出《みいだ》すためくわを捨てよ」という声がひびいてきた。それは有名な傭兵隊長ボルドリーノ・ダ・パニカーレの兵たちだった。彼らのうしろには、もう何人かのくわを捨てる気になった百姓たちが従っていた。〃ムッツォ〃と呼ばれたジャコモは、これを聞いて考えた。そして、くわをそばの樫《かし》の木の上に投げ、もし落ちてきたら今まで通り百姓を、木の上に留まっていたらくわを捨てて、彼らにつづこうと心に決めた。くわは、樫の木の上に留まったままだった。ムッツォはひそかに家に帰り、父親の馬を一頭盗み出し、そのまま彼らの一隊の後を追った。彼はその時十三歳になったばかりだった。

二年後、隊長スコルッチオの小姓をしていたムッツォは、コティニョーラに帰り、父親から今度は盗むこともなく、四頭の馬と武具をもらい、二十人もいた兄弟たちを引きつれて、ふたたびコティニョーラを後にした。戦いのあるところへ、要は運の待っているところへ向って。

十数年後、この半分百姓の、毛むくじゃらの太いごつごつした手、青い眼と、わし鼻の武骨な顔、始終かぶとを着けるのに便利なように短く切られた髪とひげのムッツォは、ロ・スフォルツァ（何ごとも成し遂げる者）と綽名されるほどになっていた。傭兵隊長としての彼の値は、ミラノとフィレンツェが、互いに張り合うほどに高くなっていた。四人の法王、四人の王と戦った。

軍人としての優秀な才能とともに、彼は百姓のずるさをも持っていた。数字は書けなかったが、兵たちの給料の支払いは間違えたことはなく、また遅れたこともなかった。この金銭についての手堅さは銀行家たちを信用させた。彼自身の財産はともかく、戦いに負けた時にも貸してくれる者はいっぱいいた。兵士たちに対しては、それぞれの名を皆おぼえていて、注意を忘れなかったことと、厳しいが公正な待遇とによって人望をかち得ていた。

文字は書けなかったが、署名だけは一時捕虜になっていた時に牢《ろう》の中で習ったので、幼稚な字であったが自分でした。それでも古代ギリシアとローマの歴史は彼の情熱の一つで、自分のためにイタリア語に翻訳させて勉強した。秘書は僧侶《そうりょ》しか傭《やと》わなかった。僧侶は宗教上の理由で、どこにもいつでも自由に出入りできたことから、スパイとしても使えたのだ。

結婚は、彼にとっては戦いに勝つことと同じく、成功への道の一つであった。五人の子までもうけた妾《めかけ》のルチーアと結婚せず、五十歳になってようやくナポリ王の未亡人ジョヴァンナと結婚した。

しかしその生涯の終りはすぐにやってきた。五年後戦場で、大雨で水量の増したペスカーラの河を渡る途中、流されようとする小姓を助けようとし、手をその方にのばした時、彼自身の重い甲冑《かっちゅう》が馬に重心を失わせ、そのまま河に落ち流された。このムッツォ・スフォルツァが、カテリーナの曾祖父《そうそふ》である。

ミラノ城の塔

四分の一世紀が過ぎた。田舎百姓武士でもその腕の力だけを頼りに、一国の主にのし上れる時代は過ぎ去ろうとしていた。〝幸運の女神の夫〟と自ら称した、有名な傭兵隊長ピッチニーノの死を境にして。普通ならば〝幸運の女神の寵児《ちょうじ》〟ぐらいでおさえておくところであろう。後に、幸運の神は女神なのだから、それを手に入れようと思ったら、女を手に入れると同じく支配しなければならない、といったのはマキアヴェッリである。

十五世紀後半のイタリアは、ようやく列強の間で均衡が成り立ち始め、もう新しい傭兵隊長国家の誕生を、そう簡単には許さない状態になっていた。その中で、ムッツォの息子フランチェスコ・スフォルツァ一人が、幸運と彼自身の才能を慎重に使ってミラノ公国を手に入れる。一四四一年、四十歳の時ミラノ共和国の事実上の当主、フィリッポ・マリーア・ヴィスコンティの庶出の娘、ビアンカ・マリーアと結婚した。そして一四四八年、ヴィスコンティの死後一度は、ヴェネツィア共和国に対したが、すぐに寝返り、その後押しでミラノ共和国軍の傭兵隊長として、ヴィスコンティの正妻マリーア・ディ・サヴォイアとその実家サヴォイア公家と戦い、それに勝った後、解放者のようにミラノに迎えられた。一四五〇年のことである。ミラノは彼を公爵《こうしゃく》にし、共和国から公国に代った。父親ゆずりの百姓顔は、いまだに変らなくても、フランチェスコには、もはや自信と落着きからくる君主としての威厳すら見られた。

彼こそ、マキアヴェッリやブルクハルトが指摘したように、十五世紀のイタリア・ルネサンスの心情に最も適《かな》い、それをみごとに駆使した者の典型であった。

十六年間続いたフランチェスコ・スフォルツァの治世によって、ミラノ公国はイタリア四大勢力の一つとして、その基盤を強固にしたかに思われた。

二十二歳で父親の跡を継いだ、息子のガレアッツォ・マリーア公爵のその後の十年間は、絶え間のない矛盾の連続といえる。内政にも外交にも卓越したとはいえなくても、なかなかの才腕をふるった彼も、その気まぐれな欲望に対しては、まるで舵《かじ》のない大船のようであった。一人の家臣は生きながらに箱づめにされ、死体のように埋葬されたり、他の一人は、彼の愛人と話したというだけで両手を切られたりした。「欲望と才能の力の怪物だ」と当時のフェラーラ年代記は伝えている。

ガレアッツォ・マリーア・スフォルツァ

彼は、一四五〇年来のサヴォイア公国との仲を改善するために、母親の反対を押し切って、サヴォイア家の公女ボーナと結婚した。彼はこの結婚から五人の子供たちを得たが、その他に庶出の子供たちが五人いた。嫡出《ちやくしゆつ》の子の中には、後に当主になりながら摂政である伯父のイル・モーロに政権を横取りされてしまうジャンガレアッツォと、神聖ローマ帝国皇帝マクシミリアンに嫁いだビアンカ、それにフェラーラ公アルフォンソの最初の結婚の相手となるアンナがいた。

カテリーナは一四六三年に生まれた。庶出の子の一人であった。

当時のイタリアの貴族社会では、嫡出と庶出の子の間には、ほとんど何のわけへだてもないといってよかった。ただ家督相続の場合にだけ、嫡子たちが優先した。それでも、実力のある庶子に、嫡子がとってかわられることもしばしばあった。ナポリ王のフェランテも庶子の出であったといわれる。

しかしそれよりも一層特徴的だったことは、男子と女子が全く平等な教育の機会をもっていたことである。しばしば彼らは、同じ場所で同じ教師たちから教育を受けた。女子が男子とともに、ラテン語やギリシア語の学問に親しむことを、当時の人々は至極当然なこととして受け入れていた。

カテリーナがようやく十一歳になろうとするころだった。ローマとミラノの間を、急に彼女の名が往来し始める。結婚話だった。相手は時の法王シスト四世の甥《おい》で、ローマ第一の実力者ジローラモ・リアーリオ伯爵である。もちろんこの結婚の裏にも、当時のイタリア政界特有の策謀がうずまいていた。

まずローマ側には、法王とことごとに折合の悪かった、フィレンツェ共和国の事実上の主権者、メディチ家のロレンツォ・イル・マニーフィコに対する敵愾心《てきがいしん》があった。以前からメディチ家と親密な関係をもつミラノのスフォルツァ家を、ローマ側に引き寄せること。さらに、花嫁のカテリーナが持参金の一部としてもってくるイーモラの領地は、以前からメディチ家が狙《ねら》っていた地であり、これが自分の甥のものになることによって、ロレンツォの野望をくじくこと。この二つを同時に実現できる可能性を、法王はこの結婚に見たのである。一方、スフォルツァ家には、ミラノだけでなく、その周辺のロンバルディア一帯を手に入れたいという公爵の野心があった。このためにも、法王との関係を良くしておく必要があった。婚約の成立は、簡単に終った。

しかし、結婚を前にして、スフォルツァ家にとってもカテリーナにとっても、後にまで影を引く不幸がミラノに起る。それは、二年後にフィレンツェで起るあの有名なパッツィ家の陰謀とともに、十五世紀イタリアの二大暗殺事件の一つとなった。

一四七六年の十二月も終ろうとする頃のことである。ミラノ公ガレアッツォ・マリーアは、春にはじまる戦いのためミラノを外にしていたのを、いつものようにキリスト聖誕祭を家族と共に過すため、ミラノの城へ帰ろうとしていた。ミラノに向って出発しようとした時、急便が彼の陣営に着いた。ミラノ城の彼の部屋が火災にあって燃えてしまったという報《しら》せだった。彼は何か不吉な予感がするのをどうしようもなかった。しかし公の一行は予定通り出発することになった。

北西イタリアに位置するロンバルディア地方の冬は厳しい。行列は靄《もや》につつまれた灰色のロンバルディア平野を、ゆっくりと動いていった。しばらく行った頃、三羽のカラスが公の頭上を旋回し始めた。この不吉な鳥を、従者たちは二度も追い払ったが、カラスはどうしても公の頭の上から去ろうとしなかった。それには公も嫌な気分になってしまった。彼は馬を止め、鞍《くら》の上に手を組み、進もうかそれとも引き返そうか、と迷っているようだった。しかし馬は動き始めた。前へ——公は自分の乗った馬のその動きを、強《し》いて止めようともしなかった。一行はまた動き始めた。

偶然な出来事も、何かの事件の後には、それが前兆であったように思えてくるものである。何も起らない時は、それらのことは誰にも思いだされもしないで忘れ去られてしまうのだが。しかしこのときは、ミラノ公の予感は的中した。

公暗殺の陰謀は、すでに六ヵ月前から準備されていた。それは、ミラノに雄弁術の塾を開いていたコーラ・モンターノが、塾生たちを煽動《せんどう》したことから始まる。彼は塾生たちに向って、大人物は共和制の下にしか生まれない、今のミラノのような君主制下では、良い人材はその能力を発揮できない、と強調した。そして、ミラノ公の行列が塾の前を通るたびに、僭主《せんしゅ》は一日も早く倒さねばミラノは救われない、というのが常だった。彼は古代ローマの例を引きながら、カエサルを暗殺したブルータスとカシウスを賞讃《しょうさん》した。この彼の煽動に乗ったのが、ランプニャーニ、ヴィスコンティ、オルジアーティの三人だった。公暗殺の陰謀は、この四人の間で、日に日に熱っぽく固まっていった。しかし、ミラノに自由をとの主旨を心から信じていたのは、二十二歳のオルジアーティだけだった。他の三人にとっては、公に対する私憤が、この陰謀に加担させた主な原因であった。

まず、コーラ・モンターノ。彼は以前公衆の面前で鞭打《むちう》ちの刑に処せられたことから、ミラノ公をひどく恨んでいた。アンドレア・ランプニャーニは、前公爵フランチェスコ・スフォルツァから死刑をいい渡されたのを、現公爵ガレアッツォ・マリーアによって、免罪になっていた。しかし、彼の将来はミラノにスフォルツァのいる限り何の希望も持てなかった。

他の一人カルロ・ヴィスコンティは、スフォルツァに併合された形の今のヴィスコンティ家の現状に対する不満があった。それに加えて、ミラノ公に誘惑された後で捨てられた妹に対する同情が、憤《いきどお》りとなってそれに火をつけた。

煽動するだけで実際の行動に加わろうとしないモンターノを除いた三人は、ランプニャーニの家で、この暗殺を実行に移す準備を重ねていった。まず場所の選定が重要だった。城内はその警備の万全さで、可能性が全くないということになり、狩もまた危険がともなうためにしりぞけられた。彼らが最終的に考え出したのは、公爵が確実に列席し、大群衆にまぎれて、事をうまく運べる機会といえば、教会の祭日しかないということになった。決行の時と場所は、聖《サン》ステファノの祭日、ミサの行われる聖ステファノ教会ときまった。彼らはその決定の日、ミラノの守護聖人のサン・アンブロージオをまつる教会の植物園に集まり、この計画を裏切るものは、祖国に対する裏切者となるという誓いをたてた。

聖誕祭の翌日になった。いよいよ決行の日である。正午近く、公を教会に伴う行列が、町の中心地を過ぎつつあった。朝方から白く町を包んでいた靄が消え、太陽のうすい光が、金銀のぬい取りの色彩豊かな、一四〇〇年代の騎士たちの一行を照らしていた。とくにミラノ公の随行者は、当時その装備の華やかさで、イタリア中で評判だった。それは遠くから見ると、行列というよりは光る蛇が動いているように見えた。

狭い石畳の道を一行は進んでいった。家並みは低く、ほとんどの家が一階か二階まででしかなく、屋根のひさしが両側から突きでている道には、祭日のために群衆がひしめいている。馬やろばに、人によって豊かなまたは貧しい馬具をつけ、貴族や医者、公証人、聖職者たちが往来する中を、暗い色のマントを着け、それでも女たちは少しは色彩を加えた、貧しい服の民衆が、右往左往していた。

スフォルツァ騎馬像（レオナルド・ダ・ヴィンチによるデッサン）

彼らも公の行列が近づくと道の両側にわかれた。ミラノ公は、護衛兵や従者の後から馬を進めていた。三十二歳の若い公爵の、背の高い美しい体に、豪華な衣服を着けた姿を、民衆は讃美とも怖《おそ》れともいい難い気持で眺めていた。誰一人気付かなくても、馬を進める公自身の胸の中には、出かける時、公夫人の薦めに従っていったん着けた服の下の胸甲を、肥《ふと》って見えるのを気にして脱いできたことを、秘《ひそ》かに不安に感じる気持があったかもしれない。人々が気付いたのは、馬を進める公の沈んだ顔つきと、暗い視線だけだった。民衆の間から「何と厳しいお方」というささやきがもれた。

聖《サン》ステファノ教会の前も、公の到着を一目見ようとする群衆でいっぱいだった。三人の暗殺者たちもすでに待機していた。ランプニャーニは、服の下を頭から脚まで甲《かっ》冑《ちゅう》で包み、これも武装したオルジアーティと共に、教会の入口の右側にひしめく群衆の中に身をかくしていた。ヴィスコンティの方は、傭《やと》っておいた三人の職業殺し屋と共に、これは入口の左側にいた。彼を見て、公の従者の中にいるはずがないのにと不審に思ったのが、この事件の詳細な記録を残した公の従僕コーリオである。従僕はヴィスコンティが、ミラノの宮廷に出入りしていたので、以前から彼を見知っていたのだ。コーリオは城から先まわりをして教会で主人を待つことになっていたのである。

しかし、彼が不審の念を確かめる暇もないうちに、公の行列は近づいてきていた。馬のひづめの音、護衛兵の武具のぶつかり合う音が聞え、スフォルツァ家の騎士たちの羽根飾りがもう見え始めていた。行列は教会の前で二手に分れて止った。

ついに公爵の乗る馬のひづめの音が、暗殺者たちを挑発するかのように高くひびいてきた。群衆はどよめいた。二手に分れて待つ護衛兵の間に馬を進めた公は、馬を降り黒人の従僕に手綱を渡して、静かに教会の入口に向ってきた。ちょうどその時、聖歌隊の席からは“*Sic transit gloria mundi*”（栄光もつかのまのこと）という聖歌の一句が流れてきた。

そのときである。ランプニャーニが道を開くように両腕をひろげ、「あけてくれ！あけてくれ！」と、叫びながら公の面前にとび出した。そして、尊敬のしるしのように左手に帽子を持ち、何か請願でもするように、彼は立ちどまった公の前にひざまずいた。しかし、瞬時もおかず袖《そで》の中にかくし持っていた短剣が、彼の体もろとも公の腹部めがけて突き上げられた。公は一瞬よろめいた。しかし、直ちにランプニャーニの第二撃は、公ののどに突きさされていた。オルジアーティもすぐ続いて、公ののど、左の胸、腕と突く。ヴィスコンティは、背、肩と体当りし、その幾度にもわたった突きは公に集中した。公はどうっと地面に倒れた。声一つたてずに。ただわずかなうめき声を発しただけだった。

すべては一瞬のうちの出来事だった。護衛兵たちは何が起ったのかもわからないほどだった。ただ公の死体をとりかこんだ暗殺者たちの近くの群衆から「死んだ」「死んだ」という声がするだけだった。しかし、最も公の近くにいた黒人の従僕だけが、逃げる暗殺者たちのうち、女のスカートのすそにひっかかってつまずいたランプニャーニを見つけ槍《やり》で突きさした。真後ろからその背を突きさされた彼は、血を噴いてその場に倒れた。

暗殺の現場は大混乱におちいってしまった。血を見て泣き叫ぶ女たち、逃げまどう群衆、ようやく事態を察した護衛兵の犯人たちを追う中に、ただ公とランプニャーニの二つの死体が、血の海の中に横たわるだけだった。誰もが死体をかえりみる余裕さえも失っていた。僧たちは始めから聖具室に逃げこんでいた。しかし、教会の中の物音もなくなった頃になって、公の死体だけを聖具室に運び入れ、血に染まった衣服を脱がせ、体を洗った。公の体中には十五の傷があった。しかし、第一撃の短剣には毒でも塗ってあったらしく、その後の傷の痛みを感じないで死んだものと思われた。

事件の噂《うわさ》は、すぐ町中に広まった。逃げた二人を除いて、傭われていた職業暗殺者たちは、生きたまま四肢を斬《き》られ、街に向いた城壁につるされた。まだ最後の絶望のうめき声をたてているものさえもいた。

ランプニャーニの死体は、綱で、街の道という道を引きずりまわされた。道の石畳の間には、血と肉片がこびりついた。このみせしめは、三日間続けられた。ついに、人間の体とも肉塊とも見分けのつかなくなった死体は、残った片脚だけで城壁からつるされた。ヴィスコンティは、数日後に捕えられた。拷問《ごうもん》によって全《すべ》てを自白した後、彼も生きながら四つ裂きの刑に処せられた。一番年少のオルジアーティにも、別の運命は待ってはいなかった。まず父親の許《もと》に逃げた彼は、事情を知った父から家を追い出され、ある司祭の家のベッドの下に隠れていた。しかし、家の外を行く群衆の歓声が、同志のランプニャーニの死体をひきずるためなのだと知った時、彼はもう自分の身を守る何のすべもないことを悟った。しかし、数日後に捕えられ、厳しい拷問によって、骨はくだけ肉は裂けたが、彼一人自分の行為に対して、少しも犯罪を感じず、ミラノの自由のためという誇りさえも失わなかった。死に際《ぎわ》は、美しかった。煽動者だったモンターノは、ミラノから追放された。ナポリ王の許に逃げた彼も、後にナポリ王と戦いをしていたフィレンツェの、ロレンツォ・イル・マニーフィコの命令で、首をつるされて終る。

古代ローマ人の例にならうつもりだった彼らもまた、ブルータスやカシウスと同じ運命をたどった。ただ、君主に対する暗殺は、政体を何一つ変える働きをもたないということを再証明する、例の一つになっただけである。

しかし、このミラノ公ガレアッツォ・マリーア暗殺事件が、世情に与えた影響は大きかった。イタリア最強を誇っていた国の当主が殺されたこと、そしてそれが教会の中で行われたことによって。未亡人ボーナには、ヨーロッパ中から同情が集まった。そのために、たった八歳でしかない跡継ぎジャンガレアッツォの即位も何の障害もなく終った。

カテリーナの結婚も、そのまま行われることになった。父の死後四ヵ月すぎたまだ喪中の宮廷から、父の残酷な死の大きな打撃から癒《い》えていない十四歳のカテリーナは、結婚のため、ローマへ向けてミラノを出発して行った。

ローマ

ミラノのスフォルツァ家は、剣をもってミラノを征服した。では、ローマのリアーリオ家、カテリーナが嫁いだ先のリアーリオ一族は、何によってローマを征服したのか。

この一族の幸運は、一四七一年八月、フランチェスコ・デッラ・ローヴェレが、シスト四世として法王に即位した時に始まる。五十七年前、ジェノヴァ近くの貧しい漁夫の子として生まれた彼は、九歳の時、フランチェスコ派の修道院にはいったのち、パドヴァ、ボローニャ、パヴィア、シエナ、フィレンツェと、当時の最高の大学で、哲学神学の学位を取った。次いで、フランチェスコ宗派の総長《パードレ・ジェネラーレ》に選ばれる。

一四六七年、彼は、フランチェスコ派の総長から枢機《すうき》卿《けい》になった。枢機卿に任命された時、式服を買う金がなく、友人たちがそれぞれいくらかを持ちよって買い、それでようやく任命式に出ることができたというほど、僧侶《そうりょ》時代の彼はまじめなフランチエスカーノであった。しかし、その四年後に法王になってから、今までの清貧の生活態度が一変する。それとともに、彼の政治家としての才能が開花した。マキアヴェッリは彼について、法王という地位がどれくらいのことができるかという可能性を示した最初の法王、と書いている。

ローマの街は、当時、その道路の狭く汚ないことで、悪臭に満ち疫病《えきびょう》のかっこうの温床になっていた。一四七五年にローマを訪問したナポリ王のフェランテが、その現状を見て、シスト四世にいった言葉が伝えられている。

「あなたは、絶対にローマの王にはなれないでしょう。このような狭い道では、あなたの兵たちは、両側の家から投げる女たちの石だけによっても、追い散らされるでしょうから」。これは、法王にこたえたらしい。疫病の危険を除く意味もあって、ただちに、ローマ市街の整備が成され、道路は広く、なるべく直線に続くように改善された。現在のローマ市は、このシスト四世によって整備されたのが基礎となって発展したものである。

サンタ・マリア・デル・ポポロ教会、また彼の名をつけたカペッラ・システィーナ（シスト礼拝堂）などを建てさせたのも彼だった。ローマには、当時の最も有名な画家たち、マンテーニャ、ペルジーノ、ボッティチェッリ、ギルランダイオ、フィリッポ・リッピ、そして、今でもヴァティカン絵画館に残る、シスト四世とその甥《おい》たちの肖像画を描いたメロッツォ・ダ・フォルリなどが招かれ、この法王のために画筆をふるった。

しかし、ネポティズモと呼ばれた近親を厚遇することでも、この法王は、それをどこまでやれるかを示した最初の法王でもあった。彼には、十五人の甥たちがいたと伝えられている。しかし、歴史上に残るのは、その中の四人、後のジュリオ二世となるジュリアーノ・デッラ・ローヴェレ枢機卿、法王の期待を一身に集めながらも二十八歳の若さで死んだピエトロ・リアーリオ枢機卿、その弟のジローラモ伯、そして一番若い枢機卿ラファエッロ・リアーリオだけである。

そのなかでも、法王の寵愛《ちょうあい》は、妹ビアンカの二人の息子たち、ピエトロとジローラモの兄弟にあった。マキアヴェッリなどは、この二人を法王の実子だと思いこんでいたほどである。秘《ひそ》かに次の法王の位を狙《ねら》っていたピエトロの死後、弟のジローラモが、伯父の法王の寵愛を一身に受けることになる。

彼は、「教会軍総司令官《カピターノ・ジェネラーレ・デッラ・キエーザ》」、「教会の旗手《ゴンファロニエレ・デッラ・キエーザ》」の称号を得て、ローマの軍事・政治の権力を一手に握っていた上に、カステル・サンタンジェロの城代でもあった。ほとんど司法権まで彼のものであったことになる。このジローラモ・リアーリオを、ローマ市民は Arci Papa（大法王《アルチ・パパ》）と呼んで怖《おそ》れていた。

シスト四世と甥たち

　このリアーリオ伯を夫にもったカテリーナは、ローマで、その生涯の最も華やかな時期を過す。法王シスト四世は、この若い優雅な、しかも生き生きとした甥の嫁を、ことのほか愛した。しばしば、夫のジローラモ伯の方が、彼女に冷たいという評判が立ったほどに。カテリーナには、久しく法王のそばに若い公女のいなかったローマ宮廷で、それこそファースト・レディとして、すべての催し物、音楽会、祭り、宴会でもてはやされる存在を、楽しむ日々が続いた。

カテリーナの夫となったジローラモ・リアーリオ伯は、伯父の法王にローマへ呼ばれる前は、サヴォーナの市役所の書記をしていたという。彼が突然に変った自らの境遇をより強く確かなものにしようとしたのも当然であった。しかし、教育のない粗暴なだけの彼が、自らの野心を遂げるために選んだ敵は、彼の相手としては大きすぎた。メディチ家のロレンツォ・イル・マニーフィコとフェラーラ公エルコレである。この面でも彼は、のちのチェーザレ・ボルジアほどには幸運に恵まれなかったし、また器量の面でも、チェーザレにははるかにおよばなかった。

その手段において、繊細な趣味と優雅さをもちながら、その心情においては、残酷きわまりない凶暴さを大胆なまでに留めていた、この対照のみごとさによって、パッツィ家の陰謀は、十五世紀イタリア・ルネサンスの性格をみごとに描き出している。これが、当時のあらゆる歴史家、人文学者、芸術家の想像を刺激したのも当然であった。

陰謀をみごとと評する考えに、疑問をいだく人がいるかもしれない。しかし、この事件から二十五年後、セニーガリアで決行されたチェーザレ・ボルジアに対する陰謀を、巧妙な大胆さでもって処理し、陰謀者を皆殺しにしたチェーザレのやり方を評して「欺《あざむ》きの傑作」と評したのは、ルネサンス時代の歴史家パオロ・ジョーヴィオである。もしそれが必要とあれば、単純な善悪の判断を超越してそれを敢行し、しかも、そのやり方を芸術的に美しいと評せる余裕。これこそイタリア・ルネサンス人の精神の根底にあったものといえよう。ここには、目的への行程での狭い倫理性などは問題にならない。

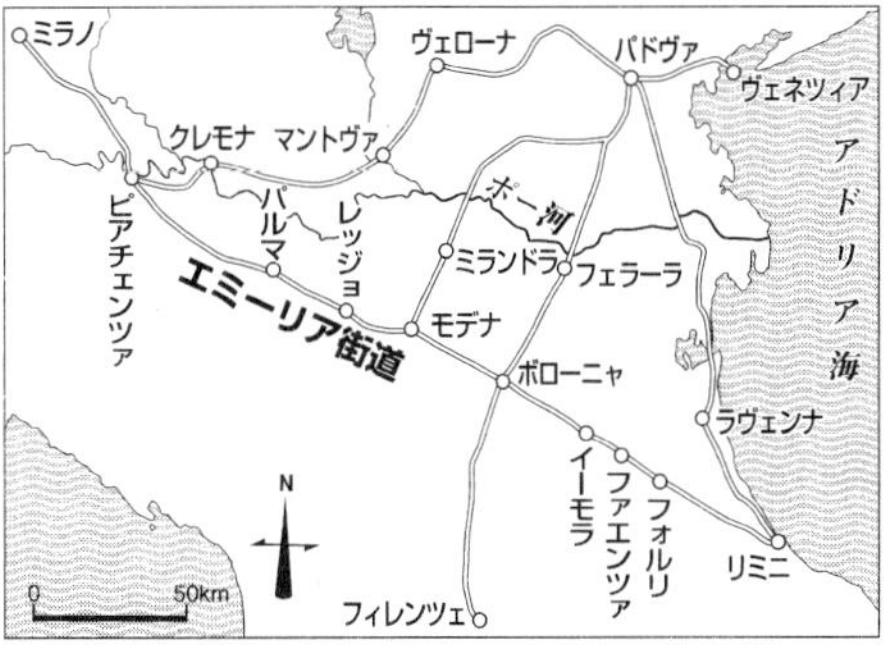

エミーリア街道および周辺

大法王といわれ、ローマでは何一つ彼の思いのままにならないことはないとまでいわれたリアーリオ伯にも、不安がないわけではなかった。ミラノ公女カテリーナとの結婚によってイーモラを自領としたが、その地が、以前よりフィレンツェのメディチ家が秘かに狙っていたものであることは十分に知っていた。その上、イーモラから十三キロ離れただけのファエンツァには、メディチの勢力が浸透していることも知っていた。まして、イーモラを拠点として、ロマーニャ地方に勢力を伸ばしていこうという彼の野心の前に、まず最も邪魔な存在、それが、フィレンツェ共和国の事実上の当主、メディチ家のロレンツォ・イル・マニーフィコだったのである。この彼の思いは、以前よりイル・マニーフィコの政治に不満であった伯父シスト四世の思いと一致した。メディチ家の兄弟、ロレンツォとジュリアーノを倒すこと。それによってフィレンツェに親法王派の政権を打ち立てる。あとはただ、この計画を実行に移すに適した人間を、フィレンツェ人の中に見出《みいだ》すことだけが残された。

パッツィ家は、フィレンツェの名家の中でも第一級の実力をもった家系を誇っていた。長い間、ほとんどメディチ家よりも重要な地位を占めていたほどである。しかし、十五世紀後半になると、メディチ家が、フィレンツェ共和国の事実上の支配権を握るようになっていく。パッツィ家の人々にとって、これは大きな不満となって蓄積されていった。

この一家の当主は、ヤコポ・デ・パッツィだった。彼は、パッツィ家のこの劣勢に対して何のなすすべも知らない人間だったが、その甥のフランチェスコは、メディチ家に対する恨みを深くもち、フィレンツェにいるにしのびずローマに来ているほどの熱い心をもった男だった。

彼は、ローマにとどまる間、その銀行家としての職業上、法王庁に出入する機会が多かった。法王シスト四世の信任を得るのは、この男にとってさほどむずかしいことではなかった。もちろん法王側にも魂胆があったことはいうまでもない。ヴァティカン内の一室では、法王、リアーリオ伯、フランチェスコ・デ・パッツィ、この三人がひざをつき合わせて話しこむ回数が多くなっていった。イタリア・ルネサンス史上最も有名な「パッツィ家の陰謀」は、このようにして、法王庁の内奥で計画が進められたのである。一四七八年の復活祭も近くなったころ、準備はすべて終った。

法王庁を背後に、これほどの周到な計画を立てながら、しかし、四月二十六日、フィレンツェのサンタ・マリア・デル・フィオーレ大聖堂で決行された陰謀は、完全に失敗する。ジュリアーノの暗殺には成功したが、ロレンツォには手傷を負わせただけに終り、何よりも、フィレンツェ市民の心が、完全にメディチ側にあることを確認させられたにすぎなかった。ローマ側の意図は、完全にくつがえされた。リアーリオ伯にはこの時から、一人生き残った、そして弟を殺されたロレンツォ・イル・マニーフィコの、復讐《ふくしゅう》におびやかされる日々が始まったことを意味した。そして十年後、執拗《しつよう》なロレンツォの復讐は、ついに成功するのである。

メディチ家打倒に失敗したリアーリオ伯は、次にその目をフェラーラのエステ家に向ける。この時は、フェラーラと以前からよくいっていなかったヴェネツィア共和国との間で共同戦線が張られた。しかし、その善政で知られたフェラーラのエステ家の当主エルコレ公は、法王からの破門処置にも、「自分はキリスト教徒として破門されても、フェラーラの当主であることにはいっこうさしつかえない」と豪語する。そして、法王の勢力増大を面白く思っていない他のイタリア諸国の援助を受けてびくともしなかった。ヴェネツィアとローマの間でとりかわされた、フェラーラはリアーリオ伯に、モデナ、レッジョはヴェネツィアにという密約も陽の目を見ずに終った。リアーリオの野心は、どの方面に向っても挫折《ざせつ》せざるをえなかった。

彼は、今では自分のものとなったフォルリとそしてイーモラだけで満足しなければならなかったうえ、この二つの領地の間には、ロレンツォのスパイの拠点ファエンツァがあるという悪条件すらも、どうしようもなかった。彼のこのやり場のない不満は、ローマのコロンナ一党をたたきつぶすことに向って爆発した。ローマの市街は、毎日コロンナ家の誰かの血で染められたと伝えられる。

しかし、法王の近親の勢力は、法王が在位している間しか通用しない。一四八三年の冬、法王の持病の痛風が悪化した時、リアーリオ伯は何の手段も講じようとしなかった。敵は多かった。敵が多いのは、別に悪いことではない。だがその敵をあちこち少し痛めつけただけで徹底的に叩《たた》きつぶさなかったことからも、支配者としての彼の能力は疑いをもたれてもしかたがない。ジローラモ・リアーリオ伯のそのころの毎日は、支離滅裂な気狂いじみた残忍な色彩でいろどられた。

この残忍で酒びたりの毎日をおくる夫を、妻のカテリーナは、だんだんと冷たい目で見るようになっていた。彼女は、このころになると、夫よりもまず家のことを考え始めるようになっていた。夫とは仇敵《きゆうてき》の間柄のフィレンツェのロレンツォ・イル・マニーフィコとの関係を、自分との間だけでもよくしておこうと努めた。成上り者の夫に対して、自分はスフォルツァ家の出身という意識が、そのころの彼女の胸中に育ち始めていたのである。

八月十二日、法王シスト四世は死んだ。カテリーナはこの知らせを、夫と三人の子とともにローマ市内の陣地で知った。追って枢機卿団から、新法王選挙の際にリアーリオ伯はローマの外に留まるようとの指令がとどいた。リアーリオはこの指令に従い、全軍とともにローマを出た。

ジローラモ・リアーリオ

しかし、この指令に耳をかそうともしなかったのがカテリーナである。彼女の拒否の理由は、カステル・サンタンジェロの城代は、枢機卿団の指令に従う必要はなく、新法王が選出されるまで、城代としてこの城塞《じょうさい》を守る義務があるということにあった。もちろん、これは理屈である。彼女の本心は、保護者であったシスト法王の死によって前途も暗い自分たちの家族に対する心配から、新法王選出を少しでも自分たちにとって有利にはこぶため、カステル・サンタンジェロを確保して、それによって圧力をかけるという考えがあったのだ。枢機卿団への回答は次のようなものになる。「城塞は、夫のリアーリオ伯爵《はくしゃく》が城代として、シスト四世から全権をゆだねられたもので、枢機卿団に従属したものではない。ゆえに、次の法王以外の何人にも引渡すわけにはいかない」。カテリーナはこの回答を送り付けるやいなや、直ちに行動を開始した。

その日、ローマ市民は、驚きっぱなしの一日を過ごした。伯爵夫人が百五十人の兵をひきいて、カステル・サンタンジェロを占領したという噂《うわさ》が広がったのである。城塞の前を流れるテヴェレ河岸に続々と集まった群衆は、「カステル・サンタンジェロを制する者はローマを制す」とまでいわれたこの難攻不落の城塞とそこにたてこもる女の城代というとり合わせにたちまち熱狂してしまった。「公爵《デューカ》、公爵！」とミラノのスフォルツァ家を讃《たた》える叫び声が、彼らの間からあがった。

眼下にテヴェレ河の流れを、その向うにローマ全市を、そして右手にヴァティカンを見渡すこのカステル・サンタンジェロの石の回廊を巡察しながら、守りに着く兵たちを指揮する美しいカテリーナの姿は、ひときわ残忍な美しさに輝いていた。しかも、八ヵ月の身重の身体《からだ》である。誰一人、彼女の命令に服さない男はいなかった。

しかし、裏切りは、身近なものの間から出た。まず枢機卿団の長であった枢機卿ジュリアーノ・デッラ・ローヴェレが、自分の野心のために親族のリアーリオ家を見捨てたのである。彼は、次の法王に自分の思いどおりにできる者をと考えていた。この彼に同調した枢機卿の中には、ラファエッロ・リアーリオ、アスカーニオ・スフォルツァと二人も、カテリーナにとっては親族の枢機卿が入っていた。枢機卿団は、カステル・サンタンジェロを明け渡さないかぎり、法王選出のためのコンクラーベは開かないという通達をよこした。彼らはこの強行通達をカテリーナに送りつけておいて、一方、夫のリアーリオ伯とは別に交渉を始めた。リアーリオ一家はカステル・サンタンジェロを枢機卿団に引き渡し、ローマを出て自領へ帰ること。それが実行された場合、枢機卿団はリアーリオに対して八千ドゥカートを支払い、フォルリ、イーモラの領地権を保証するという条件である。金貨がリアーリオ伯の前に積まれた。

夫がすべてを受諾したという知らせを受けとった時、カテリーナは、それに自分一人で反対する無駄を悟った。二十五日の夜、彼女は城塞を去った。そして、夫の後を追ってフォルリへ向う旅の途中、新法王としてインノチェンツォ八世が選出されたことを知った。新法王チボーは、シスト四世時代、その反対の最右翼の一人であった。しかも、新法王選出の黒幕がローヴェレであったこととあわせて、リアーリオ家の前途には明るい見通しは何もなかった。

フォルリへ帰ったリアーリオ一家を迎えた情勢は、それほど喜ばしいものではなかった。その中でリアーリオ伯は、よい君主であろうと努力はした。しかし、法王の甥《おい》という何にもまして強い立場を失った今の彼には、その努力も時が遅すぎた。民心をつかもうとして懐柔策をとっても、強硬な弾圧策にでても、どちらにも徹底できなかった。ロマーニャ地方の、何世紀もの間の無政府状態に慣れた民衆を統治するのは、彼には重荷すぎた。その上彼は、それよりもなおやっかいな外敵のことを考えねばならなかったのである。

一四八八年一月、彼にとっての最大の敵であるロレンツォ・デ・メディチの娘マッダレーナが、法王インノチェンツォ八世の息子フランチェスケットと結婚した。これはリアーリオ伯の二大敵、ローマとフィレンツェが固く結びついたことを意味した。前法王の近親として勢力をふるった者に対して、新法王がよい感情をもった例はない。まして、ロマーニャ地方に野心をもつ、そして弟を殺された恨みを忘れないロレンツォ・イル・マニーフィコが、自分の息子にも領地をもたせたいと願う法王と結んで、リアーリオ伯の領地に目をつけるという予想をたてるのはさほどむずかしいことではない。ジローラモ・リアーリオ打倒作戦の素地は、ここに完成した。あとは、伯の領地内の動静に気をくばり、少しの弱点も見逃さず、それを反リアーリオに集中させることだけである。フォルリの市内に網の目のように張りめぐらされたスパイ網から、フィレンツェのロレンツォ向けの情報がにわかに数をましていった。

リアーリオ伯は民心をつかむため、まず減税を強行した。ダッツィと呼ばれる、関税を廃止したのである。これは、彼がまだ資産を持っている間はできた。しかし、蓄積した資産とていつまでも減らないというはずもない。このことを十分に考えなかった彼の減税策が、たちまち行きづまってしまったのも当然だ。困り果てた彼が、事態収拾策として打ち出したのは、ダッツィをふたたび復活させることだけであった。しかし、免税というウマ味を一度味わった民衆にとっては、この処置が以前に重税が課されていたころよりもいっそう不満に感ぜられたとしても当然だ。リアーリオ伯は、その馬鹿《ばか》げた政治によって、民心を以前よりも離れさせただけであった。

そのころ税を集めて国に納める役をしていたオルシの横領事件が起った。経済状態の悪さに不機嫌だったリアーリオは、このオルシを公衆の面前で手ひどく責めた。オルシはふるえあがり、自分の身も危険だと思いこんでしまった。同じころ、給料の支払いを要求してきた隊長のパンセキとロンキの二人も、伯の不機嫌のあおりをくって怒鳴りつけられ、追い返されたということも重なった。

この三人に目をつけたのがロレンツォ・デ・メディチである。完璧《かんぺき》な情報網によって、フォルリの事情は逐一ロレンツォの耳に入っていた。それまでにも何回ものリアーリオ暗殺の陰謀をくり返しながら、すべてを失敗に終らせていた彼は、それでも執拗に機会を狙《ねら》い続けていたのである。ファエンツァからこの三人のもとに、秘《ひそ》かに金と武器が送られた。彼らが大船に乗った気持でいきおいづいたのも無理はない。

三人の陰謀者は、早速行動を開始した。オルシの一家全員もこれに加担することが決まった。伯の暗殺が成功した時に、同時に広場でも「自由《リヴェルタ》」と叫びながら蜂起《ほうき》する手はずも決まった。あとは、リアーリオ伯がなるべく一人でいる時を見つけなければならない。だがこれも、ロンキが彼の甥で伯の小姓をしている男から、夕食後に伯が一人になった時に、城の窓から合図するという約束をとりつけた。

一四八八年四月十四日の夕刻、服の下に完全武装した陰謀者全員は、城の前の広場に集合した。その日は広場に市《いち》のたつ日で、広場は、そろそろ店をたたもうとする商人や農民と、急いで買物を済ませようとする人々でにぎわっていた。陰謀者たちは、民衆の中を何知らぬ顔で歩きまわり、ときどき視線だけで仲間を認め合った。彼らは、小姓からの合図を待っていた。その時、城の窓から小姓が帽子をふって合図するのが見えた。ただちに、オルシ、パンセキ、ロンキの三人は、雑踏する群衆を離れた。この三人を迎えた城門の守備兵は、市の有力者オルシと軍の二人の隊長の姿に、直立不動の姿勢をとっただけだった。三人はやすやすと城内に入りこんだ。

リアーリオ伯は、城内の自分の部屋で、食後の憩《いこ》いを楽しんでいた。窓によりかかり、秘書と召使の二人と談笑しながら。部屋に入ってきたオルシを見た彼は、上機嫌に「何か用か」と聞いただけだった。

「私が横領したといわれる金を全《すべ》てお返しできる見込みがついたものですから」こうオルシはいいながら伯に近づき、ひざまずくようなふりをしながら、下から袖《そで》の下にかくしていた短剣で突きあげた。防ごうとした伯がそこに手をのばした時、第二撃は、もう彼の胸を突いていた。「裏切者！」と叫んだリアーリオは、テーブルを盾に逃げようとした。しかし、彼の今の声を聞いた、それまで部屋の外にひそんでいたパンセキとロンキが部屋になだれこんでくる方が早かった。逃げようとしたリアーリオは、この二人に髪をつかんで引き倒された。テーブルの下に倒れた彼に、短剣が雨と降った。もう声もたてなかった。四十二歳だった。

それまで驚きのあまり立ちすくんでいた秘書と召使は、この時になってわれをとりもどし、「伯爵様が殺された！」と叫びながら部屋をとび出した。その声に、四人の従者たちが駆けつけた。だが、もうこのころには、広場に待機していた陰謀者全員が、なだれをうって城におし入り、城内はまたたくまに、彼らの手に落ちてしまった。

伯爵夫人カテリーナには、自室を出る暇もない、全くの一瞬の出来事だった。彼女は気丈にも、自分の部屋にいた子供たちをそばに寄せ、部屋の扉を椅子《いす》などで押えたりしたが、それも無駄だった。城内も広場も、暗殺者たちの叫ぶ「自由だ、自由だ、伯爵は死んだ」という声であふれた。夫の遺体に別れを告げる許しさえも与えられなかった。彼女は子供たちとともに陰謀者の捕虜になったのである。

物見高く広場に集まった群衆の間を、オルシとパンセキに両側をはさまれて徒歩で行くカテリーナの背後に、何かが地ひびきをたてて落ちてきた。城の窓から、暗殺者たちの手で広場に投げ落されたリアーリオ伯の死体だった。誰かが叫んだ。「この男がわれわれに重税を課した奴《やつ》だ！」。広場の群衆は、その声に狂ったようになって、死体に向って殺到した。彼らは、衣服をはがし裸体になった伯の死体を、広場中ひきずりまわした。この狂騒を背後に聞きながら、カテリーナは、オルシの家へとひかれていった。

「イタリアの女傑《ラ・ヴィラーゴ・ディターリア》」

カテリーナは、どんな時でも自己を失わない女だった。リアーリオ暗殺の成功に酔っていた陰謀者たちは気づかなかったが、彼らに捕われるわずか少し前に、彼女は、忠実な家臣を一人、城塞《じょうさい》の城代トマソ・フェオのもとに走らせていたのである。この家臣は、城代にあてた彼女からの命令をもって走った。その命令には、伯爵《はくしゃく》の暗殺を告げ、城塞を堅守することを命ずるとともに、ミラノのスフォルツァ家とボローニャのベンティヴォーリオ家に対して救援の要請を、伯爵夫人の名で至急送るようにと書かれてあった。

オルシの家に捕われているカテリーナは、そのころ、僧たちの訪問攻めにあっていた。陰謀者たちは、陰謀が成功したというのに、その唯一《ゆいいつ》の後だてと頼んでいたロレンツォ・イル・マニーフィコが、いっこうに動こうとしないのに気づき始めていた。彼らは不安になった。しかし、フィレンツェではロレンツォが、その十年来の執念を晴らした今、自分がこの陰謀の黒幕であったことをかくそうとしていた。「伯爵暗殺劇の真の作者はロレンツォ・デ・メディチだ」というヴェネツィア情報から出た噂《うわさ》に、少しでも確証を与えるような行動をするのを怖《おそ》れたのである。ロレンツォは、陰謀の首謀者三人が、暗殺の成功後に自分たちの保護を求めた手紙にも返事ひとつ書かず、彼らと無関係を装《よそお》うとし、用の済んだ三人を見殺しにした。

このロレンツォの冷酷な仕打ちに彼ら三人は絶望した。陰謀を既成事実にしてしまうには、どうしても強力な後だてが必要である。彼らは、それを教会に求めた。フォルリは、法王封土の国である。それを法王の直轄《ちょっかつ》領土とすることによって、自分たちの獲得した実権を守ることができると考えた。そのためチェゼーナの総督で司祭のサヴェッリをフォルリ政府の首席に据えた。しかし、何よりも、未亡人カテリーナが、自発的にフォルリを法王に献上するのが、最も自然な道である。この説得のために、僧たちがカテリーナを訪ねたのである。しかし、カテリーナは、「わが妹よ」と呼びかけながら巧妙に神への奉仕を説く僧たちの言に、耳をかそうともしなかった。オルシを呼びつけ、「向うへ連れて行け、顔も見たくない」とはきすてるようにいうだけだった。それでも彼女は、ローマ法王庁から決定的な通達が下される前に、事を決着せねば、永久にこの国は自分の手にもどらないだろうと思い始めていた。

カテリーナの強情に手を焼いていた陰謀者には、もっとやっかいなことが起る。まず、ミラノのスフォルツァ家から、ミラノ公爵の名で、強硬な抗議が送りつけられてきた。軍勢がミラノから動き出すのも、時間の問題だった。さらに、フォルリの街に近接している城塞の城代トマソ・フェオが、リアーリオ家に忠節を誓っていて、いっこうに彼らの言をいれず、明け渡す気配も見せない。このラバルディーノの城塞を手に入れなければ、フォルリの街を手に入れたことにならない。不安になった彼らが考えついたのは、伯爵夫人カテリーナを城塞の前に引き出し、彼女に歎願《たんがん》させようということだった。早速、陰謀者たちに周りをとりかこまれたカテリーナが、城塞の前に連れてこられた。伯爵夫人が話したいという声に、トマソ・フェオは、城壁の上に姿を見せた。その彼に向って、カテリーナは、城塞を明け渡してくれるようにたのんだ。

しかし、トマソは拒否するだけだった。

この時、カテリーナが大芝居を打ったのである。オルシたち陰謀者に向って、自分が中に入って城代を説得してくるといった。彼らの方が、それを信用しなかった。カテリーナは続けていった。「あなた方は、その手のうちに私の子供たち六人を人質にしているではないか。三時間の余裕をくれれば、私がきっと城代を説得してもどってくる」。これを見ていたトマソ・フェオも、伯爵夫人一人だけなら入れるといった。まず賛成したのが司祭のサヴェッリだった。オルシたちもあせっていたので、しぶしぶ承知した。

城塞側から、堀の上に橋が降ろされた。カテリーナは、衆目の中をそこに近づき、橋を渡った。橋は彼女のうしろで引きあげられようとしていた。橋をささえている鉄鎖の、にぶい音がひびいた。その途端、カテリーナはくるりとうしろをふり返り、親指を中にたてた両手のこぶしを振った。これは、貴婦人でなくてもしてはいけない下品なしぐさで、女の性を意味し、相手をひどく侮辱する時に使う。これを見たオルシたちが怒ったのはいうまでもない。しかし、彼らはまだ、彼女が自分たちを欺《あざむ》いたと信じることはできなかった。彼らは、カテリーナとの約束通り、馬鹿《ばか》みたいに待ち続けた。

一方、城塞の中に入ったカテリーナは、城代トマソ・フェオから感涙とともに迎えられた。早速、彼女たちは食卓をかこんだ。カテリーナも、二日間の捕虜の生活を忘れ、大いに食べ飲んだ。そして、一室に入って寝入ってしまった。

カテリーナとの約束通り、いつまでも城塞の外で彼女の出てくるのを待っていた陰謀者たちは、初めてだまされたことを悟った。大声でおどしたりしたが、そんな彼らの遠吠《とおぼ》えなど、カテリーナの耳に入るはずもない。オルシたちは、今日はそのまま引きさがるよりほかはないと思い、街へ帰った。

次の日、陰謀者たちは、カテリーナの子供のうち上の男の子二人を城塞の前に引き連れてきた。子供を使って、彼女を変心させようとしたのである。

剣をつきつけられた子供たちは、泣きながら母親を呼んだ。

その時、城壁の上にカテリーナが姿を現わした。裸足《はだし》で髪も結わずに流したままの姿で。オルシは、城塞を出なければこの子供たちを殺す、といった。それに答えた彼女の言葉こそ、マキアヴェッリ以下、あらゆる歴史家に語りつがれた有名な一句である。やおらスカートのすそをぱあっとまくったカテリーナは叫んだ。

「何たる馬鹿者よ。私はこれであと何人だって子供ぐらいつくれるのを知らないのか！」

これには、誰一人、しばらくの間は口もきけなかった。

二十五歳の美しい伯爵夫人のこの度胸に、ポカンと口をあけたままだったオルシたちも、その次の一瞬、我に返らずにはいられなかった。城塞から大砲の弾が、彼らの近くに向って落ちてきたからである。彼らは、ほうほうのていで街へ逃げ帰った。

カテリーナは、子供たちを見捨てたわけではない。捕われていたころ、恐怖で泣き叫ぶ子供たちに、今まで殺さずにいたのだから、これ以上、危険はないと思いなさい、お前たちは、武勇で聞えたスフォルツァ家の血を引いているではないか、とさとしていたことが知られている。カテリーナは、ただ敵の先手を打って、かえってその意図をくじいてしまおうと思っただけなのである。彼女にとって、今は時をかせぐこと、これだけが重要であった。

フォルリの市民たちの支持を、それほど受けていたとも思われない、それを期待できないカテリーナにとって幸いしたのは、陰謀者側の不決断とともに、真の敵であるローマ法王とロレンツォ・デ・メディチが、何の行動も起さなかったことである。ヴェネツィアの年代記作者サヌードも記している通り、当時一般には、リアーリオ暗殺事件は、法王インノチェンツォ八世とフィレンツェのロレンツォ・イル・マニーフィコが、お互いの息子、婿《むこ》であるフランチェスケット・チボーにフォルリを与えるため、演出したのだといわれていた。この世論の前には、法王もロレンツォも、下手な手出しはできなかった。とくに、陰ながら暗殺の陰謀を助けたロレンツォは、その成功後は口をぬぐって知らん顔をきめるつもりだった。暗殺者オルシたちは、孤立してしまったのである。

不安に狂った彼らは、市民たちの間をまわり、数日後には法王庁から金と援軍がとどくはずだから、それまで城塞に少しでも損害を与えなくては、と城塞攻撃の必要性を説いた。

ロレンツォ・イル・マニーフィコ

しかし、民衆は情勢を見るに敏である。誰一人動こうとはしなかった。それまでフィレンツェのロレンツォに遠慮していたボローニャのベンティヴォーリオ公が、ミラノのスフォルツァからの督促に、ついに腰を上げたことを知ったからである。

実家のスフォルツァ家からの救援をあてにして時をかせいでいた、カテリーナの策が当った。二十九日、夫が暗殺されてから十五日たって、ようやくミラノ軍が、フォルリから八キロの近くまで来たという情報が入った。ミラノ軍だけでなく、ボローニャ、マントヴァ、そしてフェラーラの援軍は総勢一万二千といわれた。

これを知ったフォルリの民衆の気持は決った。今まで、解放者と呼んでいたオルシたちは、たちまち暗殺者として追われることになった。さらに陰謀者側に決定的な打撃を与えたのは、ローマ法王庁が法王インノチェンツォ八世の教書をもって、フォルリの正統な当主は、暗殺されたリアーリオ伯の長男オッタヴィアーノであり、未亡人カテリーナをその正式な後見人とするとしてきたことである。

その夜半すぎ、オルシ、パンセキ、ロンキら陰謀に加担したもの全員は、家族とともにフォルリを逃げ出した。初めヴェネツィア共和国の領地チェルヴィアに逃げたが、ヴェネツィアが彼らの亡命を認めず、そこも去らねばならなくなる。放浪の生涯が、彼らを待っている運命だった。

一方、十三日間、ラバルディーノの城塞で、時の来るのを待っていたカテリーナは、このミラノ軍の到着に、彼女が勝ったことを知る。しかし、勝利に酔うにしては、彼女はあまりに冷静であった。ミラノ軍のフォルリ入城を拒否したのである。喜びのあまりミラノ軍を街に迎え入れたりすれば、一万二千の軍勢に街が安全であるはずはない。当時の軍隊は、給料がよく支払われておらず、征服地での掠奪《りゃくだつ》が、当然の権利として、半ば公然と認められていた。もちろん、ミラノ軍にしても、フォルリでの掠奪を計算に入れて来ていたにちがいない。カテリーナは、これを知っていたから、援軍のフォルリ入城を拒否したのである。夫の死後、この困難な時期を乗りきるために、民衆の気持を彼女の側に引き留めておくことこそ何よりも重要であった。

しかし、民衆への思いやりから出たにしても、大衆と常に明確な一線を画していた貴族的な彼女の心が、これほど強くミラノ軍のフォルリ入城を拒否したとは思われない。彼女の心の底深くには、もっと深い配慮があったのである。

カテリーナは、これまでの経験で、親族などというものがいかに頼りにならないかを知っていた。とくに今のミラノ公国は当主が弟のジャンガレアッツォであっても、実質的な権力は、伯父のルドヴィーコ・イル・モーロが握っている。彼女は、この実家のスフォルツァ家さえも信用しなかった。ミラノが援軍を送ったことを盾にとって、軍隊をフォルリに駐屯させるなどという情勢にでもなれば、小国フォルリは、大国ミラノ公国の属国になってしまう。悪くすれば併合されるということも考えられないこともない。これこそ、カテリーナが最も怖《おそ》れたことであった。男の当主のいない国。誰でも考えることは同じである。たとえそれが親族であっても。八日後ミラノ軍は、全軍、本心を少しも出さない彼女のみごとな外交によって、たいした不満もなく、ふたたび北へ帰っていった。

一四八八年四月三十日、この日こそ、カテリーナの執政の初めの日である。ミラノ軍の総大将たちを周囲に従え、城塞を出たカテリーナは、馬でフォルリの街へ入った。凱旋《がいせん》である。半月前、夫の死体をひきずりながら「オルシ、オルシ」と叫んだと同じ民衆が、馬上の彼女に向って「カテリーナ、カテリーナ、オッタヴィアーノ」と叫ぶ。

暗殺者たちの捜索が始まった。しかし三人の首謀者は、もう逃げてしまった後だった。たった一人逃げおくれたオルシの父親と、何人かの女たちが捕えられた。この八十五歳の老人に対する仕打ちは残酷をきわめた。老人は、捕えられていた城塞から、首に綱をつけられて街に連行された。服の前ははだけ、靴下は片一方だけになり、手はうしろでしばられたまま、兵士たちにこづきまわされた。死刑が宣告された。広場につれ出された老人は、生きたまま脚を馬につながれた。広場の丸石の石畳の上を、馬は何度も老人をひきずって走りまわった。ついに死んだ老人は、リアーリオ伯の死体を暗殺者がやったと同じように、城の窓から広場の石畳の上に投げ落された。

しかし、女たちはそのまま釈放された。カテリーナも、これ以上執拗《しつよう》に暗殺者捜索を続けようとはしなかった。後のカテリーナの残忍さからみると、この時の復讐《ふくしゅう》の簡単なのには少し不思議な感がしないでもない。ただ、カテリーナは、どうも殺された夫をそれほど愛していなかったらしい。十七歳も年上の、ただ粗暴なだけの成上り者の夫、とくに晩年は病気勝ちで不機嫌な日々が続いていたリアーリオとの生活は、カテリーナにとってそれほど楽しいものではなかった。一年前、結婚以来一度も帰っていないミラノへの訪問を、彼女の弟のミラノ公爵の名ですすめにきたミラノ大使に、カテリーナが語った言葉が、公爵への大使書簡として残っている。その招待を拒絶したリアーリオの言葉を、ミラノの公爵に伝えるため、別室で手紙を書いていた大使ヴィスコンティのところへ、カテリーナが秘《ひそ》かにやってきたこと。そして、もうこれ以上、ミラノ公の名で自分を招待してくれるな、なぜなら夫が、私がミラノに行きたいあまり裏で工作して、公爵に招待させたといっては、私につらく当るから、と涙を流して頼んだと。彼女の結婚生活の様子が、これでもしのばれる。サン・フランチェスコ寺院に埋葬された夫の墓に、カテリーナは、その生涯にただの一度も足を向けなかった。

緋色《ひいろ》のしゅすの上着を着、金のブロケードの短いマントを優雅に軽く肩にはおり、窓辺に寄りかかっている青年。女は椅子《いす》を男のそばに引き寄せ、白のどんすの半袖《はんそで》の上着をやわらかく着、黒の襟巻《えりまき》をゆるくかけた姿を男に向けている。フォルリの城の一室に入ってきたフィレンツェ大使プッチは、夕闇《ゆうやみ》の淡い光の中に浮ぶこの二人の姿が、まるで絵のように美しく、一瞬立ち止ったまま動けなかったと、メディチへの報告に書いている。

カテリーナは恋をしていた。しなやかな肉体、大胆な情熱を制御なくぶつけてくる若さ、静かな振舞の中に燃えるような眼差《まなざ》し、彼女は、自分より八歳も年下のこのジャコモに、もう夢中だった。

しかし、この激しい恋は、その初めからあまりにも多くの障害がありすぎた。ジャコモ・フェオ。十八歳になったばかりの彼は、カテリーナの唯一《ゆいいつ》無二の忠臣トマソ・フェオの弟とはいっても、亡《な》きリアーリオ伯の小姓であった身分。フォルリの伯爵夫人カテリーナとは、あまりにも身分が違いすぎた。

この恋の噂《うわさ》は、フォルリの街はもちろんのこと、ミラノ、フィレンツェまでも広がる。ミラノのイル・モーロからは、強硬に注意を命ずる手紙さえもきた。今、夫の死後、むずかしい状態の国を、危険にさらすような原因は何一つ作らないように注意すべきだ、と。

カテリーナにとっても、今はミラノの支持を失うことは、全くの孤立を意味した。しかし彼女は、あくまでもしらをきり続ける。この恋に狂った彼女は、伯父の忠告を受け入れて、恋をあきらめるどころか、一四九〇年には、秘かに結婚さえしたらしい。愛人関係を続けるには、カテリーナは、あまりにも自分の心に正直でありすぎた。結婚の情報をいちはやく得たのは、フィレンツェである。これにはミラノだけでなくローマ法王庁さえもびっくりした。フォルリの正統な当主はカテリーナの息子オッタヴィアーノであって、未亡人の彼女は摂政である。しかも、彼女が他の男と再婚した場合、摂政権は失われるというのが法であった。それなのに、カテリーナは相変らず、フォルリの事実上の主権者として留まっている。これはフォルリを取りあげる絶好の理由になる。

ミラノ、フィレンツェ、ローマからの執拗な調査、質問にも、カテリーナはあくまでも結婚の事実をかくし続けた。そのころの彼女の手紙は、危険の中に生きる、恋する女の気迫を十分に感じさせるものである。これほど外に対しては、強く一歩も退《ひ》かない気概を示したカテリーナも、愛人の前にいる時、反動的といえるほどに女であった。彼のためには何でもした。国の主権を失う危険までおかして、秘密の結婚さえ強行した。さらに一四九四年、フランス王シャルル八世がイタリアに侵入した時、王に頼み込んでフランスの男爵の称号までも得てやった。

　だが、ジャコモの方は、これほどのカテリーナの愛を大切にするには、人間的に未熟でありすぎた。少しずつ彼女の愛を乱用するようになっていく。当主でもあるかのように、彼は城を出る時は大勢の供を従えなくては出ないようになり、国の財政をも一手に引き受け、その権勢におごる態度が目につくようになっていった。

　しかし、何よりも人々の口の端にのぼったのは、カテリーナに対する嫉妬《しっと》の激しさだった。彼女を男とただ二人だけで部屋に置くことは、絶対に認めようとしなかった。たとえそれが家臣であっても、彼が必ず同席していなければならなかった。公式の席にも、ジャコモが、カテリーナのかたわらにいないことはなかった。国政も、カテリーナが話し、それをジャコモが確認するという始末だった。いつか、ナポリの将軍のカラーブリア公がフォルリを訪問した時も、カテリーナのそばに彼がつきっきりだったという話は、イタリア中の笑いものになったくらいである。

　とはいえ、カテリーナは公式な立場をもった女である。何かが起らないではすまない情勢になっていた。

　カテリーナの息子オッタヴィアーノは十六歳になっていた。もう、正統の跡継ぎとしての自分の地位を自覚し始める年齢である。彼の心の中に、母を思いのままにするジャコモへの憎しみが芽生えたとて不思議ではない。

ある日、家臣全員のそろった席で、ジャコモが、少しばかりオッタヴィアーノをからかったことがある。その時、オッタヴィアーノは、今まで心にためていた不満を、ジャコモに向って投げつけた。怒ったジャコモは立ち上りざま、少年に平手打ちをくわせた。人々の眼はカテリーナに集中した。坐《すわ》っていた彼女の頬に血がのぼり、眼がうるんだ。しかし、唇をわなわなとふるわせたきり、一言も彼女の唇から言葉は出なかった。その時から、家臣たちのオッタヴィアーノに対する同情は、ジャコモへの憎《ぞう》悪《お》に変る。

二年が過ぎた。その間にも、ジャコモに権力を独占された家臣の間で、彼への憎悪は増すばかりだった。とくに、前伯爵リアーリオの家臣で、オルシの乱の時はカテリーナに忠節を通し、今はオッタヴィアーノのまわりにいるゲッティの兄弟をはじめとして、重臣たちの怒りは強かった。彼らを中心として、不幸な伯爵夫人とオッタヴィアーノを救うためにと、ジャコモ暗殺の陰謀が計画された。

一四九五年八月二十七日、アヴェ・マリーアの鐘の時刻だった。夕暮の淡い陽光が、灰色の低い石の街並を金色に染めていた。カテリーナは、その夕闇に沈もうとするフォルリの街へ、今、帰っていこうとしていた。二人の上の息子たちと、ジャコモも同行したその日の狩は、天候も素晴らしく、上々の獲物をあげていたので、大勢の護衛兵や女官たちまでが、陽気な気分に満ちていた。一行は、歌をうたいながら、街に入るスキファノイアの城門を通り、モラッティーニの橋にさしかかった。

しかし、そこには陰謀者たちが隠れていたのだ。まず馬車に乗ったカテリーナが通りすぎた。すぐ続いて、馬で二人の息子たちも橋を渡る。ついに、ジャコモの馬が、橋にさしかかった。その時、男が彼の馬の前に立ちふさがった。アントニオ・ゲッティである。驚いた馬は前脚を宙に浮かせた。ジャコモが手綱をひこうとした時、物もいわずゲッティが短剣とともに彼にぶつかっていた。剣は、彼の腹部を深く突いた。思わずよろめいて手綱を放した時、待っていたドメニコ・ゲッティが手綱を取り、傷ついたジャコモにかぶさるように馬にまたがったまま走り出した。馬は近くのサン・ベルナルド教会に駆け入る。待ちかまえていた二人の僧侶《そうりよ》と、他の陰謀者たちの剣が、馬もろともジャコモの上に雨と降った。断末魔の叫び声も一瞬だけだった。彼の死体は、そのまま井戸の中に投げこまれた。二十四歳になったばかりだった。

最初の物音をききつけた時に、すでにカテリーナは、何が起ったかを悟った。彼女は、乗っていた馬車からとび降りた。護衛兵の馬をとり、そのまま、馬を城塞《じようさい》に走らせた。

　護衛の兵たちと暗殺者側との斬《き》り合いも長くは続かなかった。ゲッティが、この暗殺は伯爵夫人の命じたものだと叫んだからである。そのうちにも、彼らの間から「オッタヴィアーノ、カテリーナ」という叫びが始まった。この声は、城の前の広場に向うゲッティ兄弟を先頭に、街の道という道に広がった。

　広場に着くと、アントニオ・ゲッティは集まった群衆に向って、この殺害は、伯爵夫人とオッタヴィアーノ殿の命令によって行われたものであると告げた。しかし、信じないものもいた。彼らは、城塞に行って、ゲッティらの言が真実かどうかを、伯爵夫人にたずねることにした。彼らを引見したカテリーナは、恋人を殺された悲しみと怒りのため、ものもいえなかった。眼を据えたまま、こぶしを握りしめていた彼女の口から、ようやく一言がほとばしりでた。「謀殺、不埒者《ふらちもの》め！」。いままで、広場の真中にいたゲッティたち暗殺者は、今度は、カテリーナの返事を知った兵や群衆に追いまわされることになった。

　次の日の夜、ジャコモの死体は、サン・ジローラモ教会に運ばれ、騎士として盛大な葬式が行われた。その席上、カテリーナは、深い悲しみのうちに、ジャコモ・フェオが、自分と正式な結婚をしていたことを公表したのである。

それに続く、カテリーナの復讐はすさまじかった。まず傷ついたアントニオ・ゲッティが捕まった。彼は、大聖堂のバルコニーから裸のまま首を吊《つ》られ、その死体は三ヵ月もの間、その場所に放置された。弟のドメニコは逃げたが、他の一人は拷問《ごうもん》によってすべてを自白し、捕われた二人の僧も含めた七人の暗殺者全員とともに、広場からジャコモの殺された橋までの道を、ぐるぐる巻きに縛られた体を、走る馬に引きずられた。人間の体を引きずって走る馬のうしろを、口々に暗殺者をののしりながらついてまわった兵たちも、それに疲れ果て、城の前の広場で、ジャコモの従者が、最後の一撃を彼らに与えた時、それでも二人の僧だけは、まだかすかな息をしていたという。しかし、それもかまわず他の血まみれの死体とともに、ゲッティの首吊りの横に、同じように吊られた。今日では、人々はこの残酷さに嫌悪《けんお》感をいだくかもしれない。

しかし、後のナポリ王国のブルボン王朝が、人民を治める三大原則としていたのは三つのF、すなわちFarina（小麦粉）、Festa（祭）、Forca（絞首台《こうしゅだい》）であった。当時の人民にとって、三番目のFは、しばしば二番目のFと同じように受けとられた。血まみれの裸体の処刑などは、当時の民衆にとっては格好な見世物であったのだ。

しかし、恋人を殺されたカテリーナの怒りは、これで終るにはあまりにも強すぎた。

ただ一人逃亡に成功したドメニコ・ゲッティには、早くも刺客が送られるとともに、残された彼の妊娠していた妻と三人の子供は、城塞に連行され、そこで殺された。兄のゲッティの家族も、彼らと同じ運命をたどる。五歳の長男は首を斬られ、他の二人の小さい子供たちとその母は、城塞の中の空井戸に生きたまま投げこまれ、井戸のふたは閉じられた。オルチョーリ、マルコベッリの名家といえども、彼女の怒りを避けることはできなかった。陰謀に加担した全員の家族、親族、女や子供までが殺された。

「家系の末端に至るまで血を絶やせ」

このカテリーナの命令は、冷酷に実行された。カテリーナ自身、「今日はこれ、明日はあれという風に、顔色ひとつ変えず残酷の限りの刑をいいわたし、あまりの数に一人一人の名も覚えていない」(カッラーリ)ほどであった。十日あまりの間に、四十人が死刑に、五十人が牢《ろう》へ入れられた。引かれていく女や子供たちの泣き声の絶えなかったフォルリはもちろんのこと、ロマーニャ地方全体もこれには身ぶるいした。

彼女のあまりの残忍さに啞然《あぜん》としたのは、ロマーニャ地方に限ったことではない。ローマの法王アレッサンドロ六世は、驚きあきれ、枢機卿《すうきけい》ラファエッロ・リアーリオの放任の態度を非難した。枢機卿アスカーニオ・スフォルツァから、ミラノのイル・モーロ公にあてた手紙、ボローニャのベンティヴォーリオ公からミラノへの手紙などからも、このカテリーナの行き過ぎを非難した当時の世情がうかがわれる。

しかし、今まで半ば女として、カテリーナを見くびっていたフォルリの人々の受けた打撃は大きかった。恐怖の下で恭順に見えたフォルリの民衆の中にも、彼女個人に対する根強い反感が徐々に育ち始める。五百年後の今日、イタリア中で最も共産党の勢力の強いフォルリ市というのに、いまだに、母親は子供をしかる時、「カテリーナ伯爵夫人が来ますよ」といってさとすという。


恋人を殺された怒りに、何もかも忘れて身をまかせている愚かさに、カテリーナはまもなく気付かねばならなかった。彼女は、その狂気にも似た復讐《ふくしゅう》によって、今までにもまして自分の立場が困難になっていることを知った。

ローマの法王アレッサンドロ六世の意向にも注意をおこたってはならなかった。またヴェネツィア共和国の動きも無視できなかった。ラヴェンナにフォルリの旧主オルデラフィの亡命を許し、彼らを使ってロマーニャ地方への野望を達成しようとしていたヴェネツィアのゲリラ隊が、しばしばフォルリの近辺をおびやかしていた。

この周囲の悪状況の中で、せめて国内が彼女の下によくまとまっていなければならないのに、家臣の間では、カテリーナに対する忠誠心がゆらぎ始めていた。今ようやくまとまりを保っているのは、彼女に対する恐怖心のためだといってよかった。

しかし、何よりも母親としてのカテリーナの心に影をさしたのは、長男オッタヴィアーノの離反である。すでに二十歳近くなった彼は、正統の当主でありながら、これまでずっと実権行使の機会を与えられなかった。その上、彼への結婚話も、母が勝手に断わってしまった。ミラノのイル・モーロのもってきた、マントヴァのゴンザーガ家、フランチェスコ・ゴンザーガ侯爵と夫人イザベッラ・デステの娘との縁談、ローマからの法王の娘、ルクレツィア・ボルジアとの縁談にも、彼女は耳をかそうとしなかった。とくに、ルクレツィアとの結婚話は、アスカーニオ・スフォルツァ枢機卿から、たっての願いと頼まれたのに、カテリーナは、一度、ジョヴァンニ・スフォルツァという自分たちと同じスフォルツァ家の者と枕《まくら》を並べた女とは、息子を結婚させることはできないとつっぱね、法王の怒りさえも買ってしまう。ここで、もしオッタヴィアーノが、気力をもつ男だったら、母を相手に何か重大事が起ったかもしれない。しかし、彼は、肥え太り、女たちを追いまわすしか能のない男だった。

普通の母親なら息子が結婚するのを喜ぶものである。しかし、カテリーナは違った。彼女にとって、息子の結婚は、自分の手から権力が離れることを意味したのである。

フォルルリの領土は、イタリア半島を北から南へ縦断するためには、どうしても通過しなければならない地点にある。当時は、ボローニャとフィレンツェの間の山脈を越えるよりは、ミラノからモデナ、ボローニャを通り、イーモラ、ファエンツァ、フォルリを抜け、リミニ、ペーザロとアドリア海岸に着き、そこからまた内陸に入ってウルビーノ、フィレンツェ、そしてローマと来る道が主要路であった。フォルリが、小国ながら非常に重要であり、ロマーニャ地方の扉といわれていた理由もここにある。

しかし、小国は小国である。カテリーナはこの貧乏な小国の当主であった。いつも金に困っている、そのためには武器をつくって売らねばならず、また、兵たちを他国に貸して金をかせぐこともしなければならなかった。

一四九四年十月、フランス王シャルル八世の軍隊が、イタリアに侵入した時のことである。ミラノのイル・モーロから、当然のように、フランス軍のフォルリ通過の承認を、カテリーナに求めてきた。しかし彼女は、この伯父が、若い自分の弟の正統のミラノ公爵ジャンガレアッツォから、その実権だけでなく公爵の位までも剝奪《はくだつ》し、フランス軍侵入が、この野望を掩護《えんご》射撃するため、伯父の手引きによったことを知っていた。彼女は、イル・モーロの老巧な政治に警戒心を持つ。カテリーナは、伯父の要求に、言を左右にして確答を与えなかった。しかし、フランス軍は、フィレンツェへ行く道を、ぜひともフォルリの彼女の領土にとらねばならない。これはいいかえれば、フランス軍の当面の敵、ナポリ王とローマ法王にとっては、フォルリの伯爵夫人の動向が、自分たちへの重大な結果を左右することを意味する。早速、ローマからリアーリオ枢機卿、ナポリからはカラーブリア公が、彼女の許《もと》に急派された。

この瞬間、カテリーナは商人に変った。どちらにつけばより多くもうけることができるか。その間にも、連日、ミラノ、フランス側の使節、ローマ、ナポリ側の使節が交互に、カテリーナの返答を求めては、彼女を訪問した。彼女は、彼らの会見を断わることはなかったが、確答だけは巧妙に与えない。そのうち、ついに、ローマ、ナポリ側から、一万六千ドゥカートの提供が申し入れられた。カテリーナは考えを決めた。この金のために、ひとまずローマ、ナポリ側につくふりをし、秘《ひそ》かに、裏面ではフランス軍を通過させると。彼女にとって、ミラノはやはり保護者に当り、イル・モーロの意向を無視することはできなかったのだ。

それから五年後の一四九九年の七月、フィレンツェ共和国の外交使節として、若い一人のフィレンツェ人がフォルリに到着した。当時三十歳になっていたニコロ・マキアヴェッリである。フィレンツェ共和国からの派遣で、フォルリの女当主カテリーナ伯爵夫人と、その長男オッタヴィアーノのフィレンツェ軍勤務の件について交渉するためであった。前年からオッタヴィアーノは、一隊を率いてフィレンツェ軍とともに、ピサの攻防戦に参加していた。しかし、これからの契約続行に関しては、フォルリとフィレンツェとの間で、傭兵料《ようへいりょう》の問題で同意が成立していなかったのである。

まず、カテリーナにとっては、年に一万七千ドゥカートの収入は無視できない額であったし、おもてには出さなくても、従来からのフィレンツェ共和国に対する好感から、この傭兵契約を続行させる気は十分にあった。一方、フィレンツェ側は、傭兵料を年一万ドゥカートに値下げするつもりでいた。しかも、カテリーナの国は、ピサ戦役によるフィレンツェとヴェネツィアの両共和国の関係が悪い今、フィレンツェにとって対ヴェネツィアへの戦略上の要地を占めている。マキアヴェッリの受けた指令は、傭兵料をできるだけ下げて、しかも、フォルリとの友好関係は維持せよという困難なものであった。マキアヴェッリ個人にしても、この任務は、三十歳の彼にとって最初の重要な外交交渉の舞台でもあった。

まして相手は、その残忍、勇気、度胸で知られた、当代のプリマ・ドンナである。若いマキアヴェッリが、勇躍フォルリに向ったのも無理はない。しかし、彼にとっての初舞台は、伯爵夫人の独壇場に終ってしまう。

七月十六日、マキアヴェッリはフォルリについた。ただちに伯爵夫人に会見を申しこみ、夜の十時、彼は、城の一室で、うす暗い照明の下、初めてこの高名な女と対面した。三十六歳になっていても、いまだに美しいすらりとした体に、華やかな衣服をまとって立ったカテリーナの凜《りん》とした美しさは、冷静な頭脳をもつマキアヴェッリにさえも、大きな衝撃を与えたらしい。

次の日、交渉に登城した彼は、まず、城内にいるフィレンツェ人の多いのに驚かされる。そして会談の場には、ミラノ宮廷の家臣が居並んでいるのには、さらに理解に苦しむ。伯爵夫人の心がフィレンツェ側にあるのか、それとも敵のミラノ側か、彼には全く判断がつきかねてしまった。

しかし、これがカテリーナの策とは、まだ若いマキアヴェッリにはわからなかった。彼女は、マキアヴェッリに対して、常にやさしいおだやかな態度で接し、彼を安堵《あんど》させるのだが、交渉の件に関しては、受諾の気配すらも見せなかった。その間にも、城からは、武器や人馬がミラノへ向けて出発していくのが、毎日のようにみられた。マキアヴェッリは、だんだんとあせりだした。カテリーナの術中におちいってしまったのだ。

六日後、相変らず、「フィレンツェ共和国は、常に、伯爵夫人と友好関係を保つために、いかなることでもするつもりである」と力説するマキアヴェッリに、カテリーナは、軽くいい返した。「物事というものは議論を続けるよりも、一致点を見つけた方がいいでしょう」。要は、傭兵料の歩みよりをしましょうということである。一万ドゥカートという指令を、マキアヴェッリは、二千ドゥカートをさらに加えることで妥協せざるを得なかった。

二十四日、調印は終った。マキアヴェッリは、その外交官としての最初の機会で、大国にかこまれた小国の政治の実態を、まざまざと眼の前にしたのだった。その後も、彼はフォルリの伯爵夫人を、「男の心をもった女」といって、深い敬愛の気持とともに語っている。

国政に巧みな才能を発揮したカテリーナも、誰かを愛さずには、また誰かに愛されていなくては生きていけない女の一人であった。

マキアヴェッリがフォルリを訪れる三年前、フィレンツェから、一人の男が大勢の供を従えて、フォルリのカテリーナの前に現われた。フィレンツェ共和国大使として着任した、メディチ家のジョヴァンニである。ロレンツォ・イル・マニーフィコとは、互いに祖父が兄弟であった関係にある。しかし、シャルル八世のイタリア侵入の時、本家の当主で、ロレンツォ・イル・マニーフィコの息子であったピエロが、フィレンツェを逃げだしたので、それ以後は、ジョヴァンニと兄のロレンツォにも陽の当る時代が来ていた。このジョヴァンニが、ロマーニャ地方のかなめ、フォルリへ大使として送りこまれてきたのだった。

二十九歳の彼は、貴族の称号こそもってはいなかったが、貴族以上に貴族的なメディチ家の出身である。それまでフィレンツェを統治していたメディチ家の人々とくらべて、彼の自由で民主的な態度から、「イル・ポポラーノ」（民衆的なお方）と呼ばれていても、貴族的な優雅で繊細な立居振舞、その教養の深さは、やはり名家中の名家の出を、誰の眼からもあざむくことができなかった。

彼はまた、「イル・ベッロ」（美男子）ともいわれた。今もフィレンツェに残るヴァザーリの肖像画からも、その優雅で繊細な外貌《がいぼう》、濡《ぬ》れるような官能的な唇、甘い眼、美しい首に垂れ下った巻毛は、本家のロレンツォ・イル・マニーフィコや、その弟のジュリアーノのトスカーナ風にとがって骨張った風貌とは、全く違う感じを与える。それよりも、ボッティチェッリの描いた男たちに似ている。

その上、この若い貴公子は情熱的であった。以前に、ある貴婦人のことで、ピエロ・デ・メディチに剣をつきつけたこともあったほどである。四歳年上の、しかもいまだに美しく情熱的なカテリーナ。この二人の間にまもなく愛が生れた。

ジョヴァンニ・デ・メディチ

ジョヴァンニは、カテリーナによってととのえられた城塞《じょうさい》の中に住むことになった。彼女は平時でも、宮殿よりも城塞に住むほうを好んでいたのだ。しかし、ミラノのスフォルツァ家とフィレンツェ共和国の間がうまくいっていない時、フィレンツェ大使とフォルリの支配者との愛が、周囲から簡単に祝福されるはずもない。ミラノのイル・モーロから、ボローニャのミラノ大使にあてて、至急二人の間の真偽をたしかめよ、という命令が発せられた。ついでカテリーナ自身にも回答をせまってきた。

カテリーナには、今では唯一《ゆいいつ》の保護者、ミラノのスフォルツァ家を無視して行動することは、一国の当主として許されない。彼女は、伯父上の許しなくして結婚するはずもないこと、ボローニャのベンティヴォーリオ家の噂《うわさ》を信ずれば、私はもう十何回も結婚していることになっているほどだと、言葉巧みに逃げを打つ。

しかし、結婚は秘かに行われていたのである。愛した男を、愛人のままにしておくことが、カテリーナにはできなかった。ジョヴァンニとの結婚は、前の小姓出のジャコモと違って、家柄の点では不釣合なことは少しもなかった。しかし、このためにかえって政治的な配慮が必要になる。ミラノのイル・モーロ、ヴェネツィア、そしてロマーニャ地方の名目上の主から実質上の主にと狙《ねら》うローマのボルジア法王と。小国の当主としての彼女の地位は、愛した男との結婚すらも、自由にさせなかった時代であった。

カテリーナはこの結婚を、公式には徹底的にかくしつづける。ただし、しばらくして伯父のイル・モーロにだけは、子供の誕生を機会に、秘かにとはいえ承認はさせたらしい。一四九八年七月、フィレンツェ市は、カテリーナとその子供たちにフィレンツェ市民権を与えたが、その書類の中に、ジョヴァンニという名は全く見当らない。

フォルリの城塞の中で、秘かに、しかし幸せに営まれていたこの二人の間に、一四九八年四月、一人の男の子が生れた。イル・モーロの名をとって、ルドヴィーコと名付けられたこの子も、後に父の死後、父親と同じジョヴァンニと呼ばれるようになる。

彼こそ、カテリーナの数ある子供の中で、ただ一人、母親の血を継いでいた。「黒隊のジョヴァンニ《ジョヴァンニ・ダッレ・バンデ・ネーレ》」。彼の率いる軍隊の兵士たちはすべて黒の軍服を着ていたところから、後にこれがイタリア・ルネサンス時代最後の武人といわれた彼への綽名《あだな》となる。

しかし、カテリーナのこの最後の恋も、長くは続かなかった。ジョヴァンニ・ピエール・フランチェスコ・デ・メディチは、息子が生まれて数ヵ月後、フィレンツェ軍とともに戦っていたピサの戦場から、病気のために帰って来なくてはならなかった。メディチ家特有の胃病だといわれた。治療のため、フォルリ近くの温泉へ行くことになった。病状は楽観を許さなかったが、それでもカテリーナは国を放っておくことができない立場にあった。

ちょうどそのころ、フォルリについたミラノ公の使節の手紙が、苦しい彼女の立場を示している。「フォルリに着き、ただちに伯爵夫人を訪ねましたが、夫人はどこかに出発の間際《まぎわ》でした。夫人がいわれるには、郊外の城へ気分を換えに行ってくるとのことでしたが、秘かに探らせましたところ、どうもサン・ピエロの温泉に、ジョヴァンニ・デ・メディチを訪問されるらしいのです。彼は、病状がどうも思わしくないとかで」。カテリーナは、それでも夫の死に目にはあうことができた。ジョヴァンニは、駆けつけたカテリーナの腕の中で死んでいった。彼の遺体はフィレンツェへ運ばれ、サン・ロレンツォ寺院のメディチ家の墓所に葬《ほうむ》られた。

ジョヴァンニの死後、後に残された息子、後の「黒隊のジョヴァンニ《ジョヴァンニ・ダッレ・バンデ・ネーレ》」のために、メディチ家の希望をもいれて、カテリーナは、彼との結婚を公表した。その時つくられた、カテリーナ・スフォルツァ・デ・メディチと彫られたメダルが残っている。このスフォルツァ家とメディチ家という、イタリア名家中の名家の結びつきから生まれた「黒隊のジョヴァンニ」の系図はすばらしい。彼の子コシモは、フィレンツェが共和国から公国になった時の初代のトスカーナ大公であり、その子孫は、全ヨーロッパの王室に流れていった。フランスでは、アンリ四世から、ルイ十四世、十五世、十六世と続き、スペインは、現国王のホアン・カルロスまで、イギリスでは、チャールズ二世まで続く。

敵・ボルジア

「私に恐怖を感じさせるには、私の心臓がよほど強く動悸《どうき》を打たねばなりません」。

こう言い切ったカテリーナも、その心臓が動悸を打つ時がやってきた。一四九九年夏、チェーザレ・ボルジアが、ついに動き出したのである。若年のマキアヴェッリを相手にみごとな外交を展開した時から、わずか数ヵ月後のことであった。女ながらも一国の当主として、この十二年間国を守り抜いてきたカテリーナにとって、これまでの相手はやはり小粒だった。領国内の陰謀、反乱、ゲリラを、彼女は徹底した弾圧策で切り抜けてきたのである。大きな外敵、フィレンツェ、ローマ法王庁、ヴェネツィア等とは、いまだ正面切ってぶつかってはいなかった。それらを、小手先の巧みな彼女の外交で、今までは処理することができた。しかし、今度の敵は大物である。カテリーナは、自分が初めての難関に出会ったと感ぜずにはいられなかった。

冒頭にあげた戦闘の場面にもどる前に、そこに至る経過を述べねばならないと思う。枢機卿の緋《ひ》の衣を剣に代え、結婚によってヴァレンティーノ公爵《こうしゃく》となったチェーザレ・ボルジアは、父法王アレッサンドロ六世の教会勢力を背景に、妻方の親族フランス王ルイ十二世の全面的援助をも受け、教会領再征服の名の下に、ロマーニャ地方を征服し、そこを自分の王国創立の足がかりとしようとする彼の野望を、いよいよ実行に移し始めたのである。イタリアにとっては、五年前のシャルル八世のフランス軍侵入時と同じ危機が襲うことになった。

しかし、前回に比べて、状況は違っていた。まず、五年前の時は、シャルルは、ナポリ王国征服の野心の他に、それが結果的にはミラノ公国のイル・モーロを正統の公爵に昇格させたとしても、他のイタリアの地方には、何の野心ももっていなかった。ナポリ王国だけが、彼の頭を占めていたのである。このシャルルに対し、他のイタリア諸国ローマ、フィレンツェ、ヴェネツィア、フェラーラ、マントヴァは、少なくとも対抗の関係にあった。

しかし、今回は、それが逆転した。ナポリ王国は相変らず狙《ねら》われたが、ミラノのイル・モーロが、まずミラノ公国への相続権を主張するフランス王ルイ十二世の攻撃の矢面に立つ。その上、ローマ法王庁の呼びかけによって、イギリス王、スペイン王、神聖ローマ帝国皇帝はルイ十二世と同盟し、イタリア諸国、スフォルツァ家とは仇敵《きゆうてき》の間のヴェネツィアはもちろん、フィレンツェ、フェラーラ、マントヴァも、法王と行動をともにする。孤立したのは、五年前、その老巧な政治の全盛を誇ったミラノ公イル・モーロであった。「スフォルツァを倒せ」の合言葉は、ルイ十二世だけでなく、イタリア全土の声となる。ナポリとミラノを狙うルイ十二世と、ロマーニャ征服の野望を抱くチェーザレ・ボルジア。二人の背景を固める法王アレッサンドロ六世。全イタリアは、この三人の前に何のなすすべもないかのようであった。イル・モーロは、防戦につくしたが、もはや政治的にも、軍事的にも手遅れだった。彼は再起をはかって、あっさりとミラノを捨て、ドイツに逃げてしまう。

ミラノを簡単に陥落させたフランス軍は、いよいよ法王との約束によって、チェーザレを援助するため、ロマーニャにその鉾先《ほこさき》を向けることになった。

ロマーニャ。イタリア中部のこの地方には、十一の小国が分立していた。昔から法王領であったが、七十年間も続いた法王のアヴィニヨン捕囚時代に、大小の豪族たちが勢力を確立してしまい、教会から法王代理《ヴィカーリオ》の名をもらっていても、年貢金《ねんぐきん》も滞納しがちで、事実上は教会から全く独立した存在になっていた。歴代の法王にとって、彼らの非恭順にどう対処するかは、常に大きな問題でもあった。

その上、善政で聞えたフェラーラ、ウルビーノ以外の国々は、その悪政、弾圧によって、住民の不満が絶えない状態にあった。

しかしこれは、全イタリア的な立場に立っての上のことである。攻撃の矢面に立つことになったロマーニャの諸侯たちにとっては、まさに死活の問題であった。とくに、ロマーニャのかなめとして、その戦略的価値の重要さから、最初の攻撃地とされたフォルリのカテリーナには、その生涯で最大の危機に見舞われたことを意味した。

彼女は、まず外交手段で、これを打開しようとする。数年滞納していた年貢金を持った使節がローマへ向った。しかしローマに着いたフォルリの使節は、法王から門前払いを食わされただけに終る。親族のリアーリオ枢機卿のとりなしも、無視された。

フランス王ルイ十二世へも、死んだ夫の縁をたよったフィレンツェへの頼みも、マントヴァ侯フランチェスコ・ゴンザーガにあてた援軍の要請も、すべては無駄に終った。カテリーナは、逃げるか、留まって立ち向うかの岐路にたたされ、孤立無援の状態に置かれたことになったのだ。

秋深いロマーニャの野を、馬を駆るカテリーナの姿を見た人は多かった。領土内に散らばる城塞《じようさい》の整備に、陣頭指揮をする彼女の姿である。とくに、フォルリの街に接しているラバルディーノの城塞には、そこに籠城《ろうじよう》して敵と対戦できるよう、食糧に、銃や大砲の武器や武具、多くの馬も運び入れられた。この城塞は、カテリーナにとって思い出の多い場所である。第一の夫の暗殺後、この中に入るのに成功したことによって国を取りもどせたし、第二、第三の夫たちと、困難な国政のあいまに短くても幸福なひとときをもったのもこの城塞の中でだった。そして今、彼女の運命を決する場所を、この城塞に選んだのである。

防戦準備のため、農業用水は止められた。見通しの邪魔になる立木はことごとく切られた。農民たちは四ヵ月間市内に強制的に移住させられた。各市民は何人かの百姓を寄宿させるようにとの命令がだされた。しかしカテリーナは、このことからわき起った民衆の不満を無視し、ただ城塞を固めることだけに専心した。この彼女のやり方を、後にマキアヴェッリは『君主論』の中の、「城塞は有益か無益か」の章でとり上げ、城塞を固めるよりも民衆の憎しみを買わないことの方が、彼女にとってより安全であった、と書いている。善政とは決していえないカテリーナの、民衆に対する専制的な政治によって、彼らの心は、彼女から完全に離れてしまっていたのである。

しかしカテリーナは、それらのすべてを無視した。黒いしゅすの服に、フランス風のビロードの帽子の下からゆるく結んだ金髪の束をのぞかせ、男物の帯を着け、兵たちをはげますためにばらまく金貨のいっぱい入った袋を腰に、抜き身の長剣を手にして、口数もすくなく徒歩で、または馬で兵士の間をかけ廻る美しい伯爵夫人の姿は、人々を圧倒しながら恍惚《こうこつ》とさせたほど、残忍な美しさに満ちていた。カテリーナはこうしてチェーザレを待った。

十一月九日、一万五千の大軍とともに、いよいよ、チェーザレ・ボルジアは、ミラノを後にした。マントヴァ侯の領地を通って、まずイーモラへと向う。イーモラの民衆は、それまでの灰色の生活から解放してくれる者なら誰でもよいという気になっていた。カテリーナに忠誠を誓った舌の根の乾かないうちに、彼らはこぞってチェーザレを迎え入れる。十一月二十五日、チェーザレは、一兵も損うことなしにイーモラ市に入城した。そして、ロマーニャ地方最強の一つといわれた城塞も、十五日後に落城する。

イーモラ落城の知らせは、カテリーナにとって大きな打撃であった。民衆の意志など一顧だにしたこともなかった彼女も、初めてその誤りに気付く。しかし、あくまでも勝気な彼女は、行政委員会の長に次の質問を送りつけただけだった。「フォルリ市民は、ヴァレンティーノ公爵に対抗する気があるのか、それとも、イーモラの市民にならおうというつもりか」と。城塞のカテリーナのところに回答をもってきた長老たちは、この女当主の前にかしこまっていた。しかし、回答の内容は、彼女の秘《ひそ》かな期待を裏切ったものであった。「かつてナポリのアラゴン王家を倒し、今度もミラノのスフォルツァ家に勝ったフランス軍に対抗して闘うのは、全く無益な行為としか思えません」。彼らはこれに続けて、カテリーナがもし今戦いを避けても、法王が死んだ時、またフォルリにもどって来られる可能性を説いた。

しかしすべては彼らのいいわけにすぎなかった。彼らはシスト四世の甥《おい》たちの統治にあきあきしていたのである。その上、イーモラ落城後のチェーザレの寛容な待遇をも聞いていた。カテリーナは、もう耳をかたむけようともしなかった。彼女は、忠誠をよそおって裏切られるよりも、かえって彼らに自由に方針をえらばせる方法をとっただけであったのだから。カテリーナは、もはや市民たちの助力を期待しなかった。ここに、フォルリは、事実上、チェーザレの前に開城したことになる。

しかし、カテリーナは、まだあきらめなかった。息子たちは、第三の夫との縁からフィレンツェのメディチ家に預けられた。重要な証書や宝石類とともに。彼女一人、かき集めた二千の兵とともに、絶望的な防戦のため、城塞にたてこもる。彼女は、いまだに伯父のイル・モーロの再起に、また、姉の嫁ぎ先のドイツの神聖ローマ帝国からの援助に望みをかけていた。できるだけ時をかせぐこと、その間にはきっと伯父か義兄が、援軍をさしむけてくれると。

一四九九年、十二月十九日、この日は朝から雨が降りつづいていた。午後、チェーザレはフォルリへ入城した。白馬にまたがり、甲冑《かっちゅう》の上に絹の服をまとい、白い羽根をつけた黒い帽子のチェーザレの後には、フランス軍総司令官イヴ・ダレグレが同じく馬で進み、それに続いてフォルリの高位の市民たちが従っていた。一万五千の全軍の後には、当時の戦いにつきものの、酒保の主人、料理人、それに娼婦《しょうふ》の群がにぎやかにつづいていた。フォルリの民衆は、それに、広場の銅像に法王服を着せたりして歓迎の意を示して迎えた。チェーザレ以下全軍の兵に対して、フォルリ市民の家々が宿舎として提供された。

チェーザレは、イーモラでの容易だった占領の後、フォルリも一気に攻略する気でいた。いったんミラノを捨てたイル・モーロが、スイスで皇帝マクシミリアンの秘かな援助のもと、ミラノ再帰を狙っているということも知っていた。もし、イル・モーロがミラノにいるルイ十二世をおびやかすような行動に出た時は、今自分に従っているフランス軍に、帰還命令が出ることは十分に予想される。その前にフォルリをわがものにしたい。チェーザレには、先を急ぐ必要があった。彼は、力で攻めるよりも、まず話合いをするという、後の彼の常套《じょうとう》手段をこの時も使う。

ある日の朝、街はずれにある城塞の前に、突然ラッパの音が響いた。城塞の塔の上に何人かの兵があらわれた。ラッパ手は大声で叫んだ。「公爵様は伯爵夫人と話したいと望んでおられます」。それまで馬上だったチェーザレは、その時馬を降り、城塞に向って堀の岸に立った。狭間胸壁に、カテリーナがその姿を見せた。今日では刑務所になっているこの城塞の城壁は、十メートル足らずという高さで、城壁の上とその下の堀の対岸で話すのには、それほど大声を出すこともなかったと思われる。

堀の向う岸に立ち、例の羽根のついた黒い帽子を手に低く持ち、優雅に頭を下げたチェーザレに対し、カテリーナも、負けず劣らずにこやかに腰をかがめてみせた。イタリア・ルネサンスの最高の英雄と女傑の出会いである。チェーザレ二十四歳、カテリーナ三十六歳の時のことであった。

「奥方様――チェーザレは言葉を始めた――あなたは、国の運というものが、いかに変りやすいかをよく知っておられるはずです。私は、ローマにいたころのあなたが、歴史にひどく興味を持たれていたと聞いております。今こそ、その知識をお使いになる時です。私はここで、私の目的も現在の情勢も説明いたしません。あなたもよく知っておられることでしょうから。ただ私の、あなたに対する尊敬を示したく、あなたを不幸にし、悲しませる気持など毛頭ないことを知っていただきたかったのです。

私から法王に願いましょう。あなたとあなたのご子息たちに対する好意ある境遇をととのえるように。あなた方は、どこでもローマにでも、お好きな場所にお移りになれるのです。私自身が、この約束の保証人になるつもりでいます。これで、あなたとともにいる他の大勢の人々を見舞うであろう災難を避けることもできるのです。血の雨をごらんなさいますな。以前、イタリア中に勇敢な女、賢明な女として高名であられたあなたが、今は、無思慮な気狂い女といわれていることを、ご存じでおられますか。奥方様、私の願いをきき入れて、城塞を明け渡すことをお考えください」

カテリーナは、城壁の上にたって聞いていたが、顔色一つ変えず話しだした。

「公爵様、運は勇気ある者を助け、臆病者《おくびょうもの》を見放すものです。私は、怖《おそ》れを知らなかった男の娘です。いかなる不幸に襲われても、私は断乎《だんこ》として、自分の人生の終りまで、その不幸の跡を歩んでまいるつもりでおります。私もまた、国の運というものが、いかに変りやすいものかをよく知っております。しかし、私の心のささえであった私の祖先の名を汚すことこそ恥と思います。あなた様は、私にご自分の目的をお話しになりたくないとおっしゃいました。しかし、それは、私のそれに対する答えをお聞きになりたくなかったからでしょう。私は、あなた様が私について、いまだにそのような好意あるお気持をもっておられることは感謝いたします。しかし、あなた様の名、法王様の名でなされた今のお約束を信ずることはできません。世間ではボルジアの言葉がどんな価値しかもたないか、息子のために何でもする法王に、どのような不信を持っているかをご存じでいらっしゃいますか。私どもになさっているように、この国の当主としての地位を取りあげることを、人々は正当なことと思ってはいません。私は、自分たちを守るだけの力があります。そして、あなた様もそれに対抗できないお方でもないでしょう。スフォルツァの名を守る私の決意をもって、あなた様のご好意に対する答えとしなければならないのを残念に思います」

カテリーナは、一気にこういい終ると、チェーザレに向ってもう一度親しげに腰をかがめ、城壁の上から消えた。

この二人の会見は、その後二回もたれる。しかし、いずれも最初の会見と違った成果は得られずに終った。とくに第三回目などは、カテリーナに向って熱弁をふるうチェーザレの近くに、彼女の命令によっておどしの砲丸が打ちこまれ、チェーザレもその優雅な騎士ぶりを続けるどころではなく、そうそうに街へ逃げ帰ったほどであった。

そうこうするうちに、このどんよりと曇った雪模様のフォルリにも、新年はやってくる。とくにその年は一五〇〇年、新年のお祭りさわぎは、他の年よりも盛大であった。広場のあちこちには火がたかれ、その周囲に並べられたテーブルの上には、市民たちによって用意された料理や酒がところせましと並べられた。包囲軍の兵たちは飲み食い、とくに酔っぱらったフランス兵たちは、テーブルの上で娼婦を相手に踊りだした。

しかし、まだフランス兵たちの酔いもさめない次の朝、城塞に向けて砲撃は始められた。その前からも攻撃は何度もされていたが、初めて本格的な攻撃が開始されたのである。城塞の周囲は、砲台があちこちに置かれ、軍馬が走りまわり、人一人が両手を広げたほどの大弓から、びゅんびゅんうなりをたてて、矢が城壁の上の守備軍に向って放たれた。

すでに包囲は半月に及ぼうとしていた。外側の城壁の破壊は成功しつつあった。しかし四つの塔に囲まれた城塞は、びくともしない。それどころか、城塞から包囲軍に向けられる砲撃は、よく的をついていた。立木が切り倒されていたために、城塞からの目をかくれることがむずかしかったのである。フランス兵たちの中に、あせりが見え始めた。ミラノ、イーモラは簡単に手に入れたのに、女を相手にしてこれほど手こずらなくてはならないのかと。

しかし、カテリーナには余裕があった。城壁を遠巻きにして、わいわい叫びをあげるだけの包囲軍を馬鹿《ばか》にするように、彼らの真ん中に大砲の弾を打ち込んだ。当時の砲丸は、今のように中に爆薬がつまっていて当ったら爆発するものとは違う。ただの鉄の玉か、それも高価なので、ただ同様の石丸を、爆薬で打ち出したものである。だから打ち出された力によって破壊するというだけのものだった。今でもフォルリの美術館には、大は直径三十センチぐらいのものから、十センチぐらいの小さいものまでがたくさん残っている。城壁などはこれを多量に打ち込めば、その個所だけは破壊できた。カテリーナが敵陣に打ち込んだのも、この種の砲丸である。しかもさらに彼女は、彼らを馬鹿にする行動に出た。

その日、包囲軍の兵たちは城壁から飛んできた砲丸を見て驚いた。その石の肌には黒々と、次の一句が書かれてあったのである。

「大砲はゆっくりとお撃ちなさい。そうしないとあなた方のきんたまがちぎれてしまいますよ」

敵兵たちは唖然《あぜん》としてしばらく口もきけなかった、と当時の年代記は記している。

ヴェネツィア人で、当時最も精密な日記を残したマリン・サヌードも、カテリーナの余裕ある態度を賞讃《しょうさん》しながらこの文句を引用しているが、さすがに彼といえども少々気恥ずかしかったとみえ、コリオーニと書くところをc……と書いている。コリオーニとは、その場所を指す数ある言葉の中でも、最も下品な俗語であったから。しかし、カテリーナひとりが特別に下品な女であったとみることはできない。当時の風潮は、それを下品と思うより大胆と思っていたくらいのものであった。シェークスピアの作品を見てもわかるように。サヌード以外の年代記作者たちは、みなc……とは書かず、coglioniと書き残している。しかし、女のいった文句とすれば、やはり少々大胆すぎていないでもないが。

十日が過ぎた。城塞《じょうさい》はまだ陥《お》ちる気配もみせなかった。フランス兵たちのあせりは、今やチェーザレへの不満となって昂《たか》まっていた。もうフランス兵は攻撃に加わろうとせず、街から出てこないようになった。しかし、チェーザレは彼らをほうっておいた。

一月十二日の朝、チェーザレはフォルリの全市民に、集めうるかぎりの薪束《まきたば》をもってくるようにという命令を下した。またたくうちに薪束は山のように積まれた。彼は、山側の城壁に向けて、十台の大砲を並べさせ、いっせいにしかも連続的に発砲させた。その掩護《えんご》砲撃の間に、兵士たちによって、集められた薪束は、満々と水をたたえていた堀の中、水面近くまで積まれた。ついでその朝、ラヴェンナから到着したばかりの舟が二艘《そう》、その薪束の浅瀬にのせられた。堀を渡る橋が出来上ったのである。あとは、続けられている大砲の集中砲火を浴びて、急造された橋に接した城壁が破壊されるのを待つだけになった。二千の守備軍に対して、一万五千の攻撃軍である。勝負は決まったも同然であった。

その日は日曜日だった。これだけの準備を終って街へ帰ったチェーザレは、昼食の席で同席の隊長たちの功を讃《たた》え、次いでいった。

「見ていたまえ、火曜日には、カテリーナは私の手の内だろう」

「早過ぎる」といったのはフランス人の隊長だった。

「では、私は三百ドゥカートを賭《か》ける」

「結構です。私も三百ドゥカートだ」

隊長たちも、いっせいにいった。

チェーザレは、微笑しただけだった。ここで一気に勝負を決しようと思ったチェーザレの心理作戦が、みごと成功したのである。彼の思惑通り、総司令官の言葉は、またたくうちに隊長たちの口を通して全軍に伝わった。街で遊んでいたフランス兵たちも、次々と攻撃軍に加わった。高調した気分が全軍にみなぎった。

集中砲火によって、山側の城壁には、二つもの破れ口ができた。城塞の中の守備兵たちが、その破れを補強しようにも、無数の砲丸と矢のため、その個所に近づくこともできない。砂ぼこりがあたり一帯をおおった。それにかくれるようにして、攻撃軍の兵は初めは一人ずつ、ついで何人かの群をなして、薪束の橋を渡りだした。城塞にくいつくことに成功したのである。包囲開始から数えて、二十五日目のことであった。

一人の女

「ちがう！　ちがう！　私ではない！」。四月のある日、ヴァティカン内の一室から、こう叫ぶカテリーナの声が、扉の外にまで聞えた。その部屋の中では、チェーザレも列席して、三人のフォルリ人の証人を召喚し、法王アレッサンドロ六世自ら、カテリーナを尋問していた。カテリーナは、この三人を使って法王を毒殺しようとした嫌疑をかけられていたのだった。

話は、前年の十一月、フォルリでカテリーナが、チェーザレ防戦に必死な日々を送っていたころにさかのぼる。そのころ、ローマのカステル・サンタンジェロの牢《ろう》に、新たに三人のフォルリ人が囚人として入れられた。

そのうちの一人、バッティスタ・ダ・メルドーラが、主人であるカテリーナ伯爵《はくしやく》夫人からの、法王への手紙を持っていたというのである。その手紙は、伯爵夫人から法王にあてて、戦争の平和的解決を懇願したものであった。

しかし、これだけでは別に問題はない。この手紙が大げさに筒に密封され、しかもその上をさらに赤い毛の布でつつまれていたことが不審に思われた。捕われたダ・メルドーラの自白から、カテリーナが書いた手紙は、長い間ペストで死んだ者の胸に置かれていて、その毒がしみこんだもので、法王が手にとって読むと毒が全身にうつり、この病に倒れ、うまくいけば死ぬという手筈《てはず》になっていたという。伯爵夫人からは、必ず法王自身の手に渡すようにとの厳命を受けていたといった。この大げさな外装は、持参者に毒がつかないように考えられたものということである。もしこれが成功すれば、法王の後楯《うしろだて》を失うチェーザレの没落は確実で、カテリーナも自分の国の安泰を保証されることになるのである。

　しかし、露見はあっけなかった。ローマへこの手紙とともに着いたダ・メルドーラは、この地で旧知のクリストフォロ・バラトローネに会った。この男は、リアーリオ家の昔からの家臣であったが、ジローラモの死後、カテリーナの愛人のジャコモの不興を買い、ローマに逃げていたのだが、もう一度フォルリへ帰りたいと願っていた。何か伯爵夫人に認められることをして、ふたたび臣下の列に加えてもらおうと思っていた彼に、ダ・メルドーラの仕事を助けるのは、願ってもない好機と思われた。ダ・メルドーラも旧知の間柄ゆえ、この男を信用し、二人はそろってヴァティカンへ法王謁見《えっけん》の申請に行った。

　しかし、侍従から、明日あらためて来るようにいわれ、その日は帰ったのだが、バラトローネはこの大仕事に興奮のあまり、弟に一部始終をしゃべってしまった。この弟が、法王の護衛兵であったのが悪く、しかも小心な彼は、その夜の当直で落ちつきのなさを隊長にとがめられた時、てっきり見透されたと思い、すべてを白状してしまったのである。時をおかず、この三人のフォルリ人は逮捕された。彼らはただちに、カステル・サンタンジェロの牢に入れられ、厳しい拷問《ごうもん》を受けた。

法王毒殺の陰謀。陰謀としては、まさに大胆不敵なみごとなものである。自分自身、法王の甥《おい》と結婚し、法王在位時代のその近親たちの権勢ぶりを見、しかも法王死後の彼らの没落の惨《みじ》めさを、身をもって体験したカテリーナである。自分に及ぼうとするチェーザレの脅威が、その父である法王アレッサンドロ六世の死によって避けられることを予想したであろう。

まして、現世の神ということになっている法王が、今日と同じく、それほど聖なる存在とも思われていなかった当時のことであった。十一月の終りごろの法王からフィレンツェ共和国への手紙には、カテリーナを、「あの不幸を生む女」「スフォルツァの蛇は、悪魔の手先だ」と書いてある。

そのころ、初めはカテリーナを殺せといっていた法王が、一転して彼女を捕えて、ローマに連行せよとの命を、チェーザレにあてて下している。当時の歴史家、年代記作者たちも、「夫人は法王毒殺を謀《はか》った」（マキアヴェッリ、ヴェネツィア大使書簡、ブルカルド）と書き残した。もしこれが成功していたら、〝最もみごとな陰謀〟と、パオロ・ジョーヴィオに絶讃《ぜっさん》されていたかもしれない。

しかしこれにも疑問がないでもない。まず第一に、毒殺の手段としては、あまりにも幼稚で、非確実な方法であること。手紙を持参したダ・メルドーラが、フォルリ宮廷では家臣としてほんの微臣にすぎず、カテリーナがこの大事を託すとは信じられないこと。

第二に、事が発覚してから、カテリーナが捕われてローマに連行されるまでの約一ヵ月半、この陰謀発覚を伏せておくのはわかるが、それ以後、さらに三ヵ月間も表面に出さず、しかも、カテリーナをその間、客分のような待遇で、ヴァティカン内のベルヴェデーレ宮に置き、四月も下旬になって、突然、裁判を始めたこと。これらのことから、どうも、ボルジア側の〝でっちあげ〟ではないかという疑問も出てくる。ヴァティカンの古文書庫には、いまだこの陰謀に関して法王庁側の文書が、一つも発見されていない。法王毒殺の陰謀という大事件に、何一つ文書が残っていないというのも、ひどく不可思議な話である。

その上、この法王自ら尋問したほどの裁判も、結局はうやむやに終ってしまった。開き直ったカテリーナが、大声をあげて暴露戦術に出たので、ボルジア側は、もう尋問を続けるのを止《や》めたのだともいわれている。

しかし、どうも真実は、サヌードが幾分ひやかし気味に書いているように、ボルジアにとって、カテリーナは女といってもひどく危険な存在であった点にある。神聖ローマ帝国皇帝を義兄にもつ身といい、枢機卿《すうきけい》の中にスフォルツァ、ローヴェレ、リアアーリオと三人もの有力な親族枢機卿がおり、第三の夫の縁からフィレンツェのメディチ家とも縁が深い。もしカテリーナを自由にでもすると、彼らと呼応して何か行動を起すのではないかというのが、ボルジアの心配であったらしい。

とくに、カテリーナは、フランス王の臣下として、女を戦場では捕虜にしてはならないというフランス法の適用を受ける身を、ボルジア法王の許《もと》に預けるという形式で、ローマに連行されたのである。法王の、またチェーザレの捕虜では、形式上はないことになっていた。

この彼女を、ファエンツァの当主であったマンフレディのように、あっさり殺してテヴェレ河に投げこんですますわけにはいかない。かといっていつまでも、ベルヴェデーレ宮に置いておくこともできない。何しろマントヴァ大使の通信によると、捕囚の身にしてはカテリーナは、やたらと金使いが荒く、その上、ボルジア側のいい分では、一度逃亡をはかったということである。できるだけ安価に、しかも長期間置ける場所といえば、ローマではカステル・サンタンジェロしかなかった。しかし、ここに入れるにはそれ相当に納得できる理由が必要である。この理由を作るために、法王毒殺嫌疑の裁判が演出されたのではないか、というのが、当時のもう一方の見解であった。彼らは女一人を、これほど怖《おそ》れるボルジアを笑っている。

どちらにしても、没落後殺すこともできず、かといって自由にしておくには危険なので牢に入れておくというのは、いかに大物であったかというよい証明である。カテリーナの夫でシスト四世の甥であったリアーリオ伯も、インノチェンツォ八世の息子フランチェスケットも、その没落後は、誰にも相手にされなくなっただけである。彼らと反対の処遇を受けたのは、このカテリーナと、そして後のチェーザレ・ボルジアだけであった。

五月二十五日の夜、召使たちは、訪ねてきていたチェーザレの帰った後、椅子《いす》の上に泣きくずれている伯爵夫人を見た。そして、その次の日の夜半、カテリーナはひそかにベルヴェデーレ宮から、カステル・サンタンジェロへ移された。フォルリから従っていた女官二人だけは連れて行くことを許されて。

この時から約一年続くカステル・サンタンジェロでの、彼女のことはよく知られていない。マントヴァ大使から、マントヴァ侯フランチェスコ・ゴンザーガにあてた書簡の中に、彼女に言及されている部分と、フィレンツェにいる上の息子たち二人から、母にあてた書簡によって、わずかにうかがい知るのみである。

カステル・サンタンジェロに入れられて、生きて帰った者はないとまでいわれたこの城塞《じょうさい》の中に監禁されていたカテリーナが、どれほどの絶望を味わったかは想像にかたくない。初めのうちは「夫人のこの精神の強さはまるで悪魔的」と書き送ったマントヴァ大使も、すこし後には「夫人は苦悩の深さのあまり病気にかかられたようにみえる」と、書くようになった。誇り高い精神をもった人は、屈辱を受ける身になると、その誇りゆえにその苦悩はより深い。カテリーナも例外ではなかった。

捕われのカテリーナを苦しめたのは、その屈辱的な境遇であったが、悲しませたのは息子たちの上の二人、オッタヴィアーノらの薄情であった。以前に二男には、ピサの司教の座を獲得することはできたが、今では長男のオッタヴィアーノまで、当主としての責任も気概もなく、捕われている母親に向って、枢機卿の赤い帽子を得られるよう尽力してくれ、とたのんでくるしまつだった。

その上、母上の釈放運動のための資金は、もうこれ以上送れないこと、自分たちの財産をつぶしてまでは協力できない、とまでいってきたのである。この兄弟の非情さを、「私には、悪魔が彼らの感情と思い出をうばったとしか思われない」といって憤《いきどお》ったのは、カテリーナ付きの司祭のフォルトゥナーティだった。彼がそれ以後の彼女に最も忠実で誠意をつくした人となる。

こうして、カテリーナにとって、最も誇らしく悲劇的であった年、一五〇〇年は過ぎていった。

一五〇一年の六月二十日、一人のフランス騎士が、ヴァティカン宮殿に馬を乗り着けた。彼は、守衛に向い、イヴ・ダレグレと名乗り、法王との至急の会見を申し入れた。

会見の場での彼の態度は強硬だった。フランス王の臣下であり、女は戦場では捕虜にできないというフランス法の適用を受けているはずの伯爵夫人が、いまだに、しかもカステル・サンタンジェロに監禁されているとは、まさにフランス王自身が侮辱されていることと同じである。即刻、伯爵夫人は釈放されるべきであり、もしそれがなされぬ場合は、今、ヴィテルボまで来ているフランス全軍にも考えがあると。

イヴ・ダレグレは、フォルリ攻防戦の時から、雄々しく美しいカテリーナを忘れていなかった。あの時は、チェーザレの、カテリーナをローマへ連行する強い意志に、心なくも妥協したが、今度ナポリ征服に向う途中、カテリーナの惨めな境遇を聞き知って、いてもたってもいられなかったのである。

この彼の強硬談判には、まず法王が妥協した。しかし最後まで、カテリーナの釈放に強く反対したのはチェーザレである。とはいえ彼も、ロマーニャの大半を征服して、その野望の実現も間近という時、自分の第一の後援者フランス王との友好関係に、ひびを入らせることはできない。彼もまた、カテリーナの釈放を黙認せざるをえなかった。

しかし、ボルジア側は条件を出した。まず、すでに枢機卿会議で議決されている、フォルリ、イーモラの主権を放棄して、チェーザレ・ボルジアにそれを譲渡するという法王教書を、伯爵夫人自ら認《したた》め署名すること。次に、二万五千ドゥカートの身代金《みのしろきん》を支払うこと。そのうちの二千ドゥカートが支払われた時に、伯爵夫人は初めて釈放される。

フランスの騎士は、この結果をもってただちに、カステル・サンタンジェロへ急いだ。その一室で待つ彼の前に現われた伯爵夫人の外貌《がいぼう》を見て、それほどの変りがないのに安心した彼も、彼女が話し始めた時、そのあまりの違いに強く心を痛めずにはいられなかった。

カテリーナには、この老将が知っていた一年半前の、あのイタリア最高の女傑の面影はもう見られなかった。凛然《りんぜん》とした貴族の女の気概は残っていたが、あの時の「男の心を持つ女」といわれたほどの気迫大胆さをもった女傑の代りに、はらはらと涙を流して彼の好意に感謝する美しい女がそこにいた。

カテリーナは、身代金を支払うことは承諾したが、フォルリの主権放棄の教書に署名することには、なかなか首をたてにふろうとしなかった。フォルリへ帰ること、それだけがこの屈辱の日々の生きがいだったのである。

サン・ピエトロ大寺院の晩鐘が身近に聞えるその一室では、高い小窓からさしていた陽光も、もうその強い光を失っていた。椅子にかけた伯爵夫人と、そのかたわらにひざまずいた姿のまま、説得を続ける老将の二人を夕闇《ゆうやみ》が包んだ。衛兵が灯りをもって入ってきた。

それから十日たった夜のことである。数人の騎馬兵が、秘《ひそ》かにカステル・サンタンジェロの門を出た。兵たちにかこまれるようにして、その中に一人の女の馬上姿が見られた。一年半ぶりに自由の身になったカテリーナである。一行は、サンタ・アグネーゼの橋を渡り始めた。それまで馬を止めて一行を見守っていた一人の騎士は、その時初めて馬首をめぐらし去って行った。この時から十一年後の一五一二年四月、イヴ・ダレグレは、名将ガストン・ド・フォアのひきいるフランス軍とともに、ラヴェンナの戦場で戦い、そこで死んだ。

釈放後のカテリーナは、身元引受人になったラファエッロ・リアーリオ枢機卿の邸宅に身を寄せることになった。彼女の釈放の知らせは、ローマ中を興奮させた。リアーリオ枢機卿の邸宅の門前には、色あざやかな服装の従者や馬丁が、いつも何人かは必ず目についた。彼らは、邸内でカテリーナを訪問している主人たちを待っているのだった。ローマ中の貴族が訪ねてきた。彼女の釈放を祝いにくるのは、以前シスト四世から厚遇を得ていた人々とか、オルシーニ一党の人々がその大半をしめていたが、その他の、ただこの高名な女を見たいだけで訪問してくる人々もいた。

七月も半ばのころ、ついに法王からカテリーナのローマ出発の許可がおりた。彼女が一四九八年からフィレンツェ共和国の市民権をもっていることから、以後はフィレンツェ共和国に彼女の身柄をあずけるというものだった。それでも事実上は、完全な自由を得ることができたわけである。

その数日後、今でもカテリーナの釈放に不満なチェーザレが、途中で刺客を待機させているらしいという情報によって、彼女は夜半まず変装して秘かにテヴェレ河を下り、海路をフィレンツェに向うため、ローマを後にした。

以前、まだ夫のジョヴァンニ・デ・メディチが生きていたころ、「私の第二の故郷は、フィレンツェの城壁の中にある」といったカテリーナは、今、当時は予想だにしなかった境遇で、フィレンツェの城壁を見ることになった。到着後しばらくは、フィレンツェ市民たちの熱狂的な歓迎を受けたが、ここでは捕虜時代とは別の苦しみが、彼女を待っていた。

義兄のロレンツォ・ピエール・フランチェスコ・デ・メディチが、亡夫の遺産を費《つか》い込んでいたのだった。彼女は、それを一番小さい息子、彼女とジョヴァンニの間の子ジョヴァンニーノのために残しておいてやらねばならなかった。金銭をめぐる醜い親族間の争いは、ますます彼女を疲れさせていった。

さらに、深刻な欠乏が彼女を襲う。母親に金をせびりにくる上の息子二人に対して、一五〇二年七月、カテリーナは、「自分の肩には二十四の口と、五頭の馬と、三頭のらばがかかっているのです。これらを養っていかねばならないため、宝石まで売りに出したのですよ」と書き送っている。

しかし、カテリーナの希望を徹底的に打ちくだく大打撃は、その翌年に彼女を襲った。

一五〇三年八月、法王ボルジアは死んだ。追い出されていたロマーニャ地方の諸侯はみな、それぞれの旧領地に復帰した。カテリーナも早速長男オッタヴィアーノに家臣たちをつけ、フォルリへ急行させた。しかし、ボローニャまでいって、オッタヴィアーノは引き返してきてしまう。フォルリと、とくにイーモラはいまだにチェーザレに対して忠誠で、カテリーナの圧政を憎んでいるから、リアーリオ家をふたたび当主に迎える気など全くないというのが家臣たちの持ち帰った情報であった。

カテリーナはそれでもあきらめなかった。彼女はヴェネツィアに、オッタヴィアーノをヴェネツィアの貴族の女と結婚させるという条件で、武力援助を要請する。しかし返事だけはよくても実行には慎重なヴェネツィア式政治によって待たされているうちに、ローマでは最終決定が下されてしまった。

ローマーニャは法王領であるとする、法王ジュリオ二世が、まだ帰属のあやふやなフォルリとイーモラだけでも教会直轄《ちょっかつ》にする意志を固めたのである。

この、自分と自分の子供たちにとっては親族にあたる新法王ジュリオ二世が、自分たちに対してこれほどの冷酷な仕打ちをするとは、カテリーナは考えてもみなかった。しかし、枢機卿会議で承認された法王教書が出されてしまっては、もはやどうすることもできない。この新法王即位を、人一倍の期待をもってむかえた彼女の思いは、完全に粉砕されたのである。

日々は過ぎていった。ボルジア家の没落が巻き起したイタリア中の昂奮《こうふん》もさめていった。ただ既成事実だけが後に残った。フォルリへ主権者として帰りたいというカテリーナの悲願も、今では人々の口の端《は》にものぼらなくなっていった。

エピローグ

「敬愛なる伯爵《はくしやく》夫人、あなた様の数々のお手紙にも見られる通り、あなた様がわれわれとともども越えつつあるこの困難と危険に満ちた時代において、神によって助けられる御身になりたいとの御心は、誰においても当然のことと思われます。私には、あなた様がよき助言を役立てておられ、あらゆるよき霊感をくだされる神からのお導きを受けておられる方と思います。……私は、あなた様のこの徳に満ちた御心を常にお持ちつづけになるよう祈ります。私は、あなた様が私に意見を求められたことに感謝いたします。私からもあなた様のご依頼にそえるよう、信徒か僧たちのうちの一人を、あなた様のもとにつかわして、あなた様をお助けしたいと思います。私は、私にそうするよう願われたあなた様の御ため、これからも神に祈ることでしょう」(サヴォナローラよりカテリーナへ、一四九七年、六月十八日付けの手紙)

カテリーナは、この激情的な予言者サヴォナローラの忠告に、その生涯の終り、国家、家族すべてを失った時になって、初めて耳をかたむけ出したようである。フィレンツェ郊外の別荘から、リッカルディ宮殿へ移ったころから、ひっそりとしていた彼女の周囲には、急に宗教の香がたちこめる。瞑想《めいそう》し宗教書をひもとき、僧や尼僧《にそう》たちとの対話にあけくれる毎日が続いた。それが晩年のカテリーナの主な関心事となったようであった。後世のヨーロッパの歴史家たちは、この晩年の彼女を評して、ついに神の恩寵《おんちょう》の勝利といい、異教的なルネサンス人といえども、やはり神の甘くやさしい御心に還《かえ》るのだとして、このカテリーナの一生を終らせる。

しかし、これは誇張である。カテリーナにとって、甘くやさしいこととは、神の恩寵などではなく、金と権力と恋であった。この三つを失い、それらをわがものとする可能性もすべて失ってしまった時、彼女は初めて神に近づき始めたのである。多くの美しく幸運に恵まれた女たちが、若いうちはその肉を悪魔に与え、その若さも美しさも幸運もしぼんでしまった晩年になって、残った骨を神に捧《ささ》げるように。

一五〇九年五月二十九日の夕暮、フィレンツェの街の人々は、サン・ロレンツォ教会から聞えてくる時ならぬ鐘の音に驚かされた。広場や路《みち》に立ちどまった人々は、九年前に、チェーザレにたった一人でたち向い、イタリア中を熱狂させた「イタリア第一の女《プリマ・ドンナ・デイターリア》」が、その日に死んだことを知った。四十六歳だった。

メディチ家の墓所でもあるサン・ロレンツォ教会の、亡《な》き夫のそばに葬《ほうむ》られることも許されなかったカテリーナのために、一千のミサをあげさせるよう奔走したのは、晩年の彼女の唯一《ゆいいつ》の友でもあった、司祭のフォルトゥナーティだった。

第四章
カテリーナ・コルネール

「Prima veneziani, poi cristiani」
（まずヴェネツィア人、その次にキリスト教者）

ティツィアーノ画。フィレンツェ、ウフィッツィ美術館蔵

カテリーナ・コルネール系図

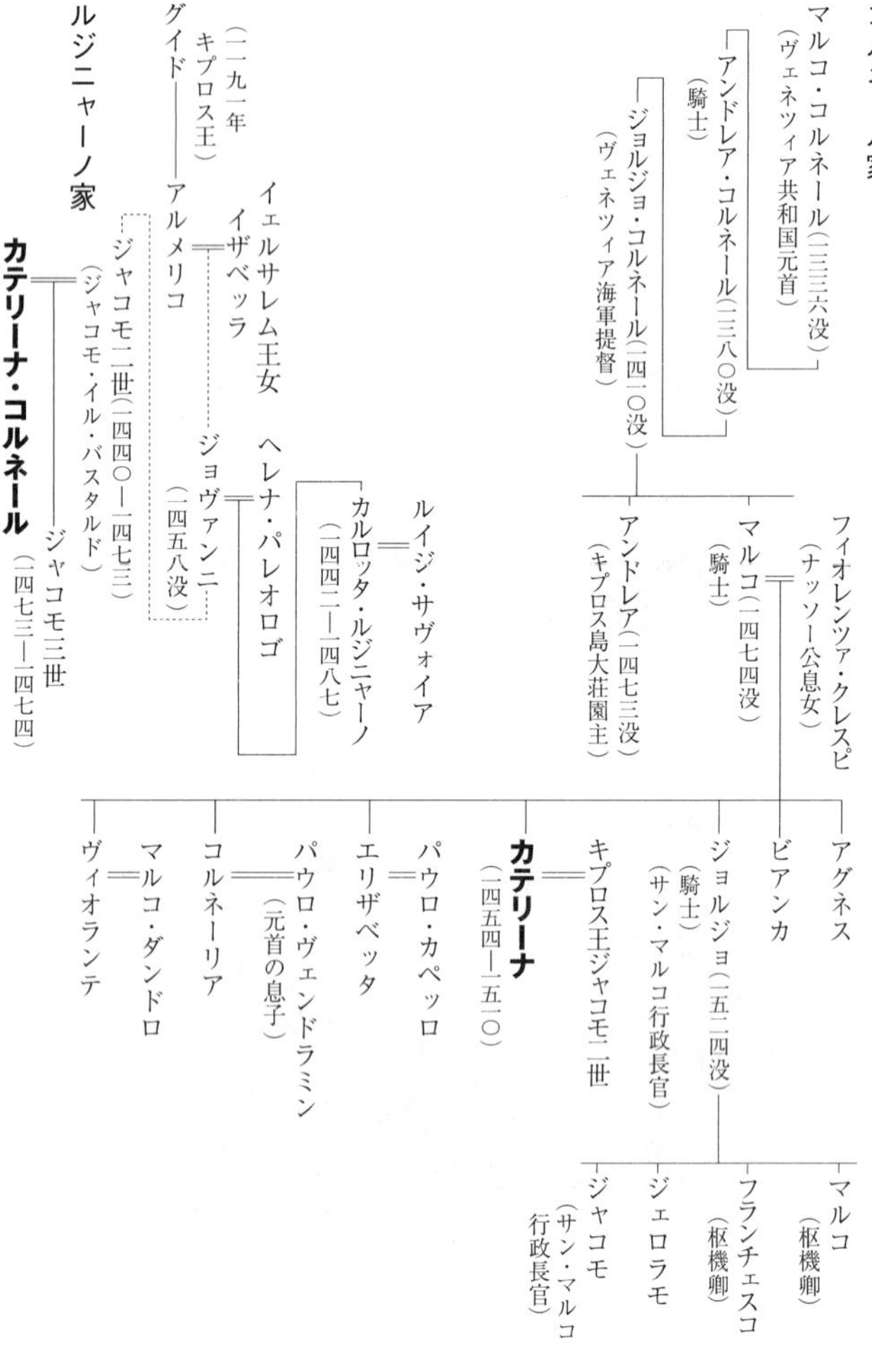

コルネール家
マルコ・コルネール（一三三六没）
（ヴェネツィア共和国元首）
アンドレア・コルネール（一三八〇没）
（騎士）
ジョルジョ・コルネール（一四一〇没）
（ヴェネツィア海軍提督）
フィオレンツァ・クレスピ
（ナッソー公息女）
マルコ（一四七四没）
（騎士）
アンドレア（一四七三没）
（キプロス島大荘園主）
ルイジ・サヴォイア
カルロッタ・ルジニャーノ
（一四四二―一四八七）
ヘレナ・パレオロゴ
ジョヴァンニ
（一四五八没）
イェルサレム王女
イザベッラ
グイド
（一一九一年
キプロス王）
アルメリコ
ジャコモ二世（一四四〇―一四七三）
（ジャコモ・イル・バスタルド）
ルジニャーノ家
カテリーナ・コルネール
ジャコモ三世
（一四七三―一四七四）
アグネス
ビアンカ
ジョルジョ（一五二四没）
（騎士）
（サン・マルコ行政長官）
キプロス王ジャコモ二世
カテリーナ
（一四五四―一五一〇）
パウロ・カペッロ
エリザベッタ
パウロ・ヴェンドラミン
（元首の息子）
コルネーリア
マルコ・ダンドロ
ヴィオランテ
マルコ
（枢機卿）
フランチェスコ
（枢機卿）
ジェロラモ
ジャコモ
（サン・マルコ
行政長官）

水の上の都

一四六八年の七月三十日。その朝カテリーナは、いつになくあわただしい乳母の声によって目を覚まさせられた。一ヵ月前に、婚礼の準備のためといって、パドヴァの尼僧院からこのヴェネツィアの父の屋敷に呼び戻されて以来、こんなに朝早く起されたことはなかったのである。もう誰もが起きているらしかった。屋敷中のあわただしい動きが、運河に面した彼女の部屋にまで伝わってきていた。

カテリーナは、今日が自分の婚礼の日だとようやく気がついた。

母親のフィオレンツァが部屋に入ってきた。母もまた乳母と同様に気が動転しているらしかった。衣装や髪飾りをもってきた召使たちに、何回も同じことを命じては部屋を出たり入ったりしている母をみて、十四歳になったばかりのカテリーナは、おかしさをこらえることができなかった。それでも彼女は、すなおに化粧されるにまかせ、立ったまま両手を広げて、召使たちが衣装を着せかける間はじっとしていた。下着の上を鉄製のコルセットでしめつけられた時もおとなしくしていたが、白い厚地のダマスカス織りの衣装が、乳母も手をかして ぎょうぎょうしく着せかけられた時は、もうク、クというしのび笑いをおさえることができなかった。頭から衣装がかぶせられるわずかの間、目の前を落ちていく厚地の布を通して入ってくるやわらかい光の中で匂《にお》った、上質の絹特有の甘い香りが、カテリーナの心の中に、いつもの少女らしい快活さに加えて、この全《すべ》ての騒ぎはみな自分一人のためなのだという誇らしさを感じさせ、それが彼女をたえず笑わせてしまうのだった。髪をくしけずっていた乳母が、興奮してか、くしを髪の毛にひっかからせるのを、そのあわてようがおかしいと、カテリーナはコロコロと笑い声をたてた。

真珠の髪飾りもつけ終って、ようやく仕度ができ上った頃、他家に嫁いでいた三人の姉たちも部屋に入ってきた。花嫁の仕度を終って立ったカテリーナを中心に、母親、姉たち、それに乳母や召使たちの間から、彼女の美しさをたたえて、いっせいに華やかな嬌声《きょうせい》がまき起った。乳母の「女王様《レジーナ》になられるのですから」という自慢気な声に、それぞれダンドロ家、ヴェンドラミン家、カペッロ家と、ヴェネツィア最高の貴族の家に嫁いでいる姉たちも、たぶんに羨望《せんぼう》のまじった言葉で応じた。キプロス島の王の許《もと》に嫁いで行く、妹の幸運を祝ってである。

召使や姉たちにかこまれ、母に手をひかれて広間に降りてきたカテリーナは、そこに、ヴェネツィア貴族の礼装であるエルメリーノの毛皮でふちどりをした長衣を着けた、父のマルコを見出《みいだ》した。この家の嫡子《ちゃくし》である弟のジョルジョも、少年らしく短いマントをはおって父のそばに立っていた。ヴェネツィアの貴族の伝統から、地中海をまたにかけた大商人として、長年を海の上で鍛えあげてきたこの家の当主マルコ・コルネールは、その逞《たくま》しいからだ中を喜びでいっぱいにして、娘のカテリーナを迎えた。荒海の船上での伝達に便利なようにできている、鋭いしかしゆったりと尾を引くようなヴェネツィア人特有の声が、彼女をつつんだ。「コルネール家は元首《ドージェ》も出した家柄、それに母親の実家ナッソー公家の家系は、ビザンツ帝国につながりのある家でもある。キプロス王家に嫁ぐお前は、そのうえヴェネツィア共和国最初の養女という名誉も受けた、女王として恥ずかしくない身分なのです。心配しないで行きなさい」。この父親の言葉は、カテリーナの胸の中に、自分の夫になるという二十八歳の若く美しいキプロスの王、そして夫が待っている遠いオリエントの国キプロスに対する、あわいあこがれを呼び起していた。

そして彼女のこの空想は、その時広間にとびこんできた一人の召使によって、さらに歓喜にまで高められた。召使は興奮した口調で、ヴェネツィアの街中がまるでシェ

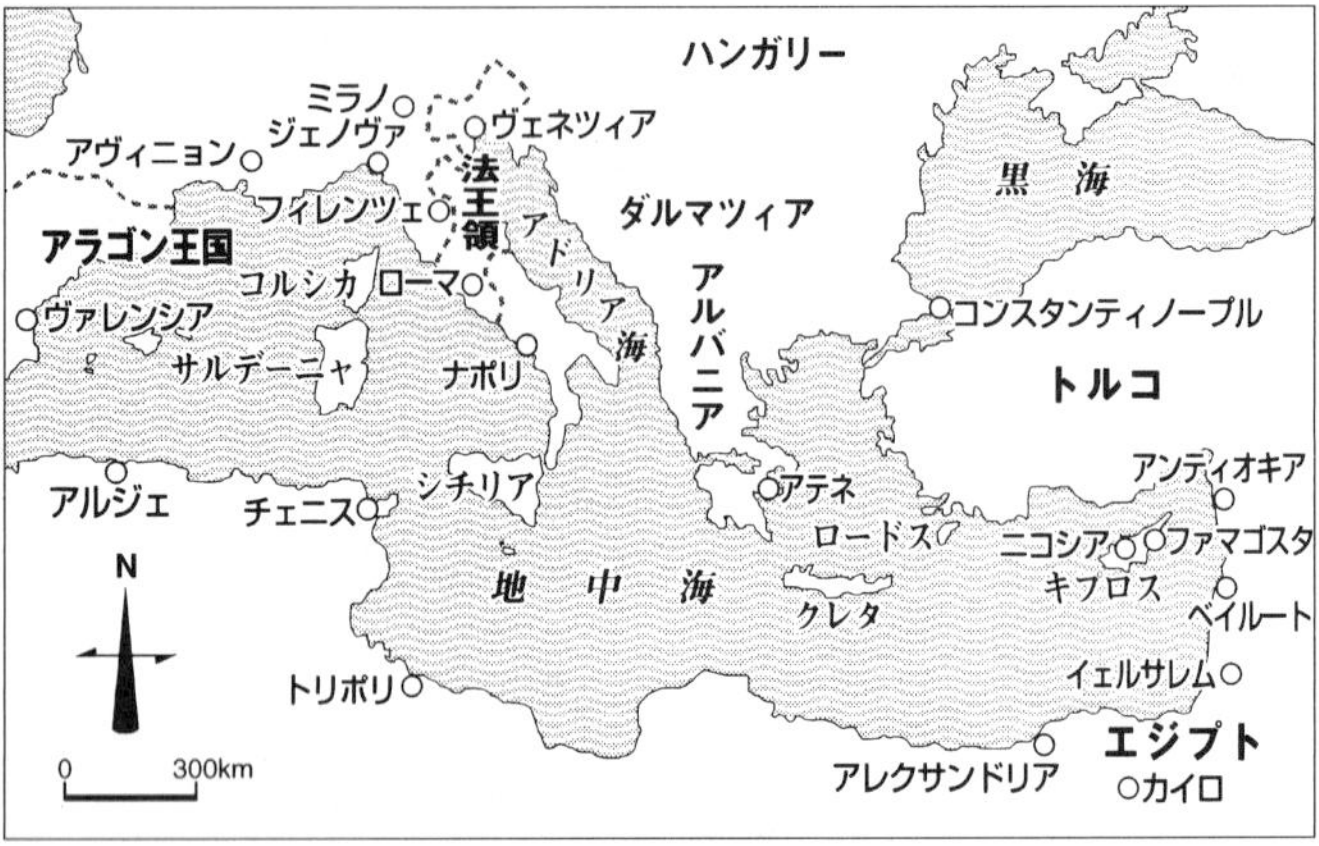

1500年頃の地中海周辺

ンサ（海の女神と元首の結婚を祝うヴェネツィア最大の祭）と同じくらい賑《にぎ》わっていると言ったのである。それにすぐ続いて、執事がうやうやしく告げた。「元首様の御用船《ビアーティ》がただ今到着されました」

出発の時刻であった。ヴェネツィア貴族の子女の中で、最も家柄のよい、そして美しい四十人の貴婦人をのせた元首さしまわしの船が、コルネール家の玄関の石段に横づけされていた。婚礼の行われるパラッツォ・ドゥカーレ（元首官邸、政庁を兼ねる）までカテリーナに同行するためである。朝方の引潮の頃とて、運河の水は浅く、大理石の石段の下の緑色の苔《こけ》が水の上に顔を出していた。カテリーナは乳母に手をとられて船にのり移った。見事な彫刻をほどこした船体は金色に塗られ、船内と屋根を緋色《ひいろ》の毛氈《もうせん》で飾り、船首にはサン・マルコの獅子《しし》をぬいとりしたヴェネツィア共和国の旗をひるがえす御用船の中央に、カテリーナの白い小さな姿があった。その時、船の左右に並んでいた漕《こ》ぎ手たちが、いっせいに櫓《ろ》を水中に入れた。金色の櫓の列が深緑色の水を規則正しく切り始める。

それを合図にしたかのように、御用船の周囲に従っていた色とりどりに美しく装飾されたゴンドラの群も、ゆるやかに水の上をすべり始めた。この水上を行く花嫁行列は、まもなく大運河《カナル・グランデ》に出た。ここでリアルト橋を左手に見ながら右に折れ、大運河を下って、その河口にあるサン・マルコの船着場へ向うためである。この、共和国の息女カテリーナとキプロス王の婚礼を祝って、大運河の両岸に並ぶ大邸宅は、そのヴェネツィア独特の様式の美しい窓から下げられた、豪華なタペストリーの列によって、華やかに飾られていた。そして、眼下の大運河を下って行く、華麗な船団の中心にいるカテリーナの姿を見ようと、両岸の邸宅の窓という窓は、鈴なりの人でいっぱいだった。深い緑色の水面、その上を静かに流れていく金と緋色の御用船、美しく着飾った貴婦人たちをのせ、御用船をもり立てるかのようにその前後左右に従うゴンドラの群。まるでそれは、絢爛《けんらん》豪華な一枚のじゅうたんが、大運河の水面をいっぱいにおおって流れてくるかのようであった。

ルネサンス時代は、ヴェネツィア共和国にとって、一都市国家でありながらも、大国スペインやフランスよりも、その富と権勢においてはるかに優位を誇っていた時代である。もちろん他のイタリア諸国、ナポリ王国、ローマ法王庁、ミラノ公国は比ぶべくもない。東地中海を支配することによって、十世紀頃から営々と築き上げたその富は、一四五三年、ビザンツ帝国の首都コンスタンティノープルがトルコの手に落ちた時から、その栄光に少しずつ影がさしてくるにしても、ヴェネツィアを、当時の世界の宝石箱のように美しくするには十分であった。というより十五世紀は、長年にわたって貯《たくわ》えた富を、外に向ってはき出し始めた時期といえる。この水の上の都には、緋色の地に金でししゅうしたヴェネツィア共和国の紋章サン・マルコの獅子の旗をひるがえしたガレー船や帆船が富と力を満載し、次々と到着し出帆していったものである。人々が太陽の昇るところ、東方という意味で呼んだレヴァンテの海（東地中海）に向って。当時、リアルト橋はいまだ石造ではなく木造だったたし、今日では誰もが黒一色と思って疑わないゴンドラも、金や銀や象牙色《ぞうげいろ》の絹やしゅすで飾られ、その華麗さを競っていた時代である。ゴンドラが今日見られるように黒一色に統一されたのは、トルコ帝国の進出によって、地中海支配から後退せざるを得なくなるヴェネツィア共和国が、財政緊縮策の一つとして打ち出した一五八四年の布告からである。黒いゴンドラは、ルネサンス時代の華ヴェネツィアの、ゆるやかな衰退への先ぶれであったのかもしれない。

突然サン・マルコの鐘楼から、澄んだ鐘の音が、広場いっぱいにひびき始めた。婚礼の行列が今、大運河の河口を出て、船着場に近づいたことを告げるためである。それを見ようとする群衆は、船着場に向おうと、パラッツォ・ドゥカーレのバラ色の壁の前を走り出した。大運河の河口を出て、海面いっぱいにその華麗なじゅうたんのような船団を広げた水上の婚礼の行列は、そのまま船着場に向ってゆっくりと左に迂回《うかい》し始めた。その時、パラッツォ・ドゥカーレの柱廊に並んでいた奏楽隊が、いっせいにラッパを吹き鳴らした。船着場の左右には、ヴェネツィア共和国政府の高官たちが、それぞれの官職をあらわす礼服を着けて居並ぶ。深紅色の末広がりの長衣を着けたサン・マルコ寺院の行政長官《プロクラトーレ・ディ・サン・マルコ》、赤い長衣の十人委員会《コンシーリオ・ディ・ディエチ》の委員たち、黒いビロードのえりの長衣を着けた元老院《セナトーレ》議員の列、紫色のこれも長衣の政府最高委員会の委員《サーヴィ》たち。おごそかな顔つきをして並ぶこれら高官たちの前に、白い衣装に当時の花嫁の慣例に従ってその長い金髪を肩から背にかけて流して、十四歳のカテリーナが船から降り立った。祝いの鐘の音が鳴りひびく中を、彼女を中心にした行列はパラッツォ・ドゥカーレの門に向う。一行がポルタ・デッラ・カルタの金塗りの扉の前までくると、そこでは一群の白衣の少女たちが歌をうたいながら花嫁を迎えた。その間をぬって門に入り、階段を登る。

花嫁が「大会議場《サラ・ディ・マジョール・コンシーリオ》」に入った時、そこに待機していた人々の間からざわめきが起った。壁画や天井画で飾られた大会議場の中はいっぱいの人で、年代記によれば扉がこわれるほどであったという。花嫁は人々が開ける道を通って、一段高い正面に坐《すわ》る元首の前まで進んだ。そして、元首の右前に椅子《いす》を与えられた。カテリーナの夫となるキプロス王の代理として、その日の婚礼のために遠くキプロスから派遣されてヴェネツィアに来た特使ミスタヘルは、すでに彼女と向いあった場所、元首の左側に坐っていた。元首クリストフォロ・モーロは、金糸でししゅうされたマントに、コルノ（角《つの》）と呼ばれる元首の儀式帽という正装である。政府高官たちはその元首の背後に居並んだ。

会議場はようやく静かになった。元首モーロは、金の指輪を大使にさし出す。大使は花婿《はなむこ》の代理として、うやうやしくそれをカテリーナの指にはめた。式は終った。

しかし、カテリーナはそのままキプロス島の夫の許に出発できたわけではない。キプロス王ジャコモからは、いずれ迎えに行くということで、ひとまず父親の屋敷に戻され、その後いつ王の迎えがきてもよいようにと、ヴェネツィアのリドにあるサン・ニコロ尼僧院《にそういん》でその日を待つことになったのである。しかし、その日はなかなかやってこなかった。この政略結婚の裏に動いた政治、地中海におけるヴェネツィアとキプロスの間の政治のかけひきのために。リドの高台にあるサン・ニコロ尼僧院の窓からは、地中海の航海を終ってヴェネツィアへ向う船を、まず最初に見ることができる。ヴェネツィアの市街を背に、アドリア海に面しているからである。カテリーナはここで、水色と銀色のキプロス王家の旗をかかげて、アドリア海を北上してくる船を待った。尼僧たちから「王妃様」と呼ばれながらも、王を知らない日々がいたずらに過ぎていった。この不安といらだちのただ待つだけの日々は、結局は四年という長い年月になる。主人が、以前のように笑わなくなったのに乳母が気づいた時、カテリーナは、当時の良家の娘ならば誰一人嫁がないものはいない、十八歳という年齢に達していた。

キプロス島の歴史

地中海の東方、ほとんど中近東の国々に接するほど近く、キプロスの島がある。地中海では、シチリア、サルデーニャに続く三番目に大きな島になる。白かっ色の地肌にへばりつくようにはえているオリーブの林。深く切りこんだ緑の谷。大気中にあふれる陽光の豊かさ。島の周囲をかこむ紺青色《こんじょういろ》の海と岸壁にくだけ散る白い波。古代ギリシア人は、この美しい島を、愛の女神アフロディテスの誕生の地とした。

もし読者の中の誰かが、比較的最近の書物によってキプロスの歴史を正確に知ろうとするならば、George Hill, *A History of Cyprus* (Cambridge University Press, 1940~1948 Ⅰ,Ⅱ,Ⅲ) を読まれるだけで十分であろう。この書物には、歴史の始まりから一五七一年まで、即《すなわ》ち、キプロスがヴェネツィアの手から最終的にトルコの支配下に入った年までの歴史が書かれてある。

しかし、ここでは私は、ヒルの書物のように正確で学問的な歴史を記述しようとは思わない。少々歴史的事実の記述に間違いがあっても、ヴェネツィアの歴史家マリピエロの書いたものを選びたい。なぜならば、このヴェネツィア方言で書かれた年代記の作者ドメニコ・マリピエロは、なによりもこの巻の女主人公カテリーナ・コルネールと同時代人であったこと。元老院議員《セナトーレ》として、また海軍の要職にあって、ヴェネツィア共和国の政治に精通していたはずであること。最後に、現代に至るまでその史的価値を認められている彼の著書『年代記《アナーリ》』における冷静でかつ厳しい彼のものの見方から、当時の教養豊かなヴェネツィア人の典型であったと考えてよいこと。これらの理由からして、ルネサンス時代の主役の一人であったヴェネツィア人が、どのように彼らのオリエントを見ていたかを知ることができるように思えるからである。

『年代記』――第三部「キプロスについて」　ドメニコ・マリピエロ

「昔の人々が書いたキリスト降誕以前のキプロス島の王国の歴史についてここで述べるのは余計なことに思う。……中略……それで私は、古人の書いたものの中に見出《みいだ》されないことで、記憶され残っている事柄についてだけ書くことにした。

キプロス島がキリスト教に改宗したのは、古い記録によると、聖マテオの手になった聖書をもった聖バルナバ・アポストロ（十二使徒の一人のこと）の布教によったのだということだ。それから多くの年月が過ぎた後、島は十七年間続いた旱魃《かんばつ》に苦しめられた。おそらくこのために、以後三十六年間というもの、島は無人となったのであろう。

　コンスタンティヌス大帝の時代、母后ヘレナは、イェルサレムで我々の聖なる守護者（キリストのこと）の聖なる十字架を発見した帰り、キプロス島のマゾト地方のヴァシロポタモに立寄り、そこのオリンポス山に教会を建てさせた。今でも十字架山《モンテ・デッラ・クローチェ》と呼ばれている。母后はこの教会に聖なる十字架の木の一片を収められた。その時から雨が降り出した。それで島を離れていた人々は島に帰った。続いて他の人々も島に帰った。しかし、海賊たちが災いをもたらすので、人々はコンスタンティノープルの皇帝のところへ行き、誰か島を守るための支配者をおくってほしいと頼んだ。それで皇帝は、一人の貴族に公爵《こうしやく》の位を与え、多くのストラディオーティ（ギリシア人の騎士のこと）と共に島に派遣した。それらの家族も一緒に。このストラディオーティを維持するために、島民に租税を課した。……中略……この時からキプロスは、公爵とその家系によってビザンツ皇帝の下、八百八十年治められた。この支配は、一一九〇年、英国のリチャード獅子《しし》心王《しんおう》が島にくるまで続いた。英国王はイエルサレムの王グイドンの援助に行く途路だったが、イェルサレムがすでに陥落していたので、王リチャードは、キプロスの支配者イザッコを攻めることにした。なぜならばイザッコは、王の妃と妹を捕え侮辱しようとしたからである。王はリマソ港に上陸し、ここでイザッコと戦い、勝った。これによってリチャード獅子心王は、キプロスの支配者となった。しかし王は、島をすぐ聖堂騎士団《カヴァリエリ・デッラ・レリジョン・デル・テンピオ》に売った。この騎士団は、始まりはよかったが、最後は惨《みじ》めに終ることになる。

騎士団は約一年間、苦労して島の統治をしたが、ついにキプロス島民との争いによって、彼らの大部分が殺された。多くの血が島民の間に流れた。騎士団はこの状態の中で島の統治をあきらめ、島を出ることにした。彼らは島を、ルジニャーノ家のグイドに十万ドゥカートで売った。グイドはその少し前に、イェルサレムの領地を失っていたのである。彼によって、キプロス王国の最初のラテン人の支配者が生まれた。彼は、ここに自分の宮廷を移した。イェルサレムにいた多くのラテン人の貴族も共に。彼はこれ以後三年生きた。彼の死後、一一九四年に、王位は弟のアルメリコが継いだ。たいした威厳のある男だった。この男によって島はよくなった。……中略……彼は法王庁に対して、これ以後キプロスは王国となり、その支配者は王と認められるよう申請した。これが認められ、彼は戴冠《たいかん》した。少しして、王妃としてイェルサレムの女王の称号をもっていたイザベッラを迎え、これによって彼はイェルサレムの王号をも持つことになった。二番目のラテン人の支配者、一番目のラテン人の王である。こうして十五年間生きた。彼の後の王は息子ウーゴが継ぎ、イェルサレムの王号も継ぎ、十三年間生きた。その後は彼の息子エンリコが王となった。……中略……この後はエンリコの息子ウーゴが王位を継いだが十四歳で死に後継者を残さなかったので、母親の家系のいとこでアンティオキアの公子ウーゴが、キプロスへ来て王となった。……中略……（一二八五―一三六一。三人の王の統治が続く）

次にその息子でヴァレンテ（「勇敢な」という意味）と綽名《あだな》されたピエロが王となった。彼の統治時代にキプロスは繁栄し、ファマゴスタ港には多くの人々が住み、街は立派になった。キプロスは大きな商売をし、シリアとの交易も始めた。色々なことの中でも、ファマゴスタに住んでいた一人のシリア人が、ベイルート航路の商売で大もうけをし、その利益の一部で、ファマゴスタにサン・ピエロ・パウロ教会を建てた。この教会は、どこの教会よりも美しいと言われた。今はカラス麦の倉庫に使われている。どんな良心でやれたのかわからないが。この王ピエロは、不信心者たちに対して軍隊を組織し、またたくうちに島内の勇気のある騎士を多く集めた。ガレー船や商船など船も百ほどになった。王はこれをひきいてアレクサンドリアを征服し、掠奪《りゃくだつ》し、またシリア一帯の海岸寄りの土地やトルコの土地も征服し掠奪した。これらの多くの偉大なことをした後、王はローマへ行った。王がローマにいる間、キプロスの政治をまかせておいたロカス伯爵が、王に対して、王の信頼を裏切る行為を、アラゴン王の息女で王妃のエレオノーラと共謀して行ったことを知った。王はキプロスへ帰った後、貴族裁判所を召集し、国の法に従って、忠節を誓った王に対してその尊厳を傷つけたロカス伯の処置を問うた。自分のものである王妃にはすでに苦役の刑を科していたのだが、しかし、貴族裁判所は伯を無罪とし、かえって王にこのことを通告した王の執事を有罪とした。王はかしこくもこの判決を守ることを示し、終身刑の有罪人となった執事を刑務所におくった。しかし、王は心中ひどく気を悪くし、キプロス人に対して残酷になり、彼らと彼らの女たちを侮辱した。王は、残酷きわまりない刑務所を作らせ、それをキプロス人に対する復讐《ふくしゅう》に用いた。この暴君をそのままにしておけず、島民は陰謀を起し、王を殺した。……中略……しかし、この頃からキプロスの力は衰退し始めた。私が思うには、神がこう望まれたのだと思う。貴族裁判所の下した不当な判決のために。

王ピエロの後は、息子ペリンが継いだ。十一年間統治が続いた。母后エレオノーラは、ファマゴスタ港をジェノヴァ人に与え、彼らはそこで、大きな富をキプロスを搾《さく》取《しゅ》することで奪った。ジェノヴァにガレー船六艘《そう》で金銀や宝石などを送った。しかし、神の裁きによって、このガレー船は、航海の途中、海の中に沈んでしまったが。……中略……ジェノヴァ人はこうして約九十年間、ファマゴスタを支配した。彼らと戦っ

ガレー船（ラファエッロによるデッサン）

たピエロ王の弟ジャコモ・ルジニャーノは、捕虜になった。彼がジェノヴァに捕われている間に、ペリン王は死んだ。それでキプロスでは家臣たちが新しく王を選ぼうとしたが、よく考えた末、正統な王位継承者のジャコモをジェノヴァから呼びもどそうということになった。ジャコモは、キプロスに王として帰る時は、ファマゴスタとその周囲二レーガ（約十キロメートル）をジェノヴァ人に与えるという条件で。

　この王ジャコモ一世は、約二十年間統治した。彼はジェノヴァ人との戦いでほとんど破壊された島の再建を果した。一年を使ってニコシアの城塞《じょうさい》も築いた。この城塞の中に宮殿も建てた。そして一三九七年に死んだ。王位は息子イヤノスが継いだ。この王の統治の初期はよかった。しかし、後には島は、旱魃といなごとペストに苦しめられた。全《すべ》てが悪くなっていった。最後には、スルタンが戦いをしかけてきた。キプロスに多くのマメルーク人を大艦隊と共におくってきた。彼らは島に上陸し、ヴァシロポタモで、王とその軍と戦った。王は負け捕虜となった。一四二六年にカイロへ送られた。それからの多くの日々、マメルーク人は全島を走りまわり、全ての美しいものを焼き、最後に発《た》っていった。王はその身代金《みのしろきん》を払わねばならず、何十万ドゥカートの一時金の他に、年貢金《ねんぐきん》を以後毎年支払うことになった。これは今もまだ続けられている。ようやくこれで王は島に帰れた。そして一四三二年に死んだ。王位は息子のジョヴァンニが継いだ。彼は妻にギリシアのヘレナを迎えた。この専制君主の娘は、王との間に娘を一人得た。カルロッタと名付けられた。この王女は、いとこのサヴォイア公爵の息子である公子ルイジと結婚した。王ジョヴァンニが死んだ時、ルイジ公が王となった。一四六〇年のことである。しかし、王ジョヴァンニには、一人の庶出の王子がいた。この男は、ルイジ公から王位を奪い、後十二年間島を統治した。彼は、立派な容貌《ようぼう》とがん丈で背の高い身体《からだ》を持っていた。その力量《ヴィルトウ》と知性においてたいした人間ではなかったが、幸運《フォルトウーナ》にめぐまれたため、またたくうちに王冠を手に入れることができた。……以下略」

マリピエロの『年代記《アナーリ》』第三部「キプロスについて」は、ここにきて初めて、この巻の主題にたどりついたことになる。妹とその夫から王位を奪った、立派な容貌のこの男こそ、カテリーナ・コルネールが結婚したキプロスの王ジャコモ二世なのである。『年代記』は、この後、若い大胆な王ジャコモが、地中海における既存の制海権を維持するためにいかなる手段も辞さない大国ヴェネツィア共和国と、そのヴェネツィアの勢力に対抗して地中海に無気味な動きを始めたトルコ帝国との間にたって、小国キプロスの独立をどのようにして守っていこうとしたか、彼の死後、未亡人として残された王妃カテリーナの不安の絶えない統治の十五年間、そしてついに、ヴェネツィアの巧妙な外交によって、キプロスがヴェネツィアに併合されてしまうまでの経過、島を出ることを強制された王妃のその後などを記述しながら、一四九五年で終っている。

「私生児ジャコモ」

「私生児ジャコモ《ジャコモ・イル・バスタルド》」。これが、カテリーナの夫となったキプロス王ジャコモ二世が、キプロス島民から親しみをこめて呼ばれた綽名《あだな》である。十字軍騎士の名門でフランスのポアトゥ出身であるルジニャーノ家の、彼が最後の王になる。

一四五八年、王ジョヴァンニは、次の王位継承者として娘のカルロッタを指名して死んだ。カルロッタは当時十六歳だったが、すでにポルトガルの王子と結婚し、その夫に先立たれていた。しかし、死んだ王にはもう一人の息子がいた。当時十八歳であったこの息子の、若者らしく大胆でそれでいて利発な性格を愛しながら、同時に並々ならぬ彼の野心をも察知していた父王は、嫡出《ちやくしゆつ》である娘の王位継承時にめんどうが起らぬよう、生前に、この庶出の息子ジャコモを、ニコシアの大司教にするよう手配しておいた。宗教界での栄達が保証されれば、王冠への野心に動かされることもないと考えたのである。

父の死後、王位を継いだカルロッタも、野心家の、庶出とはいっても二歳年上の兄が身近にいるのが不安だった。その頃、彼女はいとこでもあるサヴォイア家のルイジと結婚することになっていた。面倒は避けたかった。彼女は、王位を継ぐとすぐ、この兄の逮捕を命ずる。しかし、十八歳の大胆な若者が、やすやすとそんな手にのるわけがない。ジャコモは、六人のごく側近の家臣たち、それもほとんど同年配の友人づき合いの家臣たちを伴にして、深夜ひそかにニコシアの城壁を越えた。海岸までジャコモ一人馬に乗り、あとの六人は徒歩で逃げる。夜明け前、この七人の陽気なこわいもの知らずの若者たちを乗せた小舟は、すでに島を後にしていた。兄を捕り逃がしたカルロッタは、数日後、カイロから着いたばかりの商人によって、ジャコモが家臣ともども、アレクサンドリアを経てカイロに、スルタンに会いに行ったということを知った。

その頃ジャコモは、スルタンの前で大演説をぶっていたのである。

「キプロス王家の歴史では、女が王位を継ぐよりも、庶出といえども年長で男の自分が王になるのが自然にかなっている。それにエジプトに近いキプロスに、フランス人の王（ルイジのこと）を許すことは、エジプトのスルタンにとって決して利口なやり方とは思えない。自分が王位についたならば、常にエジプトとは友好的関係を保っていくことを約束する。もし自分がこの約束を破るような時は、キリスト教会の祭壇の上でユダヤ女を手ごめにすることも辞さないであろう」

これは大成功だった。まんまとスルタンの共感と同情をかちとってしまったからである。当時のエジプトは、マメルーク王朝の時代である。この回教徒のスルタンは、かつての十字軍騎士の後裔《こうえい》、しかもカトリック教会の大司教職にあるというこのキプロス王の私生児の、はなはだ異教徒的な言動が気に入ったらしい。とくに最後のところ、キリスト教徒がふれても汚れるとされていたユダヤの女を、しかも教会の聖なる祭壇の上で手ごめにしてもよいと言い切った時には、スルタンは大笑いしながら、彼のいるところまで椅子《いす》を立って降りてきたと、当時の記録は伝えている。スルタンはこの若者を自分の息子と呼び、カイロで戴冠式《たいかんしき》までしてやるという下へもおかぬ厚遇を与えた。その上さらに、キプロスへ上陸して妹から王位を奪うという、ジャコモの野心を援助するとまで約束した。

ここでジャコモが、キリスト教王国の王権主張をし、それを承認させるのに、地理的に近いとはいえ、なぜ異教である回教徒のスルタンのところに行ったのかという理由を説明しなければならない。もちろんキプロス人である彼には、キプロスの置かれている歴史的・地理的状況を考慮する必要があった。即《すなわ》ち、エジプトのスルタンに支払い続けている毎年の年貢金《ねんぐきん》のために、いつのまにかキプロス島内でのスルタンの権威は高くなり、今ではキプロスはエジプトの思惑を無視できない立場になっていたことと。第二に、キプロスにとっては、エジプトはペルシア以外の最も地理的に近い強国であったことだ。しかし、ジャコモをこの非キリスト教的な行動に駆り立てた原因はこれらとは別なところにあった。カトリック教の教理。これが彼が真の敵としなければならなかったものである。前に述べたジャコモの言葉の中に、それを見出《みいだ》すことができる。

まず第一に、ジャコモはスルタンの前で、自分は男だと言った。この言葉は、どの記録、年代記にも記されている。庶出だが男だと言ったのである。男が王位を継ぐのが自然にかなっていると。しかし、この彼の主張は、自然にはかなっているかもしれないが、カトリック教の教理にはかなっていない。なぜならば、カトリック教理では、庶子を認めていない。神に誓い、神によって認められた正式な結合から生まれた嫡子しか認めていないのである。この考え方からすれば庶子は罪の結合の産物でしかない。神のしもべとされていた騎士に叙する時も、その資格の第一は、正式な結婚から生まれた身でなければならない、としていた時代であった。騎士になる資格をもたない庶子が、まして騎士の上位になる王位を継ぐなど、カトリック教理からみればとんでもないことで、年少ではあっても、女であっても、神に認められた正式な結合から生まれた嫡子が継ぐべきだということになる。しかし、回教徒の世界ではこうは考えてはいなかった。女の社会的地位などまるでなかったこともある。だから嫡出の男子のない時は、庶出の男子に継承の権利があった。実際には王の子として生まれながら、正式に入籍されなかったため私生児と呼ばれたジャコモが、自分にとっては異教徒であるスルタンに向って、自らの主張の正当性への理解を訴えた一つの理由はここにある。

第二の理由は次のことである。カトリック教理即ちローマ教会が彼の権利を認めないということは、他のキリスト教国の君主たちからも認められないということになる。なぜならば、カトリック教理によれば、法王は神からこの地上の全《すべ》てをまかされたということになっている。そして皇帝や王たちは、神によって認められて国内の信徒を守る義務をもつ。ゆえに皇帝や王は、まず神の地上における代理人である法王から認められねばならない。神聖ローマ帝国皇帝の戴冠は、法王によってなされるのもこれによっている。もし法王が、皇帝なり王なり貴族なり、一国の支配者を破門したとなると、その国の住民は、もうこの支配者に服従する義務をもたない。なぜならば、国民はキリスト教者として、神から認められた法王、その法王から認められた支配者にのみ服従する義務をもつのだから。当時の支配者たちの上に君臨したカトリック教会の武器、破門の威力はここにあった。これによる両者の関係、即ち法王対皇帝やその他の支配者たちとの確執の関係こそ、中世後期を通じてヨーロッパをゆるがせた、皇帝派《ギベリン》対法王派《グェルフ》の長い闘争の歴史となったものである。

ここにあげたカトリックの世界。これは若いジャコモの野望の入る余地のないものであった。即ち、神の認めない罪の結合から生まれた庶子であることによって教会が正統と認めないと同時に、教会によってその権威を認められているキリスト教国の君主たちからも否認されるということ。これがかつての十字軍騎士の後裔であるジャコモを、祖先の敵であった異教の回教徒の中に、自らの主張を理解してくれる相手を求めさせたのである。ただし、庶出の子でも大司教職には就いてもよいというのは、いかにもカトリック教会らしい現実的な柔軟性を示していて面白いが。

それにしてもキリスト教諸国の中でこのジャコモの野望を黙認したのは、カトリック教理よりも、自分たちの権利の現世的享受《きょうじゅ》を当然と考えていたイタリアの都市国家であった。そして王となった後のジャコモが、回教徒の国から離れ、キリスト教国に頼ろうとした時、彼はイタリアを取る。自分の祖先ルジニャーノ家がフランス系であるのに、イタリアを、その中でも最も現実的な外交で知られていたヴェネツィア共和国を選んだのであった。ジャコモのこの行き方とは反対に、嫡出の出であるカルロッタは、後にキプロスを追い出された時、まずロードス島にあったロードス騎士団に、そして何よりもローマの法王庁に助けを求めにいくのである。

一四五九年。キプロス女王カルロッタは、サヴォイア公家の第二子ルイジと結婚した。

一四六〇年。カイロのスルタンの宮廷で、魅惑的な日々を十分に楽しんでいたジャコモも、それに溺《おぼ》れていたわけではない。彼はじっと好機の訪れを待っていた。カルロッタの新しい夫ルイジが、キプロス島内であまり人気がないことにも、彼は注意を怠らなかったにちがいない。そして九月、ついに彼は動き始めた。大小八十隻《せき》の船がマメルークの兵士を満載して、アレクサンドリアを発《た》ちキプロスへ向った。スルタンの援助をうけたジャコモの指揮下、以後四年間にわたった内戦の始まりである。ジャコモは二十歳になっていた。キプロスに上陸するやいなや、彼は二年前自分がキプロスを逃げ出した時から従っていた例の六人の家臣たちを、さっそく要職につけたものである。その中の一人フラ・ジュリアーノという一人の僧には、自分が投げだしたニコシアの大司教職を与えてやった。

一四六一年。形勢不利と見たカルロッタはキプロス島を逃げ出し、ロードス島を経て、法王に助けを求めるためローマへ向った。夫のルイジも島を出たが、妻に同行せずに自分の実家のサヴォイアへ帰ってしまい、一生を妻とも会わずその地で終える。こうして全島はほとんどジャコモの支配下に帰したが、島のシリア側にあるキプロス最大の港ファマゴスタにこもるジェノヴァ人だけが抵抗を続けた。そこも陥落した一四六四年八月、ついに内戦は終った。島民から「私生児ジャコモ《ジャコモ・イル・バスタルド》」と親しみをこめて呼ばれた若者が、王位を我がものとするのに成功したのである。

キプロスの王となった二十四歳のジャコモは、王冠の重みを楽しむ間もなく、多くの難題に直面しなければならなかった。まず祖父の代からのエジプトのスルタンへの年貢金五千ドゥカートの支払いがあった。彼の野望達成に援助を惜しまなかったスルタンも、年貢金をもう支払わなくともよいとまではいわなかったのだ。この他にも、同じ祖父が捕虜になった時の身代金《みのしろきん》支払いを、当時キプロスで商業に従事していたヴェネツィア人に借金して済ませていたが、これもまだ返済が済むどころか、利子の支払いもとどこおりがちという状態であった。当然、キプロスの経済を牛耳っていたのは、王の債権者であるヴェネツィア商人ということになる。

以前は、ヴェネツィア商人の仇敵《きゆうてき》であった、ジェノヴァの商人の勢力のほうが大きかった。彼らは、ファマゴスタ港を自由にしていたくらいだから。しかし、これは王自身が内乱時に抵抗したジェノヴァ人をファマゴスタから追い出すのに成功していたし、彼らの母国ジェノヴァ共和国が、ヴェネツィア共和国と比べてその内政が不安定で、植民地にいる自国民の援助までは手がまわらない状態にあったため、今ではたいして問題にすることもなかった。

それゆえに問題は、対ヴェネツィア商人対策である。そしてその中でも最も勢力の強いコルネール家に対してであった。キプロス王家の筆頭債権者、キプロス島内最大の砂糖園を経営するヴェネツィア人コルネールとは、カテリーナの伯父アンドレアである。このアンドレア・コルネール、彼の背後にいる、当時レヴァンテの海で最強の海軍力を誇っていたヴェネツィア共和国、そしてこのレヴァンテの王者ヴェネツィアをおびやかし始めた無気味なトルコ帝国、若い王ジャコモと共に小国キプロスにとっては、その後のキプロスの歴史を決した、動乱の一世紀が始まろうとしていた。

レヴァンテの海

一四六〇年から六四年にかけて強行された「私生児ジャコモ《ジャコモ・イル・バスタルド》」の王位奪取に、ヴェネツィア共和国は表面上は終始中立の立場を持ち続けていた。形勢の成行きを見守っていたのである。だから、キプロスから追い出されたカルロッタ女王を援助することもなかった。ロードス島からローマへ向う船旅の途中、カルロッタの船がヴェネツィア人の海賊に襲われ、身ぐるみはがされた時、彼女の抗議に、共和国は公式に遺憾の意を表しただけだった。といって新王のジャコモに助力を与えたのでもない。ただこの若者の大胆な気質には、少なからぬ好感をもってはいたらしい。この時代の人々は、自己の力量《ヴィルトウ》によってその目的をなしとげた人間に対しては寛容であった。当初カルロッタ側に与《くみ》していたキプロス在住のヴェネツィア人が、後にジャコモの下に走ったのを、共和国政府は黙認している。海外にいる自国民の商人たちの行動を、厳重な監督下においていたヴェネツィアである。黙認は承認を意味した。しかし、当時その現実的政治外交で知られていたヴェネツィアが、単なる好感だけでこの私生児の王を認めたのではない。冷徹な計算が、この共和国の行動の根底にあった。

まず、カルロッタが再婚した相手のルイジ公はサヴォイア公家の出であり、サヴォイア家はその公女ボーナとミラノ公爵《こうしゃく》ガレアッツォ・スフォルツァ（カテリーナ・スフォルツァの父）との結婚によって、ミラノ公国と縁戚《えんせき》関係になっていた。そして地中海におけるヴェネツィアの仇敵《きゅうてき》ジェノヴァは、その頃ミラノ公国領になっている。カルロッタの失脚は、ファマゴスタ港から追い出されたとはいえ、いまだに少なからぬ勢力をもつキプロス在住のジェノヴァ商人を通してキプロスを手に入れようとする、つまりは地中海貿易に足がかりを得ようとするサヴォイア、スフォルツァ両家の野心に、いかなる口実も与えることを不可能にしたということによって、ヴェネツィアに幸いしたのである。ましてジャコモのうしろだては、カイロのスルタンであった。エジプトとは良い経済関係をもつヴェネツィアにとって、カルロッタが助けを求め、その彼女の権利を認めているローマ教会やミラノ公国のように、経済上のつながりのうすい国々の意向よりは、地中海貿易での商売相手エジプトとの関係をよくしておくことの方が重要であった。こうしてヴェネツィアは、私生児のジャコモの王権を認めたのである。

しかしジャコモも、ヨーロッパの情勢にばかり注意を払うことは許されなかった。東地中海は、その頃にわかに騒がしくなっていた。トルコがその首都をコンスタンティノープルに移してから、徐々にギリシアの島々への野心を露《あら》わにし始めたのである。彼は、イスラム教徒たちに周囲をかこまれたキプロスの将来に、不安を感じずにはいられなかった。一四六六年秋、彼はヴェネツィアへ特使を派遣し、次のことを伝えさせた。㈠トルコに対する同盟の提案。㈡キプロス在住ヴェネツィア商人の特権保証。そして最後に、自分の結婚に対する助言を求めたものである。

ヴェネツィア共和国元首の正装

これに対しヴェネツィア共和国元老院《セナート》は、十一月十一日、特使に次のように答えた。王の提案を入れ、対トルコ同盟のために六隻《せき》のガレー船と五百頭の馬を提供する。またキプロスのヴェネツィア人の経済上、司法上の特権保証を国法で公式に認めること。第三については、ビザンツ帝国の後裔《こうえい》トマソ・パレオロゴの娘と結婚をしてはという助言がつけ加えられてあった。その頃ヴェネツィアは、まだ王と自国の女との結婚までは考えていなかったものとみえる。

次の年、この㈠と㈡については現実化された。第三の項、結婚については、王の心中はまだ決まっていなかった。しかし、それは意外な方向から話が決まろうとしていた。当時キプロス在住のヴェネツィア人の中で最も王と近く、かつ経済的にも勢力の強かったアンドレア・コルネールからである。彼から、王の結婚相手として姪《めい》のカテリーナをという申し入れであった。条件は、自分と自分の弟でカテリーナの父のマルコ二人が、王家に貸してある金を、姪に持参金として与える十万ドゥカートの中に組み入れるというものである。貴族の一子女の持参金としては破格の額であった理由はそこにあった。しかし、申し入れを受けた王の注意をひいたのは次の点にあった。アンドレア・コルネールから意向を告げられた本国のヴェネツィア政府は、この結婚を、キプロス対策を進展させる好機と認めた。そして花嫁となるカテリーナを、共和国の養女とすること。これによって縁戚関係になったヴェネツィア共和国は、以後はキプロス王国を外敵から守る義務をもつと元老院《セナート》が決議した点である。ここに至っては王ジャコモも、決断を下さねばならない。近づくトルコの脅威の前には、小国キプロス王国としては、いずれかの強国にその安全をゆだねるのもいたしかたなかった。一四六八年春、王は特使ミスタヘルをヴェネツィアへ送った。自分の代理として、カテリーナ・コルネールとの婚礼を行うために。七月三十日、元首《ドージェ》列席の上、式は終った。

ここにきて初めて、本章のはじめの婚礼の場に話がもどったことになる。共和国の養女としてキプロス王に嫁いだカテリーナの華やかな婚礼の裏には、誇らしい喜びでいっぱいだった若い彼女の露知らぬことながら、以上のような複雑な事情があったのである。

一年が過ぎた。リドのサン・ニコロ尼僧院《にそういん》で夫を待つカテリーナに、キプロスからの便りは何もなかった。しかしキプロスでは、王ジャコモのこの結婚への関心がうすらぎ始めていたのである。にわかに強腰になった島内のヴェネツィア人を見て、王はキプロスの独立性が侵される危険を感じ出したのだった。それまでの経済上の支配の上に、さらに政治上の権力まで手のうちにされそうな危険を。まして、今ではキプロス宮廷を牛耳っている王直属の家臣たち、ジャコモにその当初から従っていた例の六人の家臣たちは、ナポリ、シチリア、カタロニアの出身であった。彼らが、島内でヴェネツィア人の勢力が大きくなっていくのを、喜んで見ているはずもなかった。

このヴェネツィアに対する王の不安と家臣たちの敵愾心《てきがいしん》に目をつけたのが、ナポリのアラゴン王家である。ナポリもまた、レヴァンテ貿易の拠点としてのキプロス島の重要性を知っていた。ジェノヴァが落目の時、ひとりレヴァンテ貿易を独占しているヴェネツィア勢にとって代ろうとしたのである。エーゲ海での対ヴェネツィア戦に勝ったトルコのスルタンに、ナポリ王は戦勝祝いの手紙を出し、その上、ナポリは地上からヴェネツィアを攻めてもよいとまで書きそえた。ナポリ王フェランテは、キプロス王の例の六人の家臣の中のナポリ人リッツォ・デ・マリンを通じて、秘《ひそ》かに王ジャコモに、アラゴン家の王女との結婚を策した。

これらのナポリ側の動きを、当時最高を誇ったヴェネツィアの情報網が見逃すはずがない。情報を察知した一四六九年五月十八日、ヴェネツィアはキプロス王に対して、結婚不履行への強硬な抗議を送り付けた。共和国の養女に対する王の処遇は、共和国そのものに対して向けられたものと解すると。

この抗議に対する王の返書は、今のところ発見されていない。キプロス人の年代記作者ジョルジョ並びにフロリオ・ブストロンの両人とも何もふれていない。おそらく王にはナポリとの間で相当な目算があったため、この抗議を無視したものと思われる。結婚は現実に実行されなかった場合、カトリック教理ではその解釈の仕方によっては、それを無効にすることもできたのである。

しかし、レヴァンテの海の情勢は、緊迫の度を強めつつあった。一四五三年のコンスタンティノープル陥落によるビザンツ帝国（東ローマ帝国）の滅亡が、ヨーロッパ人の心に与えた衝撃と不安からまだ立ち直ってもいないという一四七〇年、アテネの近くのネグロポンテが、ついにトルコの手に落ちたのである。陸地に近接しているとはいえ島であるネグロポンテの陥落は、陸軍国であったトルコが、本格的な海軍力をもそなえてきたことを示した。これは、それまでレヴァンテの制海権をにぎっていたヴェネツィア共和国には、大きな衝撃を与えずにはおかない一大事となった。海に生きる国ヴェネツィアのレヴァンテにおける政治と外交は、この年から様相を変えてくるのである。

このネグロポンテ陥落に打撃を受けたのは、そこを自国の海軍基地にしていたヴェネツィアだけではなかった。異教徒の新しい襲来とばかり、イタリア諸国は団結する気になった。ナポリは、ガレー船十隻をヴェネツィア海軍の援助にと送る。しかし例によって、イタリア諸国の団結は気配だけで終った。その年の十二月、ナポリ、フィレンツェ、ミラノ、ヴェネツィアにローマ法王庁を加えて結成するはずであった対トルコ同盟も、いつのまにやら立ち消えになってしまった。常ならぬイタリア諸国間のライバル意識が、今度もそれを実現させなかったのである。ヴェネツィアだけがあいかわらず、対トルコの矢面に立たされることになった。

コンスタンティノープル占領、ギリシアの島々の制覇、そして今度のネグロポンテ陥落と、このトルコの覇権への確実な歩みは、地理的にはキリスト教国の最前線に相当するキプロスに、大きな脅威を与えるに十分であった。キプロス王ジャコモは、それまでのヴェネツィアとナポリを秤《はかり》にかけるような政策を変えざるをえなくなる。岐路に立たされた彼は、レヴァンテにおける既存勢力から、ヴェネツィアを取った。一四七一年春、キプロスはヴェネツィアに対して、あらためて対トルコ同盟結成を申し入れた。キプロス特産の砂糖を贈りながら。そして次の年の一四七二年夏、王は特使をヴェネツィアに派遣した。妻をキプロスへ迎えるためである。

そのためのキプロス特使がヴェネツィアに着く頃、九月十九日、ヴェネツィア政府は、この王の提案を受けるにあたって、次のような公式回答を王に送った。それには、トルコがダーダネルス海峡での大海戦を準備中との情報を得たので、冬中にキプロスのガレー船すべては、それにそなえる準備を完了し、翌年の春にはヴェネツィア艦隊と合流できるようにしておくこと。ナポリ、ローマからも戦艦が送られる予定であること。加えて、王妃カテリーナのキプロス随行者として、特使アンドレア・ブラガデインを任命したこと。特使ブラガディンには、王妃をキプロスへ送りとどける任務の他に、その航路の途中ロードス島に寄り、ロードス騎士団長《グラン・マエストロ》にも、対トルコ対策を徹底させるよう指令を与えて送り出した。身近にトルコの脅威を感じ始めたヴェネツィア共和国の、真剣な配慮がこれにもうかがわれる。

一四七二年九月二十六日。いよいよカテリーナがキプロスへ向けて発《た》つ当日となった。婚礼の日から、四年の歳月が過ぎたことになる。リドのサン・ニコロ尼僧院で、夫の呼び出しを待つだけの日々が、すでに四年という長い年月になっていた。王妃と呼ばれ、うやまわれながら、誰よりも彼女自身が、そう呼ばれる身の空《むな》しさを感じていたことだろう。夫に忘れ去られた妻の不安といらだちは、感じていたにちがいない。すべては、当の本人である彼女の知らぬところで動いていた。この四年間の彼女について、ヴェネツィア、キプロス両国の年代記作者たちは、一言もふれていない。夫からだけでなく、誰からも忘れ去られていたのである。出帆のこの日、四年前の婚礼を華やかに記述した年代記作者たちは、再びカテリーナを舞台に登場させる。

この日、キプロスに向けて出発するカテリーナを見送るため、元首は、サン・マルコの船着場からヴェネツィア政府の高官や貴族たちをしたがえて、リドまできていた。

リドの港には、キプロスからの三隻とヴェネツィアの四隻からなる七隻のガレー船が出航の準備に忙しかった。王妃カテリーナにキプロスまで随行する艦隊である。各船のマストにあがる帆の準備はできていた。いつでも帆をあげて出帆できるように。船長以下、乗組員全員はそれぞれの位置についた。射手は船の欄干に並んで立ち、水先案内人は船首に、舵手《だしゅ》もその位置に、漕《こ》ぎ手は三人ずつ一列に、それぞれの櫓《ろ》を手に坐《すわ》る。この列は二十三列にもなった。元首以下全員が港に立って見送る中を、カテリーナはブラガディンに介添えされて上船した。漕ぎ手たちは櫓を水平にかまえた。七メートルはある櫓の列が、船の両側からいっせいに出た様子は、まるで飛び立つ瞬間の大鳥のようだ。次の瞬間、櫓の列はいっせいに水面に降ろされた。たちまちそれはリズミカルに水面を切り始める。七隻のガレー船はこうして次々と港を出ていった。港の外に出ると、漕ぎ手はこぐのをゆるめ、風をいっぱいにはらんだ帆が、高々とかかげられた。船隊はみるまに船足を速め、アドリア海を南下していった。

十五世紀に、レヴァンテの海に向って出帆していった他の多くのガレー船隊のように、カテリーナを乗せたこの船隊もまた、ヴェネツィア船隊の常の航路をたどる。ヴェネツィアを出た船隊は、まず、当時はヴェネツィア領であったのちのユーゴスラヴイアの半島イストリアのポーラに寄港する。水と食料の積みこみのためである。その後ダルマツィアの沿岸を下り、スパラートで再び補給をする。その次の寄港地は、コルフ島である。ここで他のヴェネツィア商船隊と落ち合い、海賊を防ぐためもあって大船隊を組んでアドリア海を出、いよいよ地中海に入る。次の寄港地ギリシアのペロポネソス半島の南端モドネで、大船隊は互いの行先によって別れる。軍船隊は海軍基地のあるクレタ島へ、商船隊のいくつかは、エーゲ海をさかのぼり、コンスタンティノープルへ、またはさらに黒海の諸都市へ。その他の商船隊はクレタ島を通ってシリアへ向い、またはエジプトへという風に。

カテリーナのガレー船隊は、モドネで他の船隊と別れた後、航路を東にとった。ロードス島に寄るためである。ロードス島に数日間寄港している間、ヴェネツィアとキプロス両国の大使たちは、島の主権者ロードス騎士団の長と会見し、トルコ対策について話し合った。これが終って、船隊はベイルートへ向った。ベイルートからキプロス第一の港ファマゴスタまでは、わずか数日の航海である。

二ヵ月にもおよぶ長い船旅の後、船隊がキプロス島に到着した時、本国ヴェネツィアでは、もう海からの風が冷たさを増している頃だった。外地に出ていた商船隊が、本国で冬をすごすため、珍しい貴重なオリエントの商品を満載して、ぞくぞくとヴェネツィアに帰ってくる季節である。この商船の到着を目当てに、ヨーロッパ各地から、それを買うための金袋と売るための自国の特産品をもった商人たちが、にわかにヴェネツィアの街に目立ち始め、とくに経済の中心リアルト橋のあたりを、その異国風の姿でにぎやかにするのもこの頃である。しかし、地中海の島キプロスでは、まだ陽光が豊かに大気を暖めていた。

キプロス全島をあげての大歓迎の中をファマゴスタ港についたカテリーナは、王の出迎えを受け、桟橋の上に敷かれた金色の毛氈《もうせん》の上を通って、初めてキプロスに降り立った。港に集まったキプロス島民の中から、「アフロディテスが島に帰ってきた」という声がもれたほど、その日のカテリーナは美しかった。中背というより少し低めの彼女は、乳色の肌の豊かな肉付きはこぼれるばかり、当時ヴェネツィア風金髪と呼ばれた、太陽で陽焼けさせたあま色の長い髪と、輝く黒い眼、ギリシア人の血を想像させる面高な顔、そしてそのやわらかい立居振舞で、当時の男たちの眼をすいよせたヴェネツィア女の典型的美しさをもっていた。彼女は、ファマゴスタ港から島の内陸にあるキプロスの首都ニコシアに行き、そこで王妃として正式に戴冠《たいかん》した。たくましい三十二歳の夫に守られ、まちわびた四年間の苦しさを忘れ切ったカテリーナは、この地に伯父のアンドレア・コルネール、いとこのマルコ・ベンボもいることを知った。

気丈夫であった。しかし幸福の絶頂にあったカテリーナの心をくもらせたただ一つのことは、夫のそばに、すでに二人の男の子と一人の女の子という、庶出の子たちを見《み》出《いだ》したことだったが。

しかし、それは小さな影にすぎなかった。当時の大都会ヴェネツィアから、小国キプロスへ移ってきたとはいえ、オリエントはまた別の文化圏である。キリスト教国であるキプロス島は、フランス語、イタリア語、スペイン語、アラブ語の入り乱れる、古い、しかし甘い官能的な地中海に浮ぶ島であった。

ファマゴスタの乱

冬が過ぎ、春も過ぎ、次の年の夏がやってきた。あと数ヵ月で、カテリーナにとっては、はじめての地中海での一年が過ぎようとしていた。しかし、島の外レヴァンテの海の波風は、静まる気配も見せなかった。トルコ、ペルシア、エジプト、ヴェネツィア、ナポリ、その他の国々も入り乱れて、各地で戦いが、そして平和条約が、始終相手をかえて行われていた。決まった敵対関係は、ヴェネツィア対トルコぐらいで、他の国々は、敵と味方をやたらとかえては争ったり仲直りしたりという状態だったのである。

その中でキプロスは、いよいよ動きのとれない形勢を感じていた。ジャコモをキプロスの王として、一応でも認めているのは、キリスト教国のキプロスにとっては敵方であるはずのトルコ、ペルシア、エジプト、その他はヴェネツィアぐらいである。前女王カルロッタの夫の実家サヴォイア公国とその親族のミラノ公国は当然反ジャコモの急先鋒《きゅうせんぽう》であり、フィレンツェとナポリはどっちつかずの態度をとる。対トルコ十字軍を組織しようとしたほどのピオ二世下のローマ法王庁は、彼を王とは断固として認めようとしなかった。それどころか、ローマに助けを求めにいったカルロッタを厚遇し、何かにつけて彼女の王位復帰に力を貸そうとしていた。このローマの態度に、他のヨーロッパのキリスト教諸国も従う。キプロスの王冠はゆらいでいた。ジャコモの才能と力だけが、それをささえていたのである。島の外でも、島の中でも。

しかし、この微妙な均衡も、一瞬のうちにくずれ去る時がやってきた。七月七日、病名も不明な急病で、王ジャコモ二世は死んだ。三十三歳の若さで。王の病名については、キプロス人の手になる年代記もヴェネツィアの記録も、全く言及していない。わずかナヴァジェロだけが、Flusso di ventre、直訳すれば「腹部の流出」と書き残しているだけである。これが今日のどんな病気に該当するのかわからないが。この王の突然の死については、カルロッタ派による毒殺であるとの声もあったが、それも単なる噂《うわさ》として以外のことは証明されていない。しかし、この不安定な情勢の中での王の死は、キプロスに対する陰謀と煽動《せんどう》の口火を切ることになった。そしてヴェネツィア共和国にとっては、台頭を続けるトルコ帝国に対抗するうえで、軍事的にも商業的にも重要性を増してきたキプロスを、いよいよ手中に収める絶好の時期がきつつあることを意味した。

結婚後一年も経ないうちに夫を失うことになったカテリーナは、その時七ヵ月の身重でもあった。王は次のような遺言書を残した。「王位は、王妃カテリーナに生まれてくる子が男子の場合、彼が王位を継承する。もしその子が女子かまたは死亡でもした場合、王位継承権は二人の庶出の男子のうちの年長の者から権利を得ることになる。もし彼らすべてが死亡の時は、王位は、ルジニャーノ家のうち、王ジャコモに近い関係にある者が継承する。以上のいかなる場合においても、王妃カテリーナは、その死までキプロスの主長《シニョーラ》として残る権利を保有する」。王の遺言書はこれに続けて、摂政として王妃の伯父アンドレア・コルネールを指名し、家臣たちは、彼に協力して王妃の執政を助けていくよう記されていた。

王ジャコモの死に際して、王妃の前で忠誠を誓ったキプロス王国の家臣たちだったが、日が経《た》つに従って、彼らはその不満をあらわにし始めていた。それは、王妃カテリーナを助けるという名目で、日に日に勢力をのばしていきつつあった、島内のヴェネツィア人に向けられる。

島内のこれらの動きと対応するかのように、島の外では、カルロッタがまず動き始めた。

彼女は、滞在先のロードス島からエジプトのスルタンに使節を送り、王ジャコモの死後、王位は今度こそ自分のものであると、自分の権利の承認を求めた。しかし、エジプトとヴェネツィアとの間は、貿易の上で売り手と買い手の関係であり、レヴァンテの海におけるヴェネツィアの海軍力からも、ヴェネツィアと事をかまえるのを好まなかったエジプトは、この彼女の要請を拒絶した。そしてほとんど同時期にカイロに着いた、王妃カテリーナからの使節を引見した。これは前女王カルロッタより、ヴェネツィア女の王妃を認めたことになる。

しかし、カルロッタは、この第一段階での失敗にもくじけなかった。彼女は、その頃ロードス島近海にいたヴェネツィア艦隊の提督モチェニーゴにも、自分が王位の正統な権利者であると主張した手紙を送り付けた。これに答えた提督、この一年後には共和国の元首《ドージェ》になる提督モチェニーゴの返書は、ルネサンス期を通じて支配的だった考え方を、具体的に示しているものといえよう。「あなたのような賢明な御方が、国とは法で獲得するものではなく、剣と力量《ヴィルトウ》によって得るものであるということを、御存じでないとは不思議に思われます。王ジャコモは、キプロスを彼の剣と力量でもってかちとったのです。その彼が、王位を王妃カテリーナから生まれる子に残したのです。キプロスに対する、あなたと王妃、そのどちらの権利が正しいかは自明のことでありましょう」。カルロッタのもくろみは、ここでも挫折《ざせつ》した。

しかし、キプロス宮廷の情勢は、楽観を許さないものだった。島内のヴェネツィア人の勢力伸張のめざましさに対して、家臣たちが不穏な動きをやめなかった。王の死から二ヵ月も経ない八月二十四日、ヘレスポントス沖でトルコ軍との海戦を準備中だった提督モチェニーゴは、本国ヴェネツィアの元老院《セナート》から、次の指令を受けとった。

「トルコ軍の監視として四隻《せき》か六隻のガレー船を残し、残り全艦隊をひきいてキプロスへ直行せよ」

提督がこの指令を受けた日から四日後、キプロスでは、王妃カテリーナに男子が誕生した。そして九月十六日、ファマゴスタ港の内と外をヴェネツィア大艦隊が埋める中を、ヴェネツィア大使バルバロ、提督モチェニーゴ列席の上、生まれたばかりの子、新王ジャコモ三世の戴冠式《たいかんしき》が行われたのである。キプロス島内は、この亡《な》き王ジャコモ二世の子の戴冠によって、一応は平穏な空気が流れ出したかのようだった。十月六日、ヴェネツィア政府は、キプロスに留《とど》まっている提督モチェニーゴに対して、五隻のガレー船をキプロスに残して、あとの全艦隊とともにモドネに帰任するよう指令を発した。ペロポネソス半島にあるヴェネツィア海軍基地モドネで、提督ピエトロ・モチェニーゴは、長年にわたった海軍生活から引退し、後任に引き継ぎをすることになっていたのである。この本国からの指令に従って、モチェニーゴはヴェネツィア大艦隊とともに、キプロスを去っていった。陰謀者にとっては、それこそ絶好の時が訪れたことになる。

これより約十日前、武装した二隻のガレー船が、秘《ひそ》かにナポリの港を外にしていたのを、ヴェネツィアは全く知らなかった。このガレー船を指揮していたのは、キプロス島最高法職であるニコシアの大司教で、極秘のうちに進んだナポリ王との策略が、実現に向って動き始めたのであった。十一月十日、キプロスのサン・ジョルジョ港に着いたガレー船は、ここで大司教の一行を降ろした後、ファマゴスタ港にまわり、港外に秘かに停泊した。大司教の一行も、陸路をとってファマゴスタに向った。十二日、ファマゴスタに着いた大司教は、キプロス宮廷の家臣たちと個別に会ったらしい。この大司教の行動を不審に思ったキプロス駐在ヴェネツィア大使のバルバロは、何かが起りそうだと本国政府に急報している。

大使の予感はあたった。この二日後、一四七三年十一月十三日から十四日の夜にかけて、史上ファマゴスタの乱として知られる反乱が勃発《ぼっぱつ》したのである。

大司教がそのナポリ滞在中に、ナポリ王フェランテとの間で、陰謀のくわだてが進行していたのであった。このくわだての目的とするところは、㈠摂政会議に連らなるヴェネツィア人を殺す。㈡キプロス駐在のヴェネツィア海軍の武装解除。㈢キプロス駐在のヴェネツィア政府関係者の追放。㈣王妃カテリーナの権限を剝奪《はくだつ》し、王妃に次のことを承認させる。即《すなわ》ち、先王ジャコモの庶出の王女と、ナポリ王の息子アルフォンソの結婚、ならびにアルフォンソには、王位第一継承権である〝プリンチペ・ディ・ガリレア〟(王太子にあたる)の位を与える。これがこの陰謀の目的としたものであった。

そして陰謀者は二派から成り立っていた。一派は、ナポリ王の後援をうけたニコシア大司教と、先王ジャコモにその当初から従っていたリッツォ・デ・マリンら六人の、キプロス宮廷新参の家臣たち。他の一派は、以前はカルロッタ派だったが、後にジャコモの下に降《くだ》ったキプロス王国はえぬきの重臣たちで、彼らはジャコモの死後、先女王カルロッタとの間で連絡を再開していた。この二派が、ナポリ王の後援を得て、反ヴェネツィアの反乱を起すことで一致したのである。

十三日から十四日にかけての夜に起った反乱は、キプロス人の年代記作者フロリオ・ブストロンや他のヴェネツィア人の残した記録によると次のように始まった。

大司教とリッツォ・デ・マリンはその夜半すぎ、王妃カテリーナの部屋に入っていった。床についていたところに押し入られた王妃が、驚きと怖《おそ》れで声もない時、その彼女を守って抵抗しようとした王妃付きの医者は、リッツォによって、彼女の面前でというよりほとんどカテリーナの腕の中で殺された。時を同じくして、王宮内の不穏な空気を察知して、王妃のところへ急行した、摂政であり王妃の伯父でもあるアンドレア・コルネールとその甥《おい》のマルコ・ベンボも、王宮に入ったとたんに同じくリッツォに殺され、その死体は、王妃の部屋の窓から見える庭の泥の中に放置された。王妃カテリーナは連れ去られ、生まれてから三ヵ月にも満たない幼王は、陰謀者たちによって、母親のカテリーナの手から引き離された。

全《すべ》ては、数時間のうちに行われ、港に停泊していたヴェネツィアのガレー船の全く気づくまもないうちに終った。彼らがこの異変に気づいた時は、王妃と幼王はすでに反乱側の手に落ちていて、何の手のうちようもない状態であった。島内にいたヴェネツィア政府関係者たちも、動きのとれない状態に置かれたことは同じである。

この状態の中で、王妃カテリーナは、ファマゴスタ港外に停泊していたナポリのガレー船に連れていかれ、その上でナポリ王の特使と会見させられた。ナポリ王子とキプロス王女との結婚の承認、ナポリ王子アルフォンソに〝プリンチペ・ディ・ガリレア〟の称号を与えること、さらにアンドレア・コルネールらの殺害は、日頃からの彼の貪欲《どんよく》さに対する私的復讐《ふくしゅう》によったもので、政治的暗殺ではないことを、ヴェネツィア本国に向けて王妃直筆の手紙で伝えること。これが王妃カテリーナが、彼らから強制されたことだった。彼女は、伯父の暗殺については、陰謀者側の言うとおりに手紙を書いたが、庶子たちの結婚とその王位継承権については、頭を横にふりつづけるだけだった。それでもこの彼女の妥協は、キプロス王家の印章と共に連れ去られた、幼い我が子への心配から出たものだったが。

もしこれがカテリーナ・スフォルツァであったら、何かあっと言わせるようなことをしでかしたにちがいない。しかし、このヴェネツィア女のカテリーナはちがった。保護されることに甘い官能の喜びを感じる、女らしいヴェネツィアの女、政治的駆け引きなどには全く不向きなヴェネツィアの女の典型が彼女であったのだ。

提督ピエトロ・モチェニーゴ

この彼女の後見役、ヴェネツィアの行動は、例のごとく慎重でいながら敏速でもあった。

モドネで後任に引き継ぎをする予定だった提督《カピターノ・ジェネラーレ・ダマーレ》モチェニーゴは、ナポリのガレー船が二隻、キプロスへ近づきつつあるとの報告を受けるやいなや、直ちにガレー船を二隻、キプロスへ向けて派遣した。ナポリ側の動静を探らせるためである。さらに、大使バルバロのキプロスからの急報がヴェネツィア本国に着く頃、クレタ島の総督からも、キプロスで何か変事が起ったらしいとの報告が、本国に向っていた。これらを受けとった本国政府からの指令で、提督モチェニーゴは、後任との引継ぎを延期し、あらためて自分の艦隊の中から、幕僚長《プロヴェディトーレ》ソランツォを指揮官に、八隻のガレー船をキプロスへ急行させた。十一月二十三日、反乱の起った日から九日目、ヴェネツィア・ガレー艦隊は、ファマゴスタ港外に着いた。港内に停泊していた五隻のガレー船と共に、総勢十五隻のガレー艦隊が勢ぞろいしたことになる。このヴェネツィア勢と二隻のナポリのガレー船との間で、にらみあいの状態となった。

しかし、王妃と幼王を人質に取られていては、ヴェネツィア側は手も足もでない。陰謀者たちによって追放された大使バルバロ以下島内のヴェネツィア人を、収容することができただけである。この間に陰謀者たちは、島民に人気のある王妃が自由であることを示すため、十二月五日、彼女を馬に乗せて広場をまわり、教会まで行かせたりした。あいかわらずヴェネツィア側は、まだ何もできない。彼らはじっと、好機の到来を待っていた。

だがそれは、まもなくやってきた。

十二月十五日、反乱勃発からようやく一ヵ月過ぎたという日、陰謀者の内部での対立が表面化したのである。以前からのキプロス王家の重臣で、いまだに前女王カルロッタの王位復帰を策すロカス伯、トリポリ伯の一派と、「私生児ジャコモ」王にそのカイロ逃亡時から従ってき、王の死後ナポリ王と提携してヴェネツィアの勢力を排除していこうとする、リッツォらいわゆる新参の家臣たち一派との対立が激化したのだった。

この陰謀者内部の分裂を、好機の到来を慎重に待っていたヴェネツィアが見逃すはずはない。本国政府、モドネの提督モチェニーゴと連絡をとりながら、いよいよヴェネツィアは決定的な行動に出た。十二月三十一日、七百の兵がファマゴスタに上陸する。まず王妃と幼王を捕われの身から自由にすることに成功した。分裂して統一行動のとれない陰謀者たちは、これを知るやいなや、それぞれ二派に分れて逃げ出してしまった。リッツォらは、ナポリのガレー船でいち早く港外へ。トリポリ伯らは、陸路をとってこれもまた島の外へ。そしてカルロッタのまつロードス島へ。キプロス上陸戦を指揮した幕僚長ソランツォは、逃亡した陰謀者を深追いせず、キプロス全島の要《よう》塞《さい》を、ヴェネツィアの手におさえてしまった。

翌年の二月三日、五十隻のガレー船からなる大艦隊を従えて、提督モチェニーゴがキプロスに着いた時、彼は完全にヴェネツィアの支配下で平穏にもどった、キプロスを見《み》出《いだ》すことができた。逃げ遅れたのは、陰謀者の中でもたいして重要でない者たちだったが、彼らは処刑され、聖職にあって極刑に処すこともできないニコシアの大司教は、理屈をつけてヴェネツィアへ護送してしまった。三月二十八日、ヴェネツィア政府は王妃カテリーナに対して、反乱鎮圧成功に対する祝いの手紙を送ると共に、この事件処理のため引退を延期していた提督モチェニーゴに、キプロス引き揚げの命を下した。モチェニーゴは、本国政府からの指令に従い、幕僚長ソランツォに、キプロス統治の全権と共に十隻のガレー船を残し、モドネに向けて発《た》っていった。

ファマゴスタの乱として知られるこの陰謀は、こうして終りを告げたのである。ただ、以後のヴェネツィアのキプロスに対する干渉に、かっこうな名目を与えるに役立っただけだった。レヴァンテの海支配の重要な拠点キプロス併合をもくろむ、ヴェネツィア共和国の野望の、巧妙な第一歩がここにしるされたのである。

大国の政治

一四七四年。この年こそ以後十五年間にわたる、カテリーナの幸薄き統治の最初の年になった。ファマゴスタの乱を、その武力介入によって鎮圧したヴェネツィア共和国が、いよいよキプロス王国併合の野望に向ってその現実的な歩みを進めてくるのである。政治的にも経済的にも軍事面でも、それはもはや完全な植民地化以外の何ものでもなかった。王妃カテリーナを表面に立てた独立国家の外観をあくまでも守りながら、いやかえってそれを利用しながら。後代の歴史家たちは、この十五年をヴェネツィアのキプロス支配の第一期とさえしている。

自国の養女である王妃の執政を助けていくという大義名分のもとに、ヴェネツィア共和国がキプロス王国に対して行った内政干渉は、その冷酷さ、そのあくまでも現実的な周到さにおいて、ルネサンス期最強の国の一つであったヴェネツィアの、政治外交の本質を示す恰好《かっこう》の例といえよう。政治と武力の見事な均衡、その効果的な使いわけ。何か変事の気配を察するやいなや大艦隊を派遣し、その威力をもって切りぬけていく。そしてこの威力を背景に展開していくヴェネツィアの政治外交は、大国の小国に対する政治の一例を示して不足がない。即《すなわ》ち、歴史上あくことなくくり返される、大国の小国に対する武力による内政干渉の芸術《アルテ》の好例だ。この世界では、法的な正当性も人間性に対する配慮も、全く問題にされない。あるのは、ただ敏速果敢な軍事行動と政治の、巧妙な調和があるだけである。あらゆる時代を通じて、人々が智恵と呼んできたところのものが。あらゆる時代を通じて、歴史の現実を動かしてきたところのものが。

ファマゴスタの乱に際して行ったヴェネツィアの武力介入は、王妃カテリーナの援軍要請によったものではなかった。キプロス王国の家臣の誰一人として、ヴェネツィア軍に援助を請《こ》うた者はいない。王妃の結婚の時の契約の一つ、キプロス王国を外敵から守るという契約をたてにとった、ヴェネツィア側の独断的介入だったのである。

ファマゴスタの乱鎮圧から始まる以後十五年間の、まったく法的には何の妥当性を見出《みいだ》すことのできないヴェネツィアのやり方に対して、当時の世論は完全に反対の立場にあった。ヴェネツィアは、ローマ法王庁を始めとする非難の集中攻撃を浴びていたのである。それでいながらヴェネツィアは、キプロスを植民地化した。このヴェネツィアのやり方をささえていた最大の理由は、キプロスを異教徒トルコの脅威から守るということにあった。たしかに、地中海での最大の敵は、トルコであった。しかし、当時はまだトルコはキプロスに対して、本格的な関心を示していなかったのである。トルコが本格的関心を示し始めた時、即ちこの時から約百年後、キプロスは劇的なファマゴスタ攻防戦を最後に、トルコの手に落ちてしまう。だから対トルコという理由は、十五世紀の後半のこの時点では、あくまでもヴェネツィアのかかげた大義名分でしかなかったのである。

そして当時のヴェネツィアの年代記作者たち、冷静かつ正確な記述を、今日に至るまで高く評価されているサヌード、マリピエロ、ナヴァジェロら、その他のあらゆるヴェネツィア政府の公文書も、このヴェネツィアによるキプロス併合を、共和国がその思慮深い政治によって他国に与えた恩恵のひとつとして、キプロスにかえって幸いしたのだと、確信をもって書き残している。他のことについては、自国ヴェネツィアのやり方を公然と非難して書いた彼らである。このキプロス併合について彼らが書き残したことは、彼ら自身がそう信じていたのだと判断してよいだろう。大国の国民のもつ考え方の限界は、いつの世にも変らないものらしい。ここにおいては、王妃カテリーナ一人の人間性など、無視されるだけであった。

武装したガレー艦隊を港内に停留させながら決行した、ヴェネツィアによるキプロス王国の内政干渉は徹底したものであった。三月二十八日、ヴェネツィア政府は、次の布告を発した。

〔内政〕以後キプロス王国は、その王室以外、ヴェネツィアの他の植民地と同じ政治組織を受け入れる。すなわち幼王と王妃の下には、王妃の執政を助けるため、二人の行政官が顧問《コンシリエレ》の官名で置かれる。彼らは一人ずつ二年毎《ごと》に交代する。その他にこれも二年の任期の、実際の行政を担当する行政官《バイロ》と領事《コンスル》を一人ずつ置く。財政担当には二人の財務官《テゾリエレ》を、軍事面でのキプロス国内の最高決定は一人の幕僚長《プロヴェディトーレ》がとり行う。さらにキプロス第一の港ファマゴスタの警備担当として隊長《カピターノ》を一人置く。この計八人のヴェネツィアから派遣されるヴェネツィア人によって、キプロスの政治、経済、軍事は、完全にヴェネツィア共和国の支配を受けることになった。この制度は、クレタ島など他のヴェネツィア植民地の行政組織とほとんど同じものである。ヴェネツィア政府は、キプロスに派遣されていくこの八人に対して、島民に対するいかなる布告は、あくまでも王妃の名によって行うよう厳命を与えた。

〔軍事〕ヴェネツィア政府は、モチェニーゴの後任として新提督となったグリッティに対し次の指令を与えた。モドネ、クレタ両海軍基地から、常にキプロスの情勢に対する注意を怠らないこと。もし何かが起きた時は、直ちにキプロスへ直行できるよう常に備えておくこと。変事を察知した時は、本国政府に報告せずに、提督の判断で行動を始める全権限を提督は持つものとする。

〔外交〕グリッティが指令を受けると同じ頃、ナポリ駐在のヴェネツィア大使も、本国政府からの文書を受けとっていた。「ファマゴスタの陰謀は、ニコシア大司教の個人的一存で行われたものとヴェネツィアは解釈している。ナポリ王国とわが共和国との友好関係からも、ナポリ王国がこのような事に介入するはずもないことはよく知っている。このようにナポリ王に伝えよ」。こう伝えられては、表面上とはいえ戦いをしているわけではない両国のこと、ナポリ王もまさか自分が陰謀に一枚加わっていたともいえない。王は次のように答えた。「ナポリ王国は、キプロス王国の平安のために役立ちたいと思っている」。共和国政府は時をうつさず「それほどキプロスを心配してくれるなら、これからはキプロスへ向けては、ナポリ王のもの以外の船は一隻《せき》も出帆させないでほしい」。ナポリ王フェランテのキプロスに対する野心は、これで一本釘《くぎ》をさされてしまったことになる。同じことは、ミラノ公国との間でも行われた。こうしてヴェネツィアは、キプロスに最も強い野心を持つ、イタリアの中の二つの大国の行動をおさえてしまった。両国とも、海軍力ではヴェネツィアの敵ではない。ファマゴスタの乱の時のヴェネツィアの敏速な武力介入は、背後にある両国の行動の出鼻を一応くじくのに成功したのである。ローマ法王庁が、法王シスト四世の名をもって、このヴェネツィアの強引なやり方に不満の意を表したとて、従来から教会とは賢明にも一線を画していたヴェネツィアにとっては、たいして問題にすることでもなかった。

こうしてあらゆる方向からヴェネツィアによってかためられてしまっては、王妃カテリーナ一人にできることなど、しれたものである。まして彼女には、ファマゴスタの乱の時、ヴェネツィアによって救われたという事実があった。しかし、何よりも彼女もまたヴェネツィア人である。当時のヴェネツィア人を支配していた思想、「十人委員会」のある無名の委員の発言の中にさえあった"*Prima veneziani, poi cristiani*"(まずヴェネツィア人、その次にキリスト教者)が示しているように。少なくともヴェネツィア政府は、こう思っていた。しかしこの十五年の後に、彼女はそうは思わなくなっていくのだが。

生まれたばかりの幼王ジャコモ三世とその母カテリーナを表面にたてて、強行しつつあったヴェネツィアのキプロス支配も、一年も経ないうちに大きな障害につきあたることになった。一四七四年八月二十六日、満一歳の誕生日をあと二日後に迎えるという日、カテリーナの子、幼い王は死んだ。先王ジャコモ二世の遺言書によれば、次の王位継承権は、先王の残した庶子の中の七歳の第一子にいくことになる。もしこの子も早死する場合は第二子に、またこれも死んだ時は、ルジニャーノ王家の中で最も近い親族の誰かに行く。いずれにしても王位はルジニャーノ家の者が継ぐことになっていた。先王は自分の妻の王妃カテリーナを、その生存中はキプロス第一の女の地位にあるとしたが、王位がカテリーナに行くとは一言も残していない。ここにきてヴェネツィアは、そのキプロス支配の名目を失うことになった。しかし、ますます強大になるトルコ帝国によって、ギリシアの植民地のほとんどを失い、今ではレヴァンテの海における最前線として、軍事、商業ともにその重要性を増す一方のキプロスを、レヴァンテ貿易で生きているヴェネツィアが手離すはずもなかった。

一方、幼王の死が伝えられるやいなや、キプロス島内では、あちこちで騒ぎが起った。島民の大部分は、美しい不幸な王妃カテリーナへの同情から、一人子をも失った王妃に忠誠を誓ったが、それでもキプロスの独立を侵される不安から、ヴェネツィアに対する反感は根強かった。それに加えて、少数派であっても、問題は反カテリーナ派の島民である。キプロス宮廷の重臣たちの多くは、この派に属した。彼らは、ヴェネツィア人の王妃の下で、ますます強くなるヴェネツィアの勢力を怖《おそ》れた。ヴェネツィアの植民地化の方向に、一歩一歩進んでいるキプロスの将来を心配したのである。しかし彼らの力は分散していた。それは、一年前のファマゴスタの乱を失敗に終らせたものと同じ原因だった。キプロス王家譜代の家臣たちで成っている一派は、この機会に先女王カルロッタをもう一度王位に復帰させようと策す。先王ジャコモ直属だった新参の家臣たちの一派は、先王の残した庶子たちをかつぎ出そうとしていた。

このように反カテリーナ、反ヴェネツィア勢力が分散している状態では、一致した行動がとれるわけがない。島内では小ぜりあいが、あちこちで起っただけだった。

島内のこれらの動きを、キプロス駐在のヴェネツィア行政官たちは、逐一、本国政府に報告していた。九月、本国政府は、彼らに次の指令を発した。「反ヴェネツィア派と、さらに王妃の下でのキプロス独立を熱中して話す島民と、両派のキプロス人全員の名簿を極秘裡《ごくひり》に作成し、早急に本国政府に送ること」。しばらくしてキプロス宮廷の重臣の一人は、王妃の名によってヴェネツィアへ連行され、他の一人は、国外に追放された。

この事件によるキプロス宮廷内の動揺がまだおさまらない十月末、ヴェネツィア共和国元老院《セナート》は、ナポリ、ミラノ、ローマへ特使を派遣し、公式にジャコモ三世の死を知らせるとともに、次の宣告を送り付けた。「王の死後も、ヴェネツィア共和国は、トルコやエジプトの異教徒勢力の脅威から、またその他のあらゆる反逆行為からも、キプロス王国を護《まも》っていく覚悟である」

これはもう、了解を求めるというよりは宣告であった。キプロスに直接の野心のないローマ法王庁は、表面的には賛同の返答を与えたが、本心は、キプロスが教会の思うままにならないヴェネツィアの手に渡るよりも、教会と良い関係にある個人か、または国に支配されるのを望んでいたのである。ヴェネツィア大使に賛同の返書を与えながら、ナポリ、ローマの二大国は、秘《ひそ》かに連絡をとりながら反ヴェネツィアの方向にかたまっていこうとしていた。

この動きをいちはやく察知したヴェネツィアは、キプロス駐在の幕僚《プロヴェディトーレ》長ソランツォに、次の厳命を下した。「ヴェネツィア・ガレー艦隊による、キプロス島周辺の海上封鎖を行うこと。これからはキプロス駐在の幕僚長は二人とし、常に王妃のそばを離れないでキプロスの全執政をとり行うこととする。またキプロス全島の城塞《じょうさい》は、ヴェネツィアに完全に忠誠な人間の手にだけまかせること」。この指令に従って、キプロス近海の海上警備には、あらたに四隻のガレー船が追加された。計十五隻のヴェネツィア・ガレー船が、常時キプロス周辺の監視につくことになる。これ以後、キプロスの港へ入ってくる船は、ほとんどヴェネツィアの軍船か商船だけになってしまった。

しかし、あくまでもキプロスの植民地化に万全を期するヴェネツィア共和国は、その行動に疲れというものを知らない。同年の十一月、王妃カテリーナの父マルコ・コルネールを、王妃のもとに派遣することに決定した。名目はあくまでも個人的なものとして。とはいってもキプロス駐在のヴェネツィア行政官たちには、この王妃の父を加えて、従来通り、本国政府の決定する方針にそってキプロスを統治していくこと、という指令が与えられたのはもちろんである。

翌年の二月、マルコ・コルネールはキプロスに到着した。しかしマルコは、本国政府の派遣として、キプロスでのヴェネツィア勢力確立に力を貸すという彼の役柄を十分承知しているとはいえ、やはり父親であった。娘のカテリーナの立場の苦しさを、まず打開してやろうとした。カテリーナも、父の到着によって元気づけられる。彼女は初めて、強大なヴェネツィア共和国に対して、自分の思いをのべようという気になった。次にあげるまったく同月同日に書かれた三通の手紙が、養父であるヴェネツィア共和国によってはじめに王冠を与えられ、次いで王冠を奪い取られる王妃カテリーナの、人形でしかなかった存在への悩みを示している。

一四七五年四月十四日、第一の手紙、王妃カテリーナよりヴェネツィア元首《ドージェ》へ。書記によって筆記されたものと思われるこのラテン語の長文の手紙をまとめると次のようになる。「父の到着によって私の王妃としての地位待遇が改善されるかと願っておりましたのに、あいかわらず以前と同じで、それどころかヴェネツィア行政官たちは、今までの方針を改めることさえ拒否しました。今までの状態とは、キプロス島民に対する全布告は、彼らが作成し、私はただ送られてきたものに署名するだけで、私あてに送られてくる公式文書も、まず彼らのところへまわすことになっていて、その後に私に返されてくるはずが、まだ一通も実行されていないという有様です。キプロス人に対する賞罰も、まったく私を無視して行われています。これでは、王妃である私の執政の助言者として派遣されてきているはずの彼らが、助言どころか、王妃の私より上位の執政者であり、彼らによって統治されているのがキプロスの現状といえましょう。私生活でも、私は自室で、二人の召使にかしずかれて食事するだけで、王妃としての公式の宴も持てず、ミサに行くための行列もととのえられないのです。これらをしようにも、今の経済状態が許しません。私は、一万ドゥカートの年金を使えるはずなのに、彼らはそれさえ許してくれません。元首《ドージェ》閣下から彼らに対して、王妃の助言者の立場に戻るようとりはからっていただきとうぞんじます」

第二の手紙、王妃カテリーナより元首へ。ヴェネツィア方言で書かれたこの自筆の手紙には、はじめに、書記もどうやらヴェネツィア行政官らと通じているらしいので、第一の手紙が元首に送られる前に、彼らによってにぎりつぶされる場合を考えて、別に自筆で書くのだと釈明してある。次いで第一の手紙と同じ訴えが続き、最後に、ヴェネツィア人の行政官たちが執政しながら私腹を肥やしていること。その一例として、キプロスの自由民たちを奴隷《どれい》商人に売るといって捕え、彼らを自由にする代わりとして、彼らから多額の金銭を得ている事実があること。これでは島民に恐怖を与えるだけでなく、キプロス王国の経済を破滅に追いやるものである。また王妃の自分も、キプロス島内をまわる自由も与えられず、王妃の尊厳を傷つけられるどころか、これでは奴隷と同じだと訴えている。

以上二通の手紙とも、最後に、Regina Caterina figlia vostra（あなた様の娘、王妃カテリーナ）と署名されている。彼女を養女にした共和国の真意を、カテリーナは理解していなかった。あなたの娘と書くことによって、共和国がその訴えをきいてくれると、単純に思いこんで疑わなかったのである。しかし、ヴェネツィア貴族で共和国の政治にたずさわった経験もあり、かつ大商人として現実的視野を持っていた父のマルコ・コルネールは、娘の立場の改善を訴えるにしても別の書き方をした。

第三の手紙、マルコ・コルネールより元首《ドージェ》へ。「この手紙と同時に、ヴェネツィアに着くであろう王妃の二通の手紙は、私の忠告によって書かれたものと思われるのは心外であります。とはいえ、その中に書かれたことがまったく真実であることは、ヴェネツィア国民であり、ヴェネツィア共和国に最も忠誠な、この私自身が証明いたします。この地での王妃は、あまりにも惨《みじ》めな境遇にあり、四人の召使、二人の女官だけにかしずかれ、食事も私室で、腕の長さほどのテーブルの上でとるのです。毎日、その日一日の費用が与えられ、十ドゥカートも、自分の考えで費《つか》えない窮状におられます。私の他の娘たち、王家でないヴェネツィア貴族の家に嫁いでいる娘たちでさえ、王妃のこの現状よりはましな生活をしています。私自身、この地に到着後、ヴェネツィア行政官たちに、この王妃の窮状の改善を要請したのですが、彼らは、前任者のやらなかったことは自分たちもできないというのみです。私は、この王妃の窮状を見るにみかねて、持参していた三百ドゥカートをさし上げたほどです。このような現状に王妃を置くことは、王妃を敬愛しているキプロス人の反ヴェネツィア感情をあおることになり、ヴェネツィア共和国のキプロス王国に対するその政策進行に、重大な支障をきたす怖れが生じるものと考えます。このため私はあえて筆をとることを決心した次第です」。署名は、ヴェネツィア人、マルコ・コルネールとあった。

この父と娘双方からの訴えに対し、ヴェネツィア共和国政府は、王妃に年金八千ドゥカートを保証することという指令を、キプロスのヴェネツィア行政官に与えただけで、その他の訴え事項に関しては無視しただけだった。それどころか、続く別の指令では、若くして未亡人となった王妃が間違いを起さないように、キプロス在住のヴェネツィア人も含めて、他のいかなる男も、王妃と特別に親しい関係にならないよう、王妃の身辺に注意せよとさえ言い渡している。これほどにキプロス全島を厳重な監視の下に置きながら、ヴェネツィアは安心というものを知らなかった。人間そのものに対する根本的な不信の上に築きあげられたヴェネツィア共和国の政治。そして政体。それであってこそ、他のイタリア諸国が次々と没落していった時代に、他の一方の現実主義の政体、ローマ法王庁とともに、その勢力の不動を誇れたのだが。

一四七六年十月三十日、ヴェネツィアのパラッツォ・ドゥカーレでは、重要秘密会議が開かれていた。十人委員会の十人の委員と、元首《ドージェ》、六人の元首補佐《コンシリエレ・デュカーレ》の十七人で構成されている「十人委員会《コンシーリオ・デイ・ディエチ》」が、常の重大事決定の時と同じく、さらに二十三人の長老《ゾンタ》を加えての秘密会議である。議題は、故ジャコモ二世の生母と庶出の遺児たち三人、それにファマゴスタの乱の失敗以来逃亡したままのトリポリ伯、リッツォ・デ・マリン、その他のキプロス重臣八人の家族を、ヴェネツィアに連れてきてここに住まわせるというものである。危険な動きをしているといわれる重臣の家族は、はじめ二十五家族がリストにのったが、最後に八家族にしぼられた。これはもう人質である。少なくとも外観は独立国家の民であるキプロス人を、人質の境遇におくためヴェネツィアに連れてくるという決定を下すには、重要秘密会議を必要としたのは当然であった。激論の末、投票の結果は、賛成十五票、反対十四票、棄権十一票となった。あまりの小差に、投票は二回くり返されたが、結果は第一回と同じものだった。

　それもあって、この重大決議の実施は、一ヵ月延期された。そして一ヵ月後、提督ロレダンは、「十人委員会」の名で、極秘の指令を受けた。それは次のようなものだった。「故ジャコモ二世の生母マリエッタ・パトラッソとの庶出の王子と一人の王女の二人、それにトリポリ伯、リッツォ・デ・マリンら八人の重臣の家族を、ヴェネツィアのガレー船で本国に送ること。船上では客分としての待遇を与えること。しかし、逃亡させないよう、また死なせないよう十分な監視を怠らないこと」。これは、キプロス全島を恐怖の底に落しこんだ。驚き怖れる王妃カテリーナの歎願《たんがん》にも、この本国政府の命令をもってキプロスに到着した提督ロレダンは、ただ任務の遂行の義務を答えとしただけだった。

次の年の一月、不幸を歎《なげ》くキプロス人たちはヴェネツィアに着いた。故ジャコモ二世の生母と遺児三人は、キプロスがヴェネツィアで商う砂糖の売上金の一部を生活費用として提供され、ヴェネツィア市内の修道院に住むことになった。重臣の家族たちは、自費で、これもまたヴェネツィア市内に住まわせられ、暗に市外に出ることも禁止された。この中の誰一人として、ヴェネツィア政府の厳重な監視を逃れることができた者はいなかった。とくに島民から愛され、正統な王位継承者であった王ジャコモの遺児たち二人と、ナポリ王の息子アルフォンソと婚約をしていた王女の三人を待っていた運命は残酷である。二人の王子は後に下婢《かひ》と結婚し、ヴェネツィア下層民の中で寿命だけはまっとうしたが、ナポリ王が再三その自由獲得を求めてきた王女については、これから二年後、パドヴァの尼僧院《にそういん》で死んだと発表された。死因は明らかではない。

だがヴェネツィアはこれによって、キプロス王国内で起る騒乱の芽をつみ取った。王冠への権利を主張できる者をキプロスから遠ざけ、反ヴェネツィアの重臣たちの家族を人質状態に置くことによって。キプロス島内はこのヴェネツィアの強行策によって、一応は平静を保つことに成功したが、島の外の動きは、そう簡単にはおさまらなかった。幼王の死後、王妃カテリーナを強引に王位にすえたヴェネツィアは、それ以後の十五年間、絶え間のない武力による威圧を与え続けねばならなかった。一方ではトルコとの間に、絶えることのない戦闘と講和をくり返しながら、ヴェネツィアは、計八回もその大艦隊で、キプロスの港を満たしたことになる。しかしこれを断行したことによって、反ヴェネツィアのあらゆる陰謀は、その一つとして成功しなかった。

一四七五年八月、先女王カルロッタが、ナポリ船四隻《せき》とともにアレクサンドリアへ向ったという情報。共和国政府は、直ちにガレー船数隻に百五十人のクレタ兵をのせてキプロスへ急派。

一四七六年六月、ナポリ王は息子のアルフォンソに大船と五百の兵を与え、エジプトに出発させ、カルロッタはこれをロードス島で待機中との情報。政府は、クレタ島海軍基地の全艦隊をキプロスへ急行させると同時に、ロードス島の主権者ロードス騎士団長に次の警告を送り付けた。「もし騎士団がカルロッタを助けるような行動に出た場合、共和国は以後ロードス騎士団を敵と見なすであろう」。トルコの脅威を最も身近に感じていたロードス島は、このヴェネツィアの脅迫に屈する以外に何もできなかった。

一四七七年八月、カルロッタが、エジプトのスルタンとの間で繁々《しげしげ》と連絡をしているとの情報。モドネの海軍基地から、提督ロレダンが全艦隊をひきいてキプロスへ向う。

同年十二月、カルロッタ、エジプトに上陸、スルタンの大歓迎を受けるとの情報。提督ロレダンは、二十四隻のガレー船とともにキプロスへ。同時にレヴァンテの海にいるすべてのヴェネツィア国籍の船は、軍船商船をとわず完全武装の命を受け、ロレダン指揮下の艦隊に組み入れられた。

この二ヵ月前、共和国元老院《セナート》は、ヴェネツィア貴族百人とその家族にキプロス防衛の義務をもたせ、キプロスへ移住させる議案を可決する。しかしこれは、キプロスの財政困難のために一時延期された。

一四七九年、カルロッタ、島内の数人の家臣と連絡をとり、島内で反乱を起す計画との情報。共和国政府は、直ちにクレタ基地から艦隊をキプロスへ急派するとともに、陰謀者全員の処置を提督ロレダンに一任。陰謀者らはロレダンによる拷問《ごうもん》と訊問《じんもん》によってすべてを告白し、反乱を起す予定の日に、全員絞首刑《こうしゅけい》にされた。この失敗は、王位を追われてから十八年間、ロードス島、ローマ、イタリア各地、最後にはエジプトまでまわって、王位復帰にその精力的な行動を続けた、先女王カルロッタの情熱にも冷水をあびせることになった。今ではナポリ王、エジプトのスルタンにも見放された彼女は、エジプトを発《た》ち、それから八年後、貧窮の中にローマで死ぬ。一人淋《さび》しい四十三歳の死であった。ただすべての人から同情されていたこの王国をもたない女王の墓は、ヴァティカンの中に置かれることになった。

一四七九年秋、ヴェネツィアの「十人委員会」は、極秘裡《ごくひり》に次の情報を得た。カルロッタを見捨てたナポリ王フェランテが、秘《ひそ》かに王妃カテリーナに近づき、エジプトにいる息子アルフォンソとの結婚を策しているという情報である。ヴェネツィア人でありながら、尊厳も実権もともなわない王妃の地位につねづねカテリーナが不満をもっているらしいということは、もはや誰知らぬ者はいないほどだった。しかし、このナポリ王の動きを察知したヴェネツィアは、王妃には何も知らせなかった。ただ新たに、艦隊に島の周辺をかためさせるとともに、王妃の身辺の監視を一層強めさせた。そしてこの策謀に加担しているとみられた宰相フィカルドを、会談のためとヴェネツィアへ呼びつけた。宰相はそのまま二度とキプロスへ帰ることはなかった。

当時の装束

①ヴェネツィア共和国
海軍提督

②トルコのスルタン

③トルコ兵

①

③

②

一四八三年一月、ナポリから大船二隻と五百の兵がレヴァンテに向ったが、悪天候のためギリシア海岸に漂着との情報。共和国は、ドメニコ・マリピエロ（年代記の著者）を海将に選出、モドネとアルチペラゴの間のエーゲ海任務に派遣した。しかしマリピエロ海将の真の任務は、ギリシア海岸にいるナポリ船の動向の監視であった。

一四八七年一月、ヴェネツィアは、以前からトルコとエジプトのスルタンとの間で戦争が起りそうだということは知っていたが、その年、いよいよトルコ海軍が、ダーダネルス海峡を出るという確証を得た。それを裏書きするかのように続いて、トルコ軍から水と食料の補給のため、キプロスに艦隊を寄港させたいとの申し入れを受けた。ヴェネツィアは直ちに、アドリア海の警備に残したガレー船二隻以外の全艦隊を、海将トレビザンの指揮下、キプロスに直行させた。トレビザンは、次の指令をも受けとった。「水と食料補給のためのトルコ兵は、一回につき非武装の八人か十人単位でしか、キプロス上陸を許さないこと。トルコ将官の上陸は、いかなる手段をもってしても阻止すること」。しかしこのヴェネツィア政府の心配は、幸いにして無駄に終った。トルコはその年も次の年も、八万の兵、百二十の船からなるその大艦隊を、ダーダネルス海峡から動かそうとはしなかったからである。

しかし、このトルコ大艦隊の動きは、キプロスに対する、ヴェネツィア共和国の政策に変換を迫る事件となった。従来のように、王妃を表面にたてた独立王国の外観を保ちながら、実質的に植民地としているだけでは安心できなくなったのである。ヴェネツィア共和国は、今や長年使用したかくれみのを捨て去ろうとしていた。即《すなわ》ち「キプロス併合」への道に向って。

一四八七年二月二十一日、ヴェネツィアでは、パラッツォ・ドゥカーレに全元老院議員が招集された。重大事項決定につき、欠席者には五百ドゥカートの罰金が科せられた。もちろん秘密会議となった。議題の説明が行われた。「キプロスに対するトルコの脅威をとりのぞく唯一《ゆいいつ》の道は、これを共和国に併合するしかないという結論をわれわれは得た。サン・マルコの獅子《しし》の旗がキプロスの空にあがって、キプロスがヴェネツィアの領土ということが明白になれば、現在のヴェネツィア、トルコ間の協定の中の、お互いの領土権を尊重するという項によって、キプロスの安全は保たれるのである」。このキプロス併合の決議は、議員大多数の賛成で可決された。しかし、外観だけとはいえ独立王国であるキプロスの併合を強行するには、他国の思惑も十分に考慮しなければならない。とくにキプロスとは昔から深い関係をもつ、エジプトのスルタンの意向を無視した強行策はとれなかった。キプロス併合の決議はしたが、それを提督に命じて実行にふみきることはしばらく延期された。併合という強い印象を与えずに、この決議を実行に移すきっかけを待つことにしたのである。

この決議を秘密事項としておきながら、ヴェネツィア政府はまず三つの布石を打った。第一、エジプトのスルタンに対して、大使から、キプロスがわれわれ共同の敵トルコに渡るよりは、ヴェネツィアに属した方がわれわれ双方にとって有利であろうと匂《にお》わす。第二、ヴェネツィアからキプロスに派遣されている行政官のうち、王妃カテリーナの親族であるニコロ・モチェニーゴ、ジョヴァンニ・コンタリーニの両人を本国に帰任させる。第三の布石は、例のごとく艦隊派遣であった。元老院は、キプロスにおける大軍備増強案を可決。フランチェスコ・プリウリを新しく提督に選出した。キプロスに起るいかなる事態にも直ちに敏速な行動がとれるよう、常時四十隻のガレー船《トリレンミ》の準備を完了しておくことという指令が、新提督に与えられた。こうしてヴェネツィアは、キプロス併合という大事を実行に移す好機の到来を待ったのである。

最後の反抗

一年が過ぎる。王妃カテリーナは、まだ何も知らなかった。しかしナポリ側は、ヴェネツィアがキプロスに対して、何か最終的な行動を起すらしいということだけは感づいてはいた。彼らは、このままにしておくと、キプロスを手に入れる機会を永久に失うと思い始める。ナポリ王にとっては、キプロスがヴェネツィアに完全に帰属することは、レヴァンテの海にナポリの勢力が入りこむ、いかなる道も閉ざされることを意味した。

これまでナポリ王がキプロスを手に入れようとして打った手段、故ジャコモ二世の庶出の王女と自分の息子との結婚は、王女がヴェネツィアに人質として連れ去られ、その後パドヴァの尼僧院《にそういん》で死んだことによって挫折《ざせつ》した。もう一つの手段、同じ息子アルフォンソを先女王カルロッタの養子とする条件で、カルロッタを助けて彼女の王位復帰を謀《はか》ったが、これもヴェネツィアの敏速な軍事行動によって、一度ならず失敗に終ってしまった。その上カルロッタは、すでにローマで死んでいる。

これらの失敗で、持駒《もちごま》のすべてを失ったナポリ王は、キプロスへの野心を遂げるための最後の駒に、王妃カテリーナを選んだ。これは、九年前に秘《ひそ》かに始めながら、ヴェネツィアの完璧《かんぺき》な情報網に察知され、中絶をよぎなくされたことのむしかえしである。同じことのむしかえしということからしてまず、不利な条件の第一なのだが。それに加えて、このナポリ王の策略は、ヴェネツィアによるキプロス警戒が、最も完璧な時期にぶつかるという不幸をもった。準備万端ととのえて、ただそのキプロス併合に最適な口実の表われるのを待っていただけというヴェネツィアにとって、ナポリ王を中心とした陰謀者たちは、それこそ歓迎すべき客に見えたことであろう。この陰謀の行きつく先はきまっていた。ただカテリーナだけが何も知らなかった。

ここにきて再び、リッツォ・デ・マリンが登場してくる。一四七三年のファマゴスタの乱で首謀者の一人だった彼は、その後の十五年間、ヴェネツィア政府の厳しい追及の手をかわしながら、地中海をまたにかけた動きをやめなかった。ナポリ、カイロ、ロードス島の各勢力者の間をまわりながら。一四七六年に、彼の家族全員がヴェネツィアへ人質として連れ去られたが、これも彼の反ヴェネツィアの執念を消すことはできなかったのである。一四八七年、カイロから呼び戻された王子アルフォンソを加えて、ナポリでは、フェランテ王、リッツォ・デ・マリンの間で、王妃カテリーナとアルフォンソの結婚の策略が進行していた。リッツォには、王妃の承諾を得ることと、カイロのスルタンからこの計画への承認と援助を確保することとの役目が与えられた。王妃の承諾が得られ次第、ナポリとアレクサンドリアから軍船がキプロスへ急行し、それを背景に急ぎ結婚式が行われることになっていたのである。

翌年、まず始めにエジプトに向ったリッツォは、この計画に対するスルタンの全面的な賛同を得るのに成功した。その上スルタンは、彼に自分の大使としての資格をも与えた。次いでリッツォは、秘かにキプロスへ向った。ヴェネツィアの厳重な警戒下にある島で、彼は、王妃付きの一人の女官の助力によって秘かに王妃と会うことができた。カテリーナはこの結婚話を、承諾もしなかったが拒絶したわけでもなかった。まだ三十四歳の彼女は、一年にも満たない結婚生活しか知らなかった。それも十五年以上も前のことで、その後に続いた絶えず押し寄せる難題と形ばかりの女王の生活。二十五歳の若い王子アルフォンソとの結婚話に、彼女の心はかたむき始めていた。しかしこの結婚を承諾することは、ヴェネツィア人であるカテリーナにとって、祖国ヴェネツィアへの裏切りを意味した。リッツォは、迷い続ける王妃から確答は得られなかったが、良い期待はもつことができた。

この王妃とリッツォの会見は、その時はヴェネツィア側に察知されなかったらしい。しかし、アレクサンドリアへ帰ったリッツォは、街でヴェネツィア領事に出会してしまった。彼は領事に気づかなかったが、領事がこのヴェネツィアにとっての要注意人物を忘れるはずがない。直ちに彼は、提督プリウリに急報した。その上、三度目の王妃説得のため、キプロスへ発《た》つつもりでいたリッツォが乗船しようとしている船がフランス国籍で、しかも船荷を積んでいないということも、逐一提督に報告された。

船荷のない商船が不審に思われたのも当然である。アレクサンドリア領事からの報告を受けた提督プリウリは、他の目的を装《よそお》わせた全艦隊とともに、クレタ島海軍基地からキプロスへ向った。しかしキプロスには直行せず、キプロス島の一番高い山の頂きがはるかに見える海上に停泊し、時を待った。太陽は、クレタ島の方角の水平線に沈もうとしていた。落日が海面にふれようとする頃、見張りが西方の海に丸型の商船《コッカ》を見つけたと叫んだ。直ちにガレー船がその船をとりかこみ、提督によって停船が命じられた。武装した一隊をひきつれて乗船した提督は、その船の船長に向って言った。

「私はこの船が、一人の客をのせているのを知っている。その客の名を言え。言わないと船長以下乗組員全員の首をつるす」。この突然の出来事に驚き、怖《おそ》れをなした船長は、すぐに口を割った。リッツォ・デ・マリンがアレクサンドリアから乗船したが、キプロスで降りたこと。この近くの海で四日間待つように、四日目の夕暮時に海岸から合図をするから、その合図を見て迎えの小舟を海岸まで送ってくれと言われてこうして待っていたのだと、そして今日がその四日目にあたることまで白状してしまった。

提督は、船長と他に一人の乗組員だけ残して、このフランス商船の乗組員全員を艦隊の中のガレー船に移し、フランス商船には、部下のヴェネツィア人を乗り込ませた。これを終ってから提督は自分もフランス船に移り、全艦隊には、キプロス島の海岸から船影のみえない海上まで離れて、そこで待機するよう命じた。その日の最後の太陽が、海面を一瞬金色に染めた。その中を艦隊は、櫓《ろ》のいっせいに水を切る音だけを残して離れていった。太陽の落ちた後の海は、赤ブドウ酒色に変っていた。海岸からの合図はまだない。月光が海面を銀色に照らしだした。提督は全船の灯を消させ、キプロスの海岸からは船が月光を背に受けて黒く銀色の海上に浮びでるよう、シリアの方角の海に船を移動させた。海岸にはまだ灯の影さえも見えない。清涼な夜の大気と蒼《あお》い沈黙の中を、時が過ぎていった。

月が中天にかかろうとする頃である。灯が海岸の闇《やみ》の中に点滅するのを、提督以下全員が認めた。船からも直ちに灯の合図が返された。小舟が海面に降ろされる。この船に船長とともに一人だけ残されていた船員が、絶対に一言も話してはならないと命ぜられたうえ、この小舟に移された。櫓の音が聞え、小舟は離れていった。この小舟が帰ってくるまでの時間ほど、誰にとっても長い時間はなかった。ようやく引き返してきた小舟が、フランス船に横付けされた。船から降ろされた縄ばしごを伝って船上に姿を見せたリッツォは、一言もなく迎える船長に向って陽気に言った。「すべてはうまくいった。その上無事に船に帰れたことも神に感謝しなくては」。船長の背後に提督が姿を現わした一瞬、隠れていたヴェネツィア兵たちがいっせいにリッツォにおどりかかった。リッツォに同行していたキプロス人の貴族トリスタン・ジブレも同時に捕えられた。提督の前で、この両人に対して、厳しい拷問《ごうもん》と訊問《じんもん》がくり返された。これにはリッツォもトリスタンも、王妃カテリーナとナポリ王子アルフォンソの結婚を軸とする、この反ヴェネツィアの陰謀の一部始終を告白せざるをえなかった。

すべてを告白させられたリッツォとトリスタンは、ガレー船でヴェネツィアへ連行されることになった。手かせ足かせ付きの船旅である。彼らを乗せた船がコルフ島の近くまできた時、トリスタン・ジブレは、ヴェネツィアで自分たちを待ちうけているむごい運命を思うと、それを受けるに耐えきれなかった。彼は、指輪の中に隠し持っていたダイアモンドの粉末を飲み、数日間のひどい苦痛の後、船中で死んだ。

一四八八年十月十七日、リッツォ一人を護送してきたガレー船はヴェネツィアに着いた。「十人委員会」の中に特別に構成された査問委員会が、彼の調べにあたることになった。再び拷問と訊問のくり返しが始まった。パラッツォ・ドゥカーレ内の十人委員会室《サラ・ディ・コンシーリオ・ディ・ディエチ》で、委員全員が列席する前で、陰謀のすべての告白をあらためてさせられたリッツォは、刑の言いわたしもないまま、同じパラッツォ・ドゥカーレ内の、ダ・バッソと呼ばれる地下牢《ちかろう》の一つに入れられた。地下牢は、高さ二メートル四十五、横二メートル五十五、奥行き五メートル四十八の石造の独房で、ベッドに使う長さ二メートル五、幅七十四センチの木の台が、たった一つの家具である。光は、廊下のあちこちに置かれた灯から、独房の一方の壁に開けられた窓の太い三センチ角の鉄柵《てっさく》を通して入ってくるだけだった。

この陰謀の失敗をまず最初に知ったのは、カイロのスルタンである。リッツォが提督に捕われた後、フランス商船の船員たちはすぐに釈放されたが、この中にリッツォの秘書が一人まじっていたのをヴェネツィア側は知らなかった。釈放後にロードス島に逃げた秘書は、そこからカイロのスルタンにあてて、アラブ語で書いた事の次第を知らせた手紙を送った。これを読んだスルタンは激怒した。彼は、自分から進んで始めたわけでもないこの陰謀の失敗よりも、自分の大使としての資格をもつリッツォに対する、ヴェネツィアの処遇を怒ったのである。スルタンは、この陰謀失敗の端緒となった通報者である、アレクサンドリアのヴェネツィア領事を牢に入れてしまった。

カイロのスルタンがすべてを知った今、ナポリ王がそれを知るのも時間の問題である。しかしヴェネツィア政府は、それまでの数々の陰謀の後のように、ナポリ王にもカイロのスルタンにもロードス島にも、抗議や警告のための使節も書簡も送らなかった。それをやらなかったかわり、リッツォのヴェネツィア到着後五日目の十月二十二日、「十人委員会」は、一年前に元老院で議決ずみのまま極秘事項としてその実施を保留されていた「キプロス併合」案を、いよいよ実行に移すことを決議したのである。出席者十四人全員が、賛成票を投じた。決議の内容は次のようなものであった。「提督プリウリは、少数のガレー船を基地の護《まも》りに残し、後の全艦隊をひきいてキプロスへ急行すること。艦隊が全島警備の配置を終った後、提督は王妃カテリーナと会い、ヴェネツィア共和国の名で、王妃にキプロス王国譲渡と王妃のヴェネツィア帰還を提言する。この二提言を、王妃があくまでも王妃自らの意志で受け入れるよう、十人委員会は、王妃の弟でコルネール家の家長ジョルジョ・コルネールを、キプロスの王妃の許《もと》に、王妃説得のため派遣する。しかし、これらによっても、王妃があくまでも拒否の態度にでるような場合は、提督は、いかなる実力行使をもってしても、このヴェネツィア共和国政府の決議を遂行する全権限をもつものとする」。提督プリウリに対して、以上の指令が発せられてから十六日後、ジョルジョ・コルネールは、キプロスへ向けてヴェネツィアを発っていった。ここに至って、王妃カテリーナ、そしてキプロス王国の運命は決定されたのである。

一方、ヴェネツィアのパラッツォ・ドゥカーレの地下牢に捕われているリッツォは、厳しい警戒と隔離の毎日の中で、キプロスに何が起りつつあるのかを知るよしもなかった。これ以後のリッツォを知るには、ただ年代記作者サヌードの書き残した“*De origine urbis Venetae et Vita omnium Ducum*”この『元首《ドージェ》たちの生涯』という名で知られている史料のみによるしかない。なぜならば、ヴェネツィア政府の最高機密を知る機会をもっていたのは、このサヌード一人だったからである。他の年代記作者たちも、またキプロス人のジョルジョとフロリオのブストロン両人も、リッツォのヴェネツィア送還後の消息を全く知ることができず、だからそれを記すこともできなかった。サヌードがいかに重要機密まで知り、それを記述する自由をもっていたかは、彼の前述の著作や代表作である『日誌《イ・ディアーーリ》』が、十八世紀末のヴェネツィア共和国滅亡の時まで、共和国の機密文書室に収められ、出版の自由もなかったことからでもわかる。今日、ルネサンス期のヴェネツィアをというよりイタリアを学ぶには不可欠といわれているサヌードの記録は、当時も共和国の政治をになうヴェネツィア貴族たちの教科書の役目をしていたのであった。

このサヌードによれば、リッツォは三年間を地下牢の中でおくったことになる。同じヴェネツィアの地に住んでいる、人質としてキプロスから連行されてきていた彼の家族は、リッツォの境遇は知っていても、彼に会うことなどできもしなかったし、彼の生死さえもたしかめることができなかった。自殺などさせないための厳重な警戒の中で、リッツォは王妃カテリーナが、キプロスをヴェネツィアに譲渡するよう追いこまれていることも知らなかった。王妃がそれを承諾し、ヴェネツィアへ発った二ヵ月後の一四八九年五月十三日、ついにリッツォは死刑を宣告された。しかし、死刑はすぐには執行されなかった。彼はその後、さらに二年半の地下牢生活に耐えねばならなかった。他国の家臣の処置は慎重にしなければならない。スルタンの大使としての資格をもつリッツォである。いざという時には、生きていることを示す必要があった。

ようやく一四九一年の冬のある夜――サヌードも日を明記していない――C《コンシーリオ》・D《ディ》・X《ディエチ》の印をつけ、運河に「十人委員会」の指令を直ちに受けられるよう常時待機しているゴンドラが、夜の運河《カナーレ》を静かにすべっていった。ゴンドラの船長が、「十人委員会」の長から呼ばれたのである。船長は、極秘のうちにリッツォを連行してくるよう命じられた。船長は地下牢に降りた。リッツォは裸足《はだし》で、マントで身体《からだ》をつつまれたまま、袋ですっぽり頭からかくされた。船長はその彼を、パラッツォ・ドゥカーレの中の十人委員会の武器室に連れていった。リッツォは以前から、公衆の面前で自分の死刑を執行するよう要求していた。この武器室に連れてこられてからも、再三それを主張するのをやめなかった。しかし、「十人委員会」の委員たちは、無言を続けるだけだった。鈍い武器の光の列の中に、箱が置かれた。リッツォが両手をしばられ、箱の上に立たされた。梁《はり》からつるされた綱のはしが、彼の首のまわりにまわされた。箱が倒された。死体は袋の中に入れられ、ムラノの島まで運ばれた。その島のサン・クリストフォロ寺院の裏庭に穴がほられ、その中に死体は袋ごと投げこまれた。

リッツォが牢の中で病死したというヴェネツィアの公式発表に、強硬な抗議をたたきつけたカイロのスルタンも、これによるヴェネツィアとの国交断絶を、そう長くは続けてはいられなかった。対トルコの脅威の前には、ヴェネツィアを敵にまわすことによる不利は、エジプトにとって大きかった。ヴェネツィアは、ここまで計算していたのである。しかし何よりも、事は済んでしまった。巧妙に情勢を読み、先手を打ったヴェネツィアの政治によって。

「キプロス併合」

キプロスでは、冬は内陸からやってくる。首都ニコシアにある王宮も、だから秋の終りにはもう海岸寄りのファマゴスタに移らねばならない。もちろん地中海の中の島のことだから、ヴェネツィアの冬のように厳しくはなかったが、それでも慣習というものだろう、宮廷は、春の始め頃までファマゴスタにあるのが普通だった。

その年、一四八九年、カテリーナのささやかな宮廷も、例年のようにファマゴスタにきていた。しかしこの年のカテリーナは、いつもとはちがった。いままでは、王宮の窓から見える港を埋めているヴェネツィアのガレー船を、王妃の自分を護《まも》ってくれる味方と、何か気丈夫になる思いで眺めたものであったが、今はそれが、自分の周囲からしめつけてくる大きな無気味な存在に思えるのだった。不安だった。

この不安は、前年の夏の終り頃から始まったのだと、彼女は思った。あの日、トリスタンの妹で自分の女官だったエレナが、リッツォを連れてきた時からなのだと。あの時、眼を輝かせ、低いしかし激しい声で、自分につめ寄るように説得をやめなかったリッツォの姿が思い出された。そのリッツォの髪には、すでにところどころに白いものが見えていた。彼を見、彼の言葉を聞きながら、自分がはじめてキプロスに着いた時、船まで迎えにきた亡《な》くなった夫のそばに従っていた、夫に劣らないほど美しく若々しかった青年のリッツォを知っている、そんなことを考えていたものである。三度目に来た彼に説得されながら、あの時も不安だった。しかしあの時の不安は、自分が自分自身の人生を選ぶ時に感じる何か気を昂揚《こうよう》させるような不安だった。

それを今の怖《おそ》れにも似たものに変えたのは、エレナのもってきた、リッツォがつかまったという報《しら》せだった。ヴェネツィアが、すべてを知ってしまったのである。兄のトリスタンも捕われたエレナは、恐怖に身をふるわせ、「自分の身の安全も先が見えている、王妃様も私と一緒に御逃げなさいますよう。彼らは、王妃様が結婚を承諾なさったことを知ったのです」とカテリーナにとりすがった。しかし、あの時はまだ、ロードス島に逃げるというエレナに、彼女はついていく気にはなれなかった。祖国のヴェネツィアが、養女でもある自分に悪いことなどするはずがないと、簡単に考えていたのである。キプロスにいるヴェネツィア行政官たちの態度も、以前と同じく、彼女に対していんぎんだった。彼らの顔からは何も読みとることはできなかった。ただ、知っていて一言も言わない冷たさを、彼女は彼らから感じた。宮廷の女官たちが、彼女の知らないうちに少しずつ、その大部分が新しい顔になっているのを、この頃になってカテリーナは気づいた。それでもヴェネツィアから嫁ぐ時、彼女についてきた女官が、まだ何人かは残っていたが。親身につくしてくれていた若いエレナが、ロードス島に去ってしまったからか、彼女はこの冬を、ひどく淋《さび》しく感じた。

カテリーナは、はじめて、エレナのいるロードス島に行ってみてもよいという気になっていた。しかし、まだ迷いはあった。

一月二十四日の早朝のことである。ファマゴスタの港に出た人々は、朝もやの中をこちらに向ってくる船の大群に驚かされた。もやの晴れた後に見ると、それは港の中も外もいっぱいにした大艦隊だった。緋色《ひいろ》の地に金糸でししゅうされたサン・マルコの獅子《しし》の旗が、ひとつひとつのガレー船のマストにひるがえり、それは、冬の地中海特有の深い蒼《あお》い空の中に、くっきりとはなやかにきざまれていた。

その頃、王宮のカテリーナには、提督プリウリの訪問が告げられていた。身仕度をして会見の間に入っていったカテリーナは、そこに見慣れた提督のそばに坐《すわ》っている、弟のジョルジョを見出《みいだ》して驚いた。すでに十七年間というもの彼に会っていなかったが、カテリーナは、自分たち女ばかりの姉妹の中のただ一人の弟、ジョルジョの顔を見忘れてはいなかった。不意をつかれて言葉もない彼女に向って、提督は、ていねいに型通りの挨拶《あいさつ》をし、そのまま引き下っていった。後には姉と弟だけが残された。

弟は、すぐに話をきり出した。ヴェネツィア共和国政府が、このキプロス王国併合を決めたこと。併合以外に、あらゆる外敵からキプロスを護ることが不可能になったからであること。王妃はヴェネツィアに帰った後も、レジーナ（女王）としての待遇を受け、年金八千ドゥカートを保証されること。弟はここで、急に声を低めた。「十人委員会はすべてを知っています。姉上が敵国の王子との結婚を承諾されたことも、そして今、ロードス島に逃げられようとしていることも」。そしてさらに続けて、ヴェネツィア共和国は、今度の王妃の行為を、共和国に対する裏切りと見なすこともできる、しかしそれを決めるかどうかは、王妃自身の今後の行動いかんにかかってもいるのだと言った。

カテリーナは、動揺を隠しきれなかった。「この美しい王国に女王として生きるのに慣れた私に、はじめ王冠を与えておいて、今になってそれを返せといわれる。ヴェネツィアの方々は、私の死んだ後にキプロスを手に入れるのに満足なされないのでしょうか。王位は亡くなった夫の残してくれたもの、それを捨てる気に私はなれません。せめて私の死んだ後のことなら……それに島民はどう思うかも考えると……」

カテリーナは泣いていた。少しの間、部屋の中を沈黙が流れた。高台にあるこの王宮までは、眼下の港の喧騒《けんそう》はとどかなかったが、港を埋めるサン・マルコの獅子の旗はよく見えた。

しかし、弟は話をやめるわけにはいかなかった。彼は続けた。「姉上、キプロスのことを考えるより、あなたの祖国ヴェネツィアを考えるべきです。なぜならば、すべてのことは不確かなもの、この政治情勢のむずかしい時に、いつキプロスを追い出されないとは、誰も保証できないのです。キプロス人もこの長い年月、女に統治されてきたことに恥ずかしい思いをしていないともいえません。このいつか姉上にふりかかる危険を除くには、一つの決定と一つの方法しかないのです。息子を持たれない御身、王国を共和国に譲渡しヴェネツィアへ帰られること、それだけなのです。姉上が王位を継がれた始めの時期、情勢が今ほどはむずかしくなかった時期は、共和国は姉上を助け、国を統治していく姉上に満足していました。しかし、今やキプロスの周辺には、どこといって安全な場所はなく、あらゆる征服欲がこの国を狙《ねら》っているという時、元老院はこの決議をしたのです。あなたが危険を感じないといわれても、昨夏、もし共和国の軍隊が助けにこなかったら、キプロスはトルコの手に落ちていたでしょう。姉上もまた、逃げるか、または捕われて、奴隷《どれい》としてコンスタンティノープルに連れ去られていたかもしれません。今という時期は、小さな間違いも大きな結果をもたらす時、起らない前に準備しておくのは無駄にはなりません。運というものは、あらゆる方向から来、あらゆる形をとるものです。友人といえども、始終、好機に助けにくる準備ができているとはかぎりません。ヴェネツィアとキプロスの間は遠いが、海はより大きいのです。このことは、よくお考えなさるべきことです。

王国を共和国に贈ることは、共和国の歴史に姉上の名を残すことになりましょう。年代記や記録の作者たちも、一市民の女によってなされた偉大な決心を、共和国が得たもののうちでも最も美しいものと書き残すことでしょう。このキプロスに長く住んでこられたにしても、あなたはあなたの生まれた国であるあの都市の一員であり、家族の一員であることを示されるべきです。いかなる女、いかなる男といえども、今まで、その到着をこれほど待たれた人はいません。もしヴェネツィアが、小さな辺境の町であったとしても、生を受けた町に対して、できることはしなければならないと思います。それどころかあの都市は、イタリア中でいや世界中で、最も美しいとされているヴェネツィアなのです。あなたの大切なものを贈られるにふさわしい都なのです。

今まで姉上が女王として、幸運にも良い統治を続けてこられたのは、共和国のおかげだったと思わねばなりません。その共和国の申し入れを拒否でもすれば、それは恩を仇《あだ》で返すことになります。その時共和国は、あなたの拒絶はあなた御自身の意志から出たのではなく、この私の考えによるものと思うかもしれません。もしそうなったら、ヴェネツィアの街全体が私を憎むであろうし、コルネール家もこの報復をのがれられないことになるでしょう。しかしもし姉上がこの共和国の申し入れを受けられるとすると、あなた御自身にとってだけでなく、コルネール家全体にとっても良い結果を生むのです。

いかなることも、それをいつ、どのように使うかによって、その価値が決まるものです。最後に勝つ、それこそ重要なことです。神は、良きしもべであることを試すために、試練を与えなさる。この試練の前には、いかなる祈りも犠牲も役には立ちません。ただ神が望まれることを実行すること、それしかないのです。私たちヴェネツィア人にとって、ヴェネツィアという最も偉大な美しい都市の望むこと、それこそ、神の望むことと同じと考えるべきではないでしょうか」。ジョルジョはいっきに、こう話し終った。

カテリーナは涙を流しながらそれを聞いていたが、ようやく次の言葉だけが彼女の口からもれた。「あなたがそう思うなら、私もあなたと同じように思えるよう努めましょう。でもヴェネツィア共和国がこの王国を受けるのは、私の意志から出たことではなく、あなたの力によったということになりましょう」

これだけ言ったカテリーナは、いろいろと仕度をしなければならないと席を立った。ひどく疲れていた。久しぶりに弟と会ったという感じは、彼女にはなかった。

それからの一ヵ月は、カテリーナにとってひどくせわしく過ぎていった。彼女は、キプロス全島の主要な町を、ひとつひとつまわらねばならなかった。キプロスが王妃カテリーナの自由な意志によって、共和国に譲渡されるということを、島民に示すためである。彼女は、かつてエジプトのスルタンから贈られた、エルメリーノの毛皮をつけた女王のガウンを着け、提督プリウウリとともに、この彼女に課された最後の王妃の儀式を続けていった。ニコシア、セリナス、リマソルと。彼女はこれらの町に王冠を着けて入城し、広場で行われる、キプロス王家ルジニャーノ家の旗を降ろし代わりにヴェネツィア共和国の旗をあげる儀式に、提督と並んで列席しなければならなかったのである。その後、町から出ていくカテリーナの頭上からは、もう王冠ははずされていた。

二月二十六日、最後の儀式が、ファマゴスタで行われた。カテリーナはこの日、喪服を思わせる黒いしゅすの衣装をつけていた。彼女の座の前で、水色の地に銀色の線と獅子のルジニャーノ王家の旗が降ろされた。そして代わって、緋色の地に金のサン・マルコの獅子の旗が、港を見降ろす空に高々とかかげられた。その時、港に停泊している船から、次々と礼砲が発射された。式は、これですべて終った。キプロス島は、この時から、ヴェネツィア共和国の一地方区となったのである。

それから二週間後、カテリーナはキプロスを永久に去って行った。十八歳の時王妃としてこの島に来て以来、すでに十七年が過ぎていた。

帰郷

六月ともなると、アドリア海は、ダルマツィアの山々からの風に満たされる。だからアドリア海を通ってヴェネツィアに来る船は、秋の頃よりも自然と船足が遅くなるのが普通だ。カテリーナを乗せた船が、ゆっくりした長い船旅の後、ヴェネツィアの港には、キプロスを発《た》ってから三ヵ月が過ぎた六月六日であった。リドのリドに着いたのは、元首補佐が出迎えていた。そして、今夜一晩をここのサン・ニコロ尼僧院《にそういん》で休養されるよう、明朝、元首以下政府高官が出迎えに来て、ヴェネツィアまで同道することになっていると伝えた。元首がリドまで迎えにくるのは、国賓待遇である。カテリーナは、このサン・ニコロ尼僧院、かつてキプロスへ行く前の四年間を過したこの尼僧院で、十七年ぶりのヴェネツィアでの第一夜を迎えた。

翌日、海は少し荒れ気味だった。しかし、初夏のヴェネツィアの空はあくまでも蒼《あお》く、サン・マルコ寺院の前の旗ざおの上の緋《ひ》と金色のヴェネツィア共和国国旗が、海からの風に、大きく高くひるがえっていた。さしも広大なサン・マルコの広場も、船着場に近い小広場もいっぱいの人だった。周囲の建物の柱廊も、広場からあふれ出し

ヴェネツィア共和国国旗

た群衆で、身動きもままにならない状態だった。彼らは、キプロス女王カテリーナの到着を見ようと集まっていたのである。

　鐘が鳴り始めた。鐘楼の上から、時計塔の上から、初夏のヴェネツィアの空いっぱいに、その澄んだ音をひびかせ始めた。その時港の左手に並ぶ軍船から、礼砲がとどろきわたった。女王の到着である。

　金と緋色で飾られた元首の儀式用の船、ブチントーロが、まっすぐにサン・マルコの船着場に近づいていた。長さ三十四メートル、幅七メートル、高さ八メートルというこのガレー船は、船全体が金色に塗られ、緋色のビロードの天幕がはられている。船首には、サン・マルコの獅子《しし》のヴェネツィア国旗がひるがえり、船腹からは、左右二十一本ずつの金塗りの櫓《ろ》が、一本に四人ずつのこぎ手によって、リズミカルに水を切る。このブチントーロの天幕の中には、カテリーナが、元首アゴスティーノ・バルバリーゴと並んで坐《すわ》っていた。その周囲には、元首夫人をはじめとして、ヴェネツィア貴族の名家の夫人たちが、それぞれ豪華を競った衣装で居並ぶ。その外側は、共和国政府の高官たちである。この豪華な船の周囲には、これもまたはなやかに装《よそお》いをこらしたゴンドラが、ブチントーロをとりまくように、扇形になって船着場に向っていた。貴族の夫人たち百人、政府の高官並びに大貴族が百人と、この日リドからカテリーナをヴェネツィアまで同行した一行について、当時の記録は伝えている。

サン・マルコの船着場に着いたブチントーロから降り立ったカテリーナは、そこでも集まったヴェネツィア中の貴族に迎えられた。彼女は、黒いビロードの胸元を大きくあけた服を着け、キプロスの習慣に従って、白いヴェールを頭からかぶっていた。頭上のキプロスの王冠が、吹きつける海の風から、彼女の顔をかくしているヴェールをかろうじて押えていた。

行列は、カテリーナと元首を先頭に、パラッツォ・ドゥカーレを右に見ながら小広場《ピアツェッタ》を通りすぎ、サン・マルコ広場《ピアッツァ》に入った。一行はここで止った。サン・マルコ寺院の正面での儀式を行うためである。カテリーナと並んで立った元首によって、カテリーナの弟ジョルジョ・コルネールは、種々の共和国に対する功績によってということで、「サン・マルコの騎士《カヴアリエレ・デイ・サン・マルコ》」に叙せられた。
これを終って、一行はサン・マルコ寺院の中に入っていった。そして、譲渡の式が始まった。カテリーナが、大きな喜びとともにキプロス王国をヴェネツィア共和国に贈るという、あらかじめ作成されてあった証書を読みあげた。次いで元首が立ち、女王カテリーナの思慮深い決定と、彼女のヴェネツィアに対する愛情の美しさを讃《たた》え、最後に、キプロス王国を贈られたことに対する礼を言って終った。次にカテリーナと元首は、そのキプロス譲渡の証書にお互いに署名した。これを終ったカテリーナは、祭壇の前に歩み出た。元首も、それに続いた。カテリーナの両手がのび、彼女の頭上から王冠がはずされた。そのまま王冠をもった両手を、彼女は元首に向ってさし出した。その時カテリーナのそでからこぼれた白いレースの波が、にぶい金色に輝くうす暗い寺院の中でほのかに光ったのを、列席の人々は見た。元首が王冠を受けとり、式は終った。

この後の三日間、彼女は共和国の国賓として、当時共和国を訪れる賓客用の宿舎とされていた、フェラーラ公爵《こうしやく》邸に滞在することになった。この宮殿は一六二一年以後はトルコ商館《フォンダコ・デイ・トウルキ》となり、今日もそう呼ばれている。その三日間、連日連夜の正餐《せいさん》、舞踏会が、彼女を休ませようとしなかった。カテリーナはこの中で、少しずつキプロスを忘れて行く自分をまだ気づかなかった。ただこのヴェネツィアの華やかさを、彼女は心地よいと思った。「女王様《レジーナ》」と人々から呼ばれ、その中心に自分がいることもあった。爵号を持たないヴェネツィアの貴族の女の中で、彼女だけはどんな形にせよ女王《レジーナ》であったのだから。

フェラーラ公爵邸での三日間の国賓としての生活を終って、カテリーナは、弟ジョルジョの屋敷に移ることになった。ジョルジョは父の死後、サン・ポロの屋敷を出て、この大運河《カナル・グランデ》ぞいのサン・カシアーノ区に豪華な邸宅を持ったのである。この家は以後、今日に至るまでコルネール女王の邸宅と呼ばれるようになる。フェラーラ公爵邸からは、リアルト橋に向って、同じ岸の少し下流にあたった。大運河をはさんで、対岸にはカ・ドーロ（黄金の屋敷）の美しいたたずまいが見られた。

ヴェネツィアに来て二週間目の六月二十日、カテリーナは、元首バルバリーゴからの使節を迎えた。使節の持参したのは一枚の証書で、そこには彼女の今後のことについて、共和国政府が決め、元首も承認を与えた事項が書かれていた。即《すなわ》ち、彼女は一生の間、アーゾロの地の領主としての地位を持つことができ、かつその地からあがる収益の中から、毎年八千ドゥカートの年金を保証されること。さらに、代々のルジニ

ジェンティーレ・ベッリーニ画「サン・マルコ広場を通過する大行列」

ャーノ王家が称してきた王号を以前のように用いてもよいこと。したがって今後もキプロス、アルメニア、イェルサレムの女王と称してさしつかえなく、さらにアーゾロのシニョーラ（夫人）という称号も加わることになるであろうとして終っている。こうして、カテリーナの第二の人生は決められたのである。

しかし、この証書に決められたことには裏があった。まず、アーゾロの領主は、彼女一代限りであることは別としても、領主というのは名ばかりであること。ヴェネツィアの行政官は以前の通りすえ置かれ、守備兵もヴェネツィアの下にある。それどころか、彼らには新しい任務が加えられた。カテリーナの身辺を常に監視することである。ヴェネツィアに併合されたキプロスの島民が、その独立をとり返すために、反ヴェネツィアの陰謀を起す、その名分を与えないためであった。彼らが、彼らのいう「軟禁されているキプロス女王」との連絡を断ち切ること、これがヴェネツィア側の狙《ねら》いであったのだ。

さらに、年金を八千ドゥカートと決めたことである。証書には、アーゾロの収益が少ない場合にもこの額を保証するためとある。しかし、収益は以前からこれより少なかったことはなかった。真意は、カテリーナが財政的に豊かになりすぎるのに、ブレーキをかけることにあったのだ。これ以後も、年金はその年のうちに費消されるよう、ヴェネツィアがとりはからっていたという実証もある。

表面的には、共和国は彼女に対して、最高の礼をつくしたかのようにみえる。しかしカテリーナの真実の境遇は、美しい高地といってもヴェネツィアから五十キロ離れた十分に監視のとどくアーゾロに軟禁された、華やかな捕囚の生活であった。それでもカテリーナ自身は、この裏面に気づきもしなかったし、気づいたところでそのようなことに関心をもつ女でもなかった。彼女は嬉々《きき》として、「カテリーナ、キプロス、イェルサレム、アルメニアの女王、アーゾロの夫人」と署名した。

ここでカテリーナの去った後のキプロスについて、少々記しておきたいと思う。後世の歴史家は、この時期をキプロスに対するヴェネツィア統治の第二期としている。

ヴェネツィアは、第一代の総督《ゴヴェルナトーレ》として、パルダッサーレ・トレヴィザンを送った。その下に七人の行政官を置いた。このヴェネツィア統治下で、キプロスの経済状態は相当に改善されたようである。それによって民心も落ちついたのか、陰謀や反乱も起らなかった。

ヴェネツィアはこうして、キプロスの内政には成功したが、島の外レヴァンテの海でトルコの勢力が増大するのには、それをきりぬける道をもたなかった。カテリーナがキプロスを譲渡してから約百年後、トルコはいよいよキプロスへの野心を露《あら》わにしてきた。一五七〇年七月二十四日から翌年の八月十六日にかけて行われた、史上ファマゴスタ攻防戦として知られている戦いは悲惨である。防衛する四千のキプロス・ヴェネツィア両軍に対し、攻撃のトルコの軍勢は、実に七万五千。敗れた防御軍は女も子供も皆殺しにされ、隊長のマーカントニオ・ブラガディンは、降伏を拒否し続けたため、生きながら生皮をはがれ、その皮はトルコのスルタンに戦利品として献上された。ここにキリスト教国として長い歴史をもったキプロスは、完全にトルコ帝国の下に屈したのである。

シェークスピアの『オセロ』は、この時期、ヴェネツィア統治の第二期のキプロスを舞台にしている。一五〇八年、クレタ島総督のクリストフォロ・モーロが、キプロスからの帰途の船上で、妻を死なせたという記録が、サヌードの『日誌』にある。オセロは黒人だったが、モーロという名は、黒人とか色の黒い人とかという意味もあるのだ。海に生きるヴェネツィアは、海軍だけは自国の貴族でかためていた。提督《カピターノ・ジェネラーレ》の職務は、非常な権限とともに名誉のあるもので、彼らは退官後に共和国の元首になった例が多い。これは植民地の総督も同じことである。他国人やまして黒人がなれるはずはないのだ。シェークスピアが、モーロという言葉を黒人と思いこんだのか、それとも知っていてわざと、ヴェネツィアという異国趣味をより強くするために黒人にしたのか、それはしらない。

　いずれにしてもヴェネツィアにとって、キプロスをトルコに取られたことは痛手だった。五世紀以上もの間レヴァンテの海だけでなく、地中海の制海権をにぎっていたヴェネツィア共和国の勢力は、これ以後、音をたてて崩れていく。そして一六四五年から一六六九年にかけて、二十四年間の歳月、一億二千六百万ドゥカートの費用を使い、十万人の死者を出してまで護《まも》ろうとしたクレタ島攻防戦の敗北によって、ヴェネツィアは、地中海での主権を、トルコに譲ったのであった。新航路を発見したスペイン、ポルトガルの進出も、このヴェネツィアの衰退に少しは影響を与えたにしても、ヴェネツィア衰退の真の原因とその敵は、トルコ帝国であったといえよう。だから、トルコの脅威をしりぞけるのにその全力を投入していたヴェネツィア共和国は、海に関しては世界第一の先進国でありながら、当時の新世界進出の栄誉を、後進国というよりは新興国のスペイン、ポルトガルが得るのを許してしまったのである。

詩人バイロンは後に、このクレタ島攻防戦を、ヴェネツィアの「イーリアス」だとうたった。ファマゴスタ攻防戦も同じく、悲愴《ひそう》な最後が詩人の美しい題材になるようでは、その力も終りである。他国の詩人が詩にするのはいざしらず、この二大攻防戦は、ヴェネツィア人もその美しい最後に涙した。キプロスを巧妙な策略でものにした、あのヴェネツィアの冷徹な合理精神はどこにいったのであろう。

同じ頃、ヴェネツィアに滞在していたフランス人ジョンマン・デュ・ベレは、盛大なヴェネツィア第一の祭のシェンサ、元首と海の女神の結婚式、このヴェネツィアの海での勢力を示す祭を見物しながら、皮肉にこんなことを書き残した。"Ces vieux cocus vont épouser la mer. Dont ils sont les maris, et les Turcs les adultères"（このじじいのコキュどもは海と結婚しようとする。いやまったく、彼らは夫なのだが、トルコ人たちが情人なのさ）

終焉《しゅうえん》

女の中には、その受けた苦悩や悲哀が、少しも影を落していない者がいる。努めてそれらを克服して、表に見せまいとしているのではない。かといって、それらをじっと胸の内につかんで、自己の飛躍の踏台にしようとするのでもない。自然に、ごく自然のうちに、苦しみや悲しみは、彼女たちから去っていく。まるで運命の女神が、彼女たちにはいつもの戦闘意欲を失ってしまうかのように。こういう女は、最も幸福な女である。そして男たちにとっては、最も理想的な女でもある。

アーゾロでのカテリーナだけを知っている人は、この優雅で快活な婦人が、キプロスの女王としての十五年以上を、陰謀や反乱の恐怖の中に生きてきた同じ人とは、とても信じられなかった。十二人の女官、八十人の貴族にかこまれたカテリーナは、その小さな宮廷の中心で、華やかな毎日を楽しんでいた。アーゾロは、あらゆる意味でキプロスとは違っていた。乾燥した大気と刺すような太陽、まろやかな地中海の風が吹く光と影のはっきりしたキプロスに比べて、北イタリアの高地にあるアーゾロは、ブレンタとピアーヴェの清流にはさまれ、澄みきった大気と木々の緑が眼にやさしい。

キプロスは、ヨーロッパにおいて十七世紀まで、今日のシャンパンの地位をもってい た、あの芳醇《ほうじゅん》なブドウ酒を産したが、このアーゾロの近くは、強く香りのない酒グラッパの産地として有名である。

カテリーナは、このアーゾロで、その後の彼女の生涯の二十一年間を過す。彼女は、自分のこの小さな宮廷《コルテ》が、楽しく華やかなものであれば十分であった。イザベッラ・デステのように、芸術的雰囲気を欲しいという野心もなかったからである。だから客人は誰でも歓迎されたが、選択はされなかった。彼女自身、客人がとだえると、自分でヴェネツィアまで探しに行ったりしている。ヴェネツィア共和国も、何か大きな饗《きょう》宴《えん》を催す時は、必ず彼女を招待した。カテリーナ・スフォルツァが、夫のジローラモ・リアーリオとヴェネツィアを訪問したのは、一四八一年だったから、その時は彼女はまだキプロスにいたわけだが、一四九三年のミラノ公夫人ベアトリーチェ・デステ、一五〇二年のイザベッラ・デステの訪問の時の招宴には、カテリーナは出席している。ヴェネツィアで行われた宗教行事にさえ顔を出しているのは、現在はヴェネツィアのアカデミアに飾られている、一五〇〇年作のジェンティーレ・ベッリーニ描く『十字架の奇跡《ミラコロ・デッラ・クローチェ》』に当時四十六歳の肥《ふと》った姿をさらしていることからも実証できる。

要するに、どこにでも顔を出していたわけだ。

彼女は、自分がキプロスからヴェネツィアに到着した時の国賓級の歓迎、アーゾロの贈与、その後のヴェネツィアでの宴《うたげ》の第一の席、これらをすべてヴェネツィア共和国の自分に対する敬意のあらわれと思いこんでいた。キプロス併合が、あくまでもその執政に疲れた女王カテリーナの、自発的な譲渡であることを世間に示すため、そして併合後のキプロスの統治を円滑に運ぶため、カテリーナの境遇をこのように華やかにしておいた方が有利と判断したヴェネツィアの真意を、彼女は知らなかった。

アーゾロのカテリーナの宮廷が、その後の歴史の中に少しでも残っているのは、詩人ピエトロ・ベンボのおかげである。カテリーナの親族でもあったベンボは、彼の恋愛論ともいうべき『リ・アゾラーニ』（アーゾロの人々）を、このカテリーナの宮廷で書いた。

この作品の内容は、ある女官の結婚のためにアーゾロで催された宴の中で、三人の貴族と三人の女官が、愛について語り合うという形式をとっている。女王も列席しているとあるが、彼女は発言していない。この社交的会話は三部に分れている。㈠いかなる愛が正しく、いかなる愛が間違っているか。㈡女と破滅、愛と苦しみ。㈢官能の愛と精神の愛について。そして良き正しき愛は、美へのあくなき渇望《かつぼう》であり、それは神の前にあって神聖であり、かつ不滅であるとして、精神的な愛こそ至高なのだと結論している。

しかし、当時の最高の美女や教養の高い上流夫人たちすべての友人であり、またあの悪名高いルクレツィア・ボルジアの愛人になるほどの勇気をもち、のちに三人の子まで成しながら持前の社交の才能だけで枢機卿《すうきけい》にまでのし上った、この美男の詩人の実の生涯はなかなかに興味深いが、その彼の実際と全く反したことを書いている彼の著作、とくにこの『リ・アゾラーニ』は、陳腐としかいいようがない、女の社交界の産物である。ただ、カテリーナの周囲の有様を知る資料にはなるが。このベンボの作品は、カテリーナにではなく、かつての彼の恋人ルクレツィア・ボルジアに捧《ささ》げられた。

一五一〇年七月十日、パラッツォ・ドゥカーレでは閣議《ピエン・コレッジオ》が開かれていた。元首はリューマチのため欠席である。そこへ、サン・マルコ寺院の行政長官《プロクラトーレ》の騎士《カヴァリエレ》ジョルジョ・コルネールの代理人としてバッティスタ・モロシーニと、ルイジ・マリピエロ、検事総長《アヴォガドール》ニコロ・ドルフィンの三人が、全員黒いマントをつけて出席し、閣議での発言を求めた。発言を許された彼らは、今朝の四時に、ジョルジョ殿の姉上でもあるキプロス女王カテリーナが、三日の胃病の後、五十六歳で亡《な》くなられたと告げた。その通達のため、彼らは閣議に来たのである。元首が欠席なので評議員《コンシリエレ》ルイジ・プリウリが、閣議全体を代表して、女王の死への哀悼の言葉をのべた。さらに、閣議は、亡くなった女王のために、サン・マルコ寺院の鐘を十二回鳴らすことを決議した。

同じ日の午後、元老院《セナート》にも、カテリーナの死は報ぜられた。そして二日後の十二日に、ジョルジョ・コルネールが喪主となって行う葬式に、閣議、元老院議員の全員に、ヴェネツィア大司教《パトリアルカ》以下他の司教たち、その他なるべく多くの貴族も列席する旨《むね》決議した。

その夜、といっても翌日の朝方になるが、「雨と風に、大きな大きな卵のような雹《ひょう》が空中に火を放つほど怖《おそ》ろしくもすさまじい嵐《あらし》になった」（サヌード）。その嵐の中を、フランチェスコ宗派の尼僧《にそう》衣をまとったカテリーナの遺体を収めた棺《ひつぎ》が、通夜のため、サン・カシアーノ教会に向っていた。棺のそばには二人の僧と、十字架と燭台《しょくだい》をもった二人の少年が従っているだけだった。親族の誰一人、そこにはいなかった。弟ジョルジョの屋敷からこの教会までは、裏道で五十メートルもない。その、人一人が手を広げた幅しかない細い道を、小さな行列は、大急ぎで進んだ。雨と風のために、ろうそくは屋敷を出てすぐ消されてしまった。せわしない僧の祈禱《きとう》の声と、まがり角で棺をぶっつける音だけが、嵐の中できこえた。サン・カシアーノ教会に着くと、濡《ぬ》れねずみのようになった僧も少年もそして棺を運んできた二人の人夫も、棺をそこに置いたまま姿を消してしまった。教会側の人々は、親族も政府関係者も一人も同行していないのをみて、出迎えただけで、これもいなくなってしまった。広い教会の暗闇《くらやみ》の中、彼女の棺だけがそこに放り出されていた。

翌朝、カテリーナの棺は、一夜を過したサン・カシアーノ教会から、葬式の行われるサンティ・アポストリ教会に向った。葬列の先頭には、大十字架とともにヴェネツィア大司教、スパラートの大司教、フェルトレの司教、モチェニーゴ僧院長らヴェネツィア宗教界の高位聖職者たちが、それぞれ金銀もまばゆい聖職衣で進み、その後にヴェネツィア共和国政府高官たちが、これもそれぞれの官職を示す第一礼装で従っていた。そしてその後には、讃美歌《さんびか》をうたいながら聖歌隊が続く。うやうやしく何人もの従者によってかつがれた棺の後には、喪主であるジョルジョ・コルネールと並んで元首代理が、そして最後に、コルネール家の全員とその親族、その他のヴェネツィア貴族たちの列が、延々と続いて果てしがなかった。棺は、金のふち飾りのついた黒いビロードでおおわれ、その上には、二十年前、カテリーナがキプロスを譲渡した時以来、サン・マルコ寺院に宝物として収められていたキプロスの王冠が、今日だけはそこから出されて置かれていた。

この華やかで厳粛な葬列を、肉市場（今日では魚市場）の岸から、大運河の対岸のサンタ・ソフィア区に渡すため、その日だけ大運河には、小舟をならべてその上に厚い板をわたした橋が作られた。葬列は、その上をゆっくりと渡っていった。ここからは葬列に、ヴェネツィア中の各宗派の僧や尼僧たちが加わり、彼らのもつ数えきれないほど多くの燭台とたいまつの火が、朝の運河の水に、気まぐれな光を映していた。

葬式の行われるサンティ・アポストリ教会の中には、特別に祭壇が作られており、棺はその上に安置された。葬列に従ってここまできた人々全員が席に着いた。葬式は、ヴェネツィア大司教によって行われ、『ヴェネツィア史』の著者であるアンドレア・ナヴァジェロが、弔辞を述べた。それで式は終り、参列者は去っていった。

見事な偽善である。しかも徹底した偽善である。カテリーナ・コルネールの一生は、このヴェネツィアの偽善によって動かされ、そして彩《いろど》られた。偽善は、それをしていることを自覚しない人間がやると、何の役にも立たないどころか、鼻もちならないその臭気が、人々を毒する。しかし、それをしていることを十分に承知している人間の行う偽善は、有効であるとともに、芸術的と言ってよいほどに美しい。ルネサンス期のヴェネツィア人のこの逞《たくま》しい精神は、五百年が過ぎた今では、地中海の空にひびく哄笑《こうしょう》としてしか残っていない。自由な精神と、鋭い感覚をもった人間だけが聞くことのできる、高らかな哄笑としてしか。

終りに

一九六六年十一月のことである。アルノ河の氾濫《はんらん》で、フィレンツェ市は大洪水に見舞われた。長雨で増水していた山からの水流と、満潮時の海からの逆流が、ちょうどポンテ・ヴェッキオのところでぶつかり、溢《あふ》れた河水は濁流となって、市街を襲ったのである。

この三日後、私はローマを発《た》ち、フィレンツェに着いた。水はすでに引いていたが、水と一緒に流れ出した重油が、壁面五メートルほどの高さのところにくっきりと黒い跡を残し、洪水のものすごさをはっきりと示していた。臭気がひどく、街中でのあたたかい食物は、コーヒーだけ。その中を多くの学生たちが、ある者は美術品の避難に、またある者は泥に埋った古文書の救出にという風に、いそがしく立ち働いていた。

私は、プレヴィターリ教授指揮下の、国立古文書館を担当する班に入った。女子学生が多くいる班で、その大部分はアメリカ人であったように思い出す。彼女たちは、泥に埋まった多量の古文書を掘り出し、それを手稿と印刷書に分け、一頁《ページ》一頁をていねいに洗い、その間に吸取紙をはさむという作業をすることになった。

作業は毎日続けられた。それをしている間である。一ヵ月前、粕谷氏から与えられたテーマ「ルネサンスの女たち」を書くための勉強を、どんな風に始めるべきかがわかってきたのは。現代に書かれた歴史書だけを読むのはやさしい。しかしそれならば、英語、独語、仏語で書かれたイタリア・ルネサンスの歴史書を読むのとたいした違いはない。いかにして、後世の人のフィルターを通さずに、あの時代に生まれた人々に肉薄できるか。それには、なるべく多くの原史料に眼を通すことしかないと。


あの時からすでに、二年半の歳月が過ぎようとしている。その間絶えず、あたたかいはげましと助言を与え続けて下さった、中央公論編集長の粕谷一希氏と、編集部の塙嘉彦氏に、心からの感謝の念を捧《ささ》げたい。

また、たびたび会って下さり、そのたびに貴重な忠告をして下さった林達夫先生。藤沢の先生のお宅を辞して帰る道、私は自分自身の非力を悟りながらも、身がふるえるような戦慄《せんりつ》をおぼえたものである。

萩原延寿氏への感謝も忘れるわけにはいかない。御自身の著作経験から助言を与えて下さった氏は、「歴史家にも許された想像がある」と云《い》われた。この氏の言葉は、私が書き続けている間中、遠雷のように私の頭の中で鳴りひびいていた。

イタリアでの私の勉学も、多くの人々に助けていただいた。モンレアーレの枢機卿《すうきけい》、ベロンチ女史など、イタリアの友人たちの名をあげていくのは限りがない。だから、ただ一人の名を記すにとどめる。ささやかな感謝の気持ちを、ジュセッペ・シモーネに。

一九六九年三月一日　東京にて

塩野七生

参考文献

〔略号〕

A.S.I.= Archivio Storico Italiano

A.S.L.= Archivio Storico Lombardo

N.A.= Nuova Antologia

S. P. R. = Atti e memorie della Reale deputazione di Storia Patria per le provincie di Romagna

全資料の発行年はできるだけ新しいものを取った。

ルネサンス期全般について

■当時の記録・年代記

ALBERI, E., *Le relazioni degli ambasciatori veneti al Senato durante il secolo XVI*, Firenze, 1839-63.

ARCHIVIO STORICO ITALIANO, Firenze, 1842-54: *Storia di Milano scritta da Giovan Pietro Cagnola* (1023-1497); *Storia di Milano scritta da Giovanni Andrea Prato* (1499-1519); *Cronaca di Milano scritta da Giovan Marco Burigozzo* (1500-1544); *Degli Annali Veneti dall'anno 1457 al 1500 del Senatore Domenico Malipiero, ordinati ed abbreviati dal Senatore Francesco Longo*; *Documenti per servire alla storia della Milizia Italiana dal XIII al XVI secolo raccolti negli Archivi della Toscana e preceduti da un discorso di G. Canestrini*; *Cronaca della città di Perugia dal 1492 al 1503 di Francesco Matarazzo detto Maturanzio*; *Memorie perugine di Teseo Alfani dal 1502 al 1527*; d'ARCO, C., *Notizie di Isabella Estense moglie a Francesco Gonzaga, aggiuntivi molti documenti inediti che si riferiscono alla stessa Signora, all'istoria di Mantova ed a quella generale d'Italia*; *Documenta aliquot quae ad Romani Pontificis notarios et curiales pertinent*; *Sommario della Storia d'Italia dal 1511 al 1527 composto da Francesco Vettori*.

BEMBO, P., *Opere complete*, Milano, 1808-10.

BURCHARDI, J., *Diarium sive rerum Urbanarum commentarii ab Anno MCDLXXXIII ad Annum MDVI*, Paris, 1883-85.

CONTI di FOLIGNO, S. dei, *Le storie dei suoi tempi dal 1475 al 1510*, Roma,

1883.

CORIO, B., *Historia di Milano*, Venezia, 1554.

FRANCO, G., *Habiti d'huomeni et donne Venetiane con la processione della Ser. ma Signoria et altri particolari cioè trionfi feste cerimonie publiche della nobilissima città di Venetia*, Venezia, 1617.

GUICCIARDINI, F., *Storia d'Italia*, Roma, 1968; *Ricordi*, Milano, 1951.

INFESSURA, S., *Diario della città di Roma* (1294–1494), Roma, 1890.

JOVII, P., *Opera quotquot extant omnia illustrata*, Basel, 1578.

MACHIAVELLI, N., *Opere complete*, Milano, 1960–65;『マキアヴェリ』(「世界の名著」第16巻，会田雄次責任編集，「君主論」池田廉訳，「政略論」永井三明訳)，東京，1966.

PII II PONTIFICI MAXIMI, *Commentarii rerum memorabilium quae temporibus suis contigerunt*, Frankfurt, 1614.

PLATINA, B., *Vita Sixti VI*, Venezia, 1562.

RERUM ITALICARUM SCRIPTORES, 《Editio Palatina》 Ludovico Antonio Muratori, Milano, 1733: *Marini Sanuti Leonardi filii patricii veneti De origine urbis Venetae et Vita omnium Ducum* (1421–1493); *Storia della Repubblica Venezia* na scritta da Andrea Navagiero, Patrizio Veneto.

RERUM ITALICARUM SCRIPTORES, 《Editio Altera》 G. Carducci & V. Fiorini, Città di Castello–Bologna, 1900–: *Il diario romano di Gaspare Pontani* (1481–1492); *Iacobi Volterrani Diarium Romanum ab Anno MCCCCLXXIX ad Annum MCCCCLXXXIV*; *Diario de Sebastiano de Branca Tedallini* (1485–1524); *Diario di Antonio de Vascho* (1480–1492); PRIULI, G., *I Diarii* (1494–1512); *Diario Ferrarese dall'anno 1409 fino al 1502 di autori incerti*; ZAMBOTTI, B., *Diario ferrarese* (1476–1504); *Johannis Burckardi capelle pontificie magister ceremoniarum Liber notarum ab Anno MCCCCLXXXIII ad Annum MDVI*.

SANUDO, M., *I Diarii* (1496–1533), Venezia, 1879–1903.

VECELLIO, C., *Habiti antichi e moderni*, Venezia, 1598.

■後代歴史家の著作

BURCKHARDT, J.,『イタリア・ルネサンスの文化』(「世界の名著」第45巻、柴田治三郎訳)，東京，1966.

CIPOLLA, C., *Storia delle Signorie Italiane dal 1313 al 1530*, Milano, 1881.

COGNASSO, F., *Società e costume. L'Italia nel Rinascimento*, Torino, 1965.

GREGOROVIUS, F., *Geschichte der Stadt Rom im Mittelalter, vom V bis zum XVI Jahrhundert*, Stuttgart, 1886-96.

LAMANSKY, Vl., *Secrets d'Etat de Venise*, St. Petersbourg, 1884.

PASTOR, L. von, *Geschichte der Päpste seit dem Ausgang des Mittelalters*, Freiburg i. Br., 1901-30.

PORTIGLIOTTI, G., *Rinascimento. Porpora, pugnali, etère*, Milano, 1924.

ROMANIN, S., *Storia documentata di Venezia*, Venezia, 1852.

SISMONDI, S. de, *Histoire des Republiques Italiennes du Moyen âge*, Paris, 1809-18.

イザベッラ・デステについて

AMADEI, F., *Cronaca Universale della città di Mantova*, Mantova, 1954-57.

BACCHELLI, R., *La congiura di don Giulio d'Este*, Milano, 1931.

BALDINI, M., *Don Giulio d'Este. Poema drammatico*, Modena, 1930.

BELLONCI, M., *Lucrezia Borgia*, Milano, 1939; *I segreti dei Gonzaga*, Milano, 1963.

BONGIOVANNI, G., *Isabella d'Este marchesa di Mantova*, Milano, 1939.

CARTWRIGHT, J., *Isabella d'Este marchioness of Mantua*, London, 1903.

CONIGLIO, G., *I Gonzaga*, Milano, 1967.

CROCE, B., *Curiosità storiche*, Napoli, 1921.

FRATI, G., *Giuochi ed amori alla corte di Isabella d'Este*, 《A.S.L.》 III, IX, XXV, Milano, 1898.

LUZIO, A., *Isabella d'Este e il sacco di Roma*, Milano, 1908; *La Galleria dei Gonzaga venduta all'Inghilterra*, Milano, 1913; *Isabella d'Este e i Borgia. Con nuovi documenti*, Milano, 1916; *Isabella d'Este e la corte sforzesca*, 《A.S.L.》 III, XV, XXVIII, Milano, 1901; *Isabella d'Este nei primordi del papato di Leone X e il suo viaggio a Roma nel 1514-1515*, 《A.S.L.》 IV, VI, XXXIII, Milano, 1906; *Isabella d'Este e Francesco Gonzaga promessi sposi*, 《A.S.L.》 IV, IX, XXXV, Milano, 1908; *La reggenza di Isabella d'Este durante la prigionia del marito. 1509-1510*, 《A.S.L.》 IV, XIV, XXXVII, Milano, 1910; *Isabella d'Este di fronte a Giulio II negli ultimi tre anni del suo pontificato*, 《A.S.L.》 IV, XVII, XVIII, XXXIX, Milano, 1912; *Federico Gonzaga ostaggio alla corte di*

Giulio II, 《Archivio della Reale Società romana di Storia Patria》 IX, Roma, 1886; *Precettori di Isabella d'Este*, Ancona, 1887; *Isabella d'Este e Giulio II*, 《Rivista d'Italia》, Milano, 1909; *Isabella d'Este nelle tragedie della sua casa*, 《Atti e memorie della Reale Accademia Virgiliana》, Nuova V, Mantova, 1912; *La Madonna della Vittoria del Mantegna*, 《Emporium》, Bergamo, 1899; *I ritratti di Isabella d'Este*, 《Emporium》, Bergamo, 1900.

LUZIO, A. & RENIER, R., *Delle relazioni d'Isabella d'Este Gonzaga con Ludovico e Beatrice Sforza*, 《A.S.L.》 II, VII, XVII, Milano, 1890; *Francesco Gonzaga alla battaglia di Fornovo (1495) secondo i documenti mantovani*, 《A.S.I.》 V, VI, Firenze, 1890; *Mantova e Urbino. Isabella d'Este ed Elisabetta Gonzaga nelle relazioni famigliari e nelle vicende politiche*, Torino, 1893; *Il lusso d'Isabella d'Este marchesa di Mantova*, 《N.A.》 LXIII, LXIV & LXV, Firenze-Roma, 1896; *La cultura e le relazioni letterarie di Isabella d'Este Gonzaga*, 《Giornale Storico della Letteratura Italiana》 XXXIII-XL & XLII, Roma-Torino, 1899-1903; *Gara di viaggi fra due celebri dame del Rinascimento*, 《Intermezzo》 I, Roma, 1890.

MALAGUZZI-VALERI, F., *La corte di Ludovico il Moro. La vita privata e l'arte a Milano*, Milano, 1913.

ルクレツィア・ボルジアについて

ADEMOLLO, A., *Alessandro VI, Giulio II e Leone X nel carnevale di Roma. 1499-1520*, Firenze, 1886; *Lucrezia Borgia e la verità*, 《Archivio Storico Provinciale di Roma》, Roma, 1887.

ALVISI, E., *Cesare Borgia duca di Romagna. Notizie e documenti*, Imola, 1878.

BACCHELLI, R., *La congiura di don Giulio d'Este*, Milano, 1931.

BALDINI, M., *Don Giulio d'Este. Poema drammatico*, Modena, 1930.

BELLONCI, M., *Lucrezia Borgia*, Milano, 1931.

BENDEDEI, N., *Lettera al pontefice Alessandro VI per gli sponsali di Lucrezia Borgia con Alfonso d'Este*, Ferrara, 1889.

BELTRAMI, L. (POLIFILO), *La guardaroba di Lucrezia Borgia*, Milano, 1903.

BOSCHI, G., *Lucrezia Borgia*, Milano, 1929.

CAMPORI, G., *Una vittima della storia, Lucrezia Borgia*, 《N.A.》 II, Firenze, 1866.

CAPPELLETTI, L., *Lucrezia Borgia e la storia*, Pisa, 1876.
CATALANO, M., *Lucrezia Borgia duchessa di Ferrara*, Ferrara, 1920.
CHIAPPINI, L., *Gli Estensi*, Milano, 1967.
CIONINI, N., *Angela Borgia e una pagina della storia sassolese del secolo XVI*, Modena, 1907.
CROCE, B., *La Spagna nella vita italiana durante la Rinascenza*, Bari, 1922.
DELL'ORO, I., *Il segreto dei Borgia*, Milano, 1938.
DE ROO, P., *Material for a history of pope Alexander VI*, Bruges, 1924.
FELICIANGELI, B., *Il matrimonio di Lucrezia Borgia con Giovanni Sforza signore di Pesaro*, Torino, 1901.
FERRARA, O., *Il papa Borgia*, Milano, 1953.
FRIZZI, A., *Memorie per la storia di Ferrara*, Ferrara, 1791-1809.
FUSERO, C., *Cesare Borgia*, Milano, 1958; *I Borgia*, Milano, 1966.
GANDINI, L.A., *Lucrezia Borgia nell'imminenza delle sue nozze con Alfonso d'Este*, 《S.P.R.》, Bologna, 1902.
GATTI, B., *Lettere di Lucrezia Borgia a M. Pietro Bembo dagli autografi conservati in un codice della Biblioteca Ambrosiana*, Milano, 1859.
GREGOROVIUS, F., *Lucrezia Borgia. Secondo documenti e carteggi del tempo*, Firenze, 1874.
LUZIO, A., *Isabella d'Este e Borgia. Con nuovi documenti*, Milano, 1916.
MEDIN, A., *Il Duca Valentino nella mente di Niccolò Machiavelli*, 《Rivista Europea》, Firenze, 1885.
MENOTTI, M., *I Borgia. Documenti inediti sulla famiglia e la corte di Alessandro VI*, Roma, 1917.
MORSOLIN, B., *Pietro Bembo e Lucrezia Borgia*, 《N.A.》 LII, Firenze, 1885.
PEPE, G., *La Politica dei Borgia*, Napoli, 1945.
PORTIGLIOTTI, G., *I Borgia*, Milano, 1913.
SORANZO, G., *Studi intorno a papa Alessandro VI Borgia*, Milano, 1951.
WIRTZ, N., *Ercole Strozzi poeta ferrarese*, 《Atti e memorie della deputazione ferrarese di Storia Patria》 XVI, Ferrara, 1906.

カテリーナ・スフォルツァについて

BERNARDI, A. (NOVACULA), *Cronache forlivesi*, Bologna, 1896.

COBELLI, L., *Cronache forlivesi*, Bologna, 1874.

ALLODOLI, E., *Giovanni dalle Bande Nere*, Firenze, 1929.

ALVISI, E., *Cesare Borgia duca di Romagna. Notizie e documenti*, Imola, 1878.

AMADORI, C., *La Caterina Sforza di P.D. Pasolini*, Forlì, 1894.

BELLONCI, M., *Lucrezia Borgia*, Milano, 1939.

BONDI-SOLIERI, B., *Madonna Caterina di Forlì*, Faenza, 1955.

BRASCHI, A., *Caterina Sforza*, Bologna, 1965.

BURRIEL, A., *Vita di Caterina Sforza Riario*, Bologna, 1795.

CERATO, M., *Caterina Sforza*, Roma, 1903.

CIAN, V., *Caterina Sforza*, Torino, 1893.

COSTA, P., *Lamentazioni di Caterina Sforza Riario*, Lugo, 1932.

FUSERO, C., *Cesare Borgia*, Milano, 1958.

GALLI, R., *Imola tra la Signoria e la Chiesa*, Bologna, 1927.

MARINELLI, L., *Caterina Sforza alla difesa dei suoi domini nella Romagna*, 《S.P.R.》 IV 21 & 22, Bologna, 1932.

MASI, E., *Caterina Sforza*, 《N.A.》 II, CXXIX 45, Roma, 1893.

MEDIN, A., *Il Duca Valentino nella mente di Niccolò Machiavelli*, 《Rivista Europea》, Firenze, 1885.

MONCALLERO, G. L., *Documenti inediti sulla guerra di Romagna del 1494*, 《Rinascimento》, Firenze, 1953-55.

MONTI, A., *La rocca di Ravaldino. Caterina Sforza e Giovanni dalle Bande Nere*, 《Forum Livii》 II 1-2, Forlì, 1927.

MORSIANI-QUADALTI, D., *Del luogo dov'è morta la contessa Caterina Sforza, signora d'Imola e di Forlì*, Bologna, 1880.

OLIVA, F., *Vita di Caterina Sforza*, Forlì, 1821.

PASOLINI, P. D., *Caterina Sforza*, Roma, 1893; *Nuovi documenti su Caterina Sforza*, 《S.P.R.》, XV, Bologna, 1897.

PEPE, G, *La politica dei Borgia*, Napoli, 1945.

RENIER, R., *Caterina Sforza*, 《Gazzetta Letteraria》 30-31, Torino, 1893.

RICOTTI, E., *Storia delle compagnie di ventura in Italia*, Torino, 1847.

ROSSI, G., *Vita di Giovanni de'Medici*, Milano, 1833.

SALTINI, G.E., *Caterina Sforza*, 《A.S.I.》, Firenze, 1894.

SANI, S., *Caterina Sforza e il Duca Valentino*, 《Vita Nuova》, Bologna, 1925.

VILLARI, P., *Niccolò Machiavelli e i suoi tempi*, Firenze, 1877.

カテリーナ・コルネールについて

ARCHIVIO STORICO ITALIANO, Firenze, 1842-54: *Degli Annali Veneti dall'anno 1457 al 1500 del Senatore Domenico Malipiero, ordinati ed abbreviati dal Senatore Francesco Longo* III; CAGNOLA, *Questo se'l Pianto de Negroponte*; *La persa di Nigroponte*; *Perdita di Negroponte, scritta per Frate Iacopo della Castellana*.

BUSTRON, F., *Cronaca di Cipro*, Mas-Latrie, 《Collection de documents inèdits sur l'histoire de France》, Paris, 1879.

COLBERTALDO, A., *Istoria di Caterina Corner regina di Cipro*, 《Biblioteca Marciana》, Venezia.

CORNET, E., *Le guerre dei veneti nell'Asia*, Wien, 1852; *Lettere al Senato di Giosafatte Barbaro*, Wien, 1852.

LUSIGNANO, S., *Historia di Cipri*, Bologna, 1573.

BAILLY, A., *La République de Venise*, Paris, 1946.

BATTISTELLA, A., *Un nuovo documento sull'acquisto di Cipro da parte della Repubblica di Venezia*, 《Atti del Reale Istituto Veneto di Scienze, Lettere ed Arti》 LXXX, Venezia, 1920-21.

BOSIO, I., *Historia della sacra Religione et Ill. ma Militia di San Giovanni Gierosolimitano*, Roma, 1619.

BROWN, H.F., *Studies in the history of Venice*, London, 1907.

CENTELLI, A., *Caterina Cornaro e il suo Regno*, Venezia, 1892.

CERONE, F., *La poltica orientale di Alfonso d'Aragona*, 《Archivio storico per le provincie Napoletane》 XXVII & XXVIII, Napoli, 1902-03.

CESSI, R., *Storia della Repubblica di Venezia*, Venezia, 1942; *Un falso eroe della rivolta di Famagosta*, 《Atti del Reale Istituto Veneto》, Venezia, 1911.

DUDAN, B., Il dominio Veneziano di Levante, Bologna, 1937.

FORCELLINI, *Strane peripezie di un bastardo di casa d'Aragona*, Napoli, 1915.

GHINZONI, P., *Galeazzo Maria Sforza e il Regno di Cipro*, 《A. S. L.》 VI, Milano, 1879.

GUERDAN, R., *L'oro di Venezia*, Milano, 1967.

HILL, G., *A history of Cyprus*, Cambridge, 1940-48.

LANE, F.C., *Venetian ships and shipbuilders of the Renaissance*, Baltimore, 1934.

LOREDANO, G.F., *Historie de' ReLusignani*, Henrico Giblet, Venezia, 1653.

LUZZATTO, G., *Storia economica di Venezia del IX al XVI secolo*, Venezia, 1961.

MAGNANTE, G., *Documenti mantovani sulla politica di Venezia a Cipro*, 《Archivio Veneto-Tridentino》 VIII, Venezia, 1925; *L'acquisto dell'isola di Cipro da parte della Repubblica di Venezia*, 《Archivio Veneto》 V 5 & 6, Venezia, 1926.

MANFRONI, C., *Storia della Marina Italiana dalla caduta di Costantinopoli alla battaglia di Lepanto*, Roma, 1933; *I colonizzatori italiani durante il Medio Evo ed il Rinascimento*, Roma, 1933.

MARANINI, G., *La Costituzione di Venezia*, Venezia-Firenze, 1927-31.

MAS-LATRIE, L. de, *Histoire de l'ile de Chypre sous le règne des princes de la Maison de Lusignan*, Paris, 1855; *Nouvelles preuves de l'histoire de Chypre*, 《Bibliotêque de l'école des chartes》, Paris, 1871-74; *Documents nouveaux servant de preuves a l'histoire de Chypre*, Paris, 1882.

MOLMENTI, P., *Storia di Venezia nella vita privata*, Bergamo, 1910-11.

SIMONSFELD, L., *Caterina Cornaro*, 《Archivio Veneto》 XXI, Venezia, 1881; *Civiltà veneziana del '300*, Firenze, 1956; *Civiltà veneziana del '400*, Firenze, 1957; *Civiltà veneziana del Rinascimento*, Firenze, 1958; *Trattato del titolo regio dovuto alla serenissima Casa di Savoia insieme con un ristretto delle rivolutioni del reame di Cipri*, Torino, 1633.

図版出典一覧

カバー　「貴族の男女の素描」ピサネッロ画　コンデ美術館（シャンティイ／フランス）
© Archivi Alinari, Firenze

p. 15　「イザベッラ・デステ素描」レオナルド・ダ・ヴィンチ画　ルーヴル美術館（パリ）
© Archivi Alinari, Firenze

p. 24　「フランチェスコ・ゴンザーガ胸像」クリストフォロ・ロマーノ作　パラッツォ・ドゥカーレ（マントヴァ／イタリア）　© Scala, Firenze

p. 28　「ベアトリーチェ・デステ肖像」（「スフォルツァ祭壇画」の部分）　作者不詳　ブレラ美術館（ミラノ）
© Archivi Alinari/Giraudon

p. 29　「ルドヴィーコ・スフォルツァ（イル・モーロ）肖像」同上

p. 37　「新婚の部屋」パラッツォ・ドゥカーレ（マントヴァ）
© Archivi Alinari, Firenze

p. 39　「死せるキリスト」マンテーニャ画　ブレラ美術館（ミラノ）　© Scala, Firenze

p. 82　「フェデリーコ・ゴンザーガ肖像」ティツィアーノ画　プラド美術館（マドリッド）　© Scala, Firenze

p. 90　「シャルル・ド・ブルボンの死」（16世紀の版画）　個人蔵　© The Bridgeman Art Library, London

p. 105　「イザベッラのステュディオーロ」パラッツォ・ドゥカーレ（マントヴァ）　© Archivi Alinari, Firenze

p. 109　「ルクレツィア・ボルジア」(「聖カタリナの論議」の部分) ピントゥリッキオ画　ヴァティカン美術館
© Archivi Alinari, Firenze

p. 120　「キリストの復活と礼拝する法王アレッサンドロ六世(部分)」ピントゥリッキオ画　ヴァティカン美術館
© Archivi Alinari, Firenze

p. 129　「ボルジアの部屋」ヴァティカン美術館内
© Archivi Alinari, Firenze

p. 135　「チェーザレ・ボルジア肖像」作者不詳　パラッツォ・ヴェネツィア美術館 (ローマ)　© Scala, Firenze

p. 161　「アルフォンソ・デステ肖像」ティツィアーノ画　パラティーナ美術館 (フィレンツェ)　© Scala, Firenze

p. 174　「ピエトロ・ベンボ肖像」ラファエッロ画　ブダペスト国立美術館 (ハンガリー)
© The Bridgeman Art Library, London

p. 189　「ジュリオ二世」(「神殿から放逐されるヘリオドロス」の部分) ラファエッロ画　ヴァティカン美術館
© Archivi Alinari, Firenze

p. 203　「カテリーナ・スフォルツァ肖像」ロレンツォ・ディ・クレディ画　フォルリ市立美術館 (フォルリ／イタリア)　© Foto Giorgio Liverani di Liverani Monica

p. 209　「15世紀半ばにミラノで作られた甲冑」ウィーン美術史美術館 (オーストリア)
© Kunsthistorisches Museum

p. 225　「ミラノ城の塔」
© The Bridgeman Art Library, London

p. 227　「ガレアッツォ・マリーア・スフォルツァ肖像」ポライウォーロ画　ウフィッツィ美術館（フィレンツェ）
© Scala, Firenze

p. 233　「スフォルツァ騎馬像」レオナルド・ダ・ヴィンチ画　トリノ王立図書館（トリノ／イタリア）
© Archivi Alinari, Firenze

p. 241　「シスト四世と甥たち（部分）」メロッツォ・ダ・フォルリ画　ヴァティカン美術館
© Archivi Alinari, Firenze

p. 248　「ジローラモ・リアーリオ肖像」ボッティチェッリ画　カペッラ・システィーナ（ヴァティカン）
© Archivi Alinari, Firenze

p. 261　「ロレンツォ・イル・マニーフィコ肖像」ヴァザーリ画　ウフィッツィ美術館　© Archivi Alinari/Giraudon

p. 282　「ジョヴァンニ・デ・メディチ肖像」ヴァザーリ画　ウフィッツィ美術館　© Archivi Alinari, Firenze

p. 317　「カテリーナ・コルネール肖像」ティツィアーノ画　ウフィッツィ美術館　© Archivi Alinari, Firenze

p. 334　「ガレー船」ラファエッロ画　アカデミア美術館（ヴェネツィア）　© Archivi Alinari, Firenze

p. 347　「ヴェネツィア共和国元首の正装」チェーザレ・ヴェチェッリオ画『HABITI ANTICHI ET MODERNI (服装今昔)』（パリ　1860年版）より

p. 366　「提督ピエトロ・モチェニーゴ肖像」ティントレット画　ルーヴル美術館　© Archivi Alinari, Firenze

p. 388　「トルコのスルタン」「トルコ兵」チェーザレ・ヴェチ

エッリオ画『HABITI ANTICHI ET MODERNI（服装今昔）』（パリ　1860年版）より

p. 412　「ヴェネツィア共和国国旗」コレール美術館（ヴェネツィア）　© Museo Correr

p. 416　「サン・マルコ広場を通過する大行列」ジェンティーレ・ベッリーニ画　アカデミア美術館（ヴェネツィア）　© Archivi Alinari, Firenze

地図作製：綜合精図研究所（p. 14、p. 54、p. 243、p. 322）

この作品は、一九六九年に中央公論社より刊行された。

ルネサンスの女《おんな》たち

新潮文庫　し-12-41

平成二十四年八月一日発行

著者　塩《しお》野《の》七《なな》生《み》

発行者　佐藤隆信

発行所　株式会社　新潮社

郵便番号　一六二―八七一一
東京都新宿区矢来町七一
電話　編集部(〇三)三二六六―五四四〇
読者係(〇三)三二六六―五一一一
http://www.shinchosha.co.jp

価格はカバーに表示してあります。

乱丁・落丁本は、ご面倒ですが小社読者係宛ご送付ください。送料小社負担にてお取替えいたします。

印刷・錦明印刷株式会社　製本・錦明印刷株式会社

ISBN978-4-10-118141-7　C0195